La verrerie en chimie

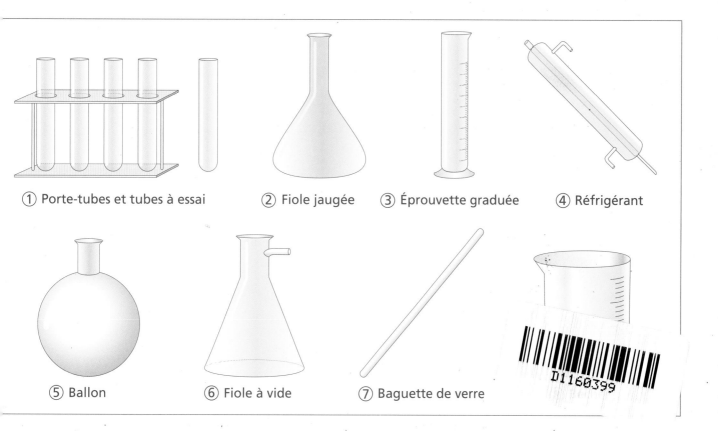

① Porte-tubes et tubes à essai

② Fiole jaugée

③ Éprouvette graduée

④ Réfrigérant

⑤ Ballon

⑥ Fiole à vide

⑦ Baguette de verre

Physique
Chimie

Sous la direction de J.-P. DURANDEAU

P. BRAMAND
M.-J. COMTE
B. FARLOUBEIX
P. FAYE
P. GARNIER
C. RAYNAL
D. THÉBOEUF

HACHETTE
Éducation

Sommaire

I.S.B.N. 978-2-01-125419-1

© Hachette Livre, 2006, 43 quai de Grenelle, 75905 Paris Cedex 15

Pour bien utiliser

L'ouverture du chapitre

La problématique générale introduit le chapitre.

Les objectifs clairement définis.

Une page de débat pour introduire chaque paragraphe du cours.

Le cours

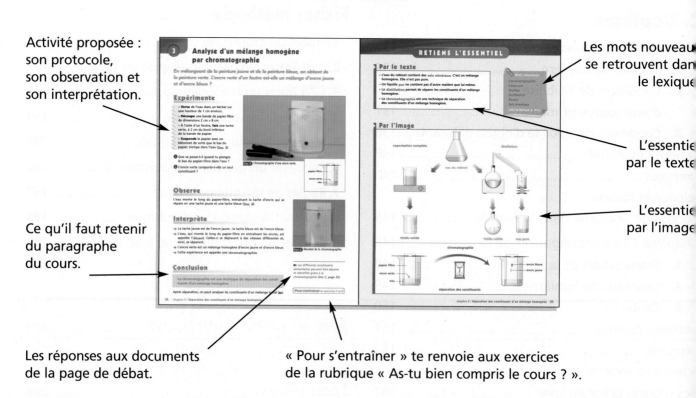

Activité proposée : son protocole, son observation et son interprétation.

Ce qu'il faut retenir du paragraphe du cours.

Les mots nouveaux se retrouvent dans le lexique.

L'essentiel par le texte.

L'essentiel par l'image.

Les réponses aux documents de la page de débat.

« Pour s'entraîner » te renvoie aux exercices de la rubrique « As-tu bien compris le cours ? ».

ton manuel

Les exercices

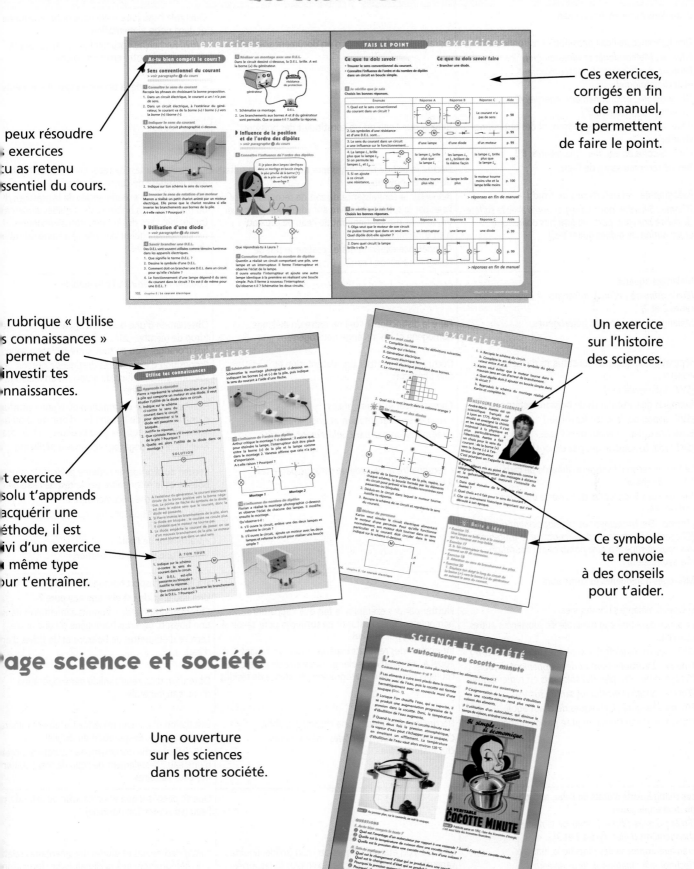

Ces exercices, corrigés en fin de manuel, te permettent de faire le point.

peux résoudre exercices u as retenu ssentiel du cours.

rubrique « Utilise connaissances » permet de investir tes nnaissances.

Un exercice sur l'histoire des sciences.

t exercice solu t'apprends acquérir une éthode, il est ivi d'un exercice même type ur t'entraîner.

Ce symbole te renvoie à des conseils pour t'aider.

age science et société

Une ouverture sur les sciences dans notre société.

A. L'eau dans notre environnement

Notions – contenus	Compétences	Exemples d'activités
L'eau dans notre environnement Omniprésence de l'eau dans notre environnement. [Thème : Météorologie et climatologie] [Histoire des Sciences : la météorologie et la climatologie] [Technologie : environnement, énergie, 4e; architecture et habitat, 5e] L'eau, un constituant des boissons et des organismes vivants. [SVT : besoins en eau des êtres vivants, 6e] Test de reconnaissance de l'eau. [Géographie : les déserts secs ou froids] [Thème : Sécurité (pour les expériences avec le sulfate de cuivre anhydre, port des lunettes obligatoire et utilisation de faibles quantités)]	Extraire des informations d'un document scientifique. Retenir que l'eau est un constituant des boissons. Décrire le test de reconnaissance de l'eau par le sulfate de cuivre anhydre. Réinvestir la connaissance du test de reconnaissance de l'eau par le sulfate de cuivre anhydre pour distinguer des milieux qui contiennent de l'eau de ceux qui n'en contiennent pas. Compétence expérimentale : réaliser le test de reconnaissance de l'eau.	**Quel rôle l'eau joue-t-elle dans notre environne... et dans notre alimentation ?** * [B2i] Recherche documentaire : omniprésence de l'eau dans notre environnement : – cycle de l'eau ; – comparaison de la teneur en eau des aliments. Réalisation du test de reconnaissance de l'eau avec le sulfate de cuivre anhydre. Reconnaissance expérimentale de la présence d'... ou non dans des boissons, des liquides alimentai... (huile, lait...) et des liquides non alimentaires (white-spirit, liquide vaisselle...) à l'aide du sulfa... de cuivre anhydre.
Mélanges aqueux [École primaire : fiche 2, mélanges et solutions, cycles 2 et 3] Mélanges homogènes et hétérogènes. Séparation de quelques constituants de mélanges aqueux. [SVT : sédimentation] Exemples de constituants de boissons hétérogènes. [SVT : action de l'eau sur les roches] Existence des gaz dissous dans l'eau. [SVT : rôle biologique des gaz dissous] Le test de reconnaissance du dioxyde de carbone à l'eau de chaux. [Histoire des Sciences : la découverte du « gaz carbonique »] [Thème : Environnement et développement durable (Citoyenneté : étude de documents sur le traitement des eaux destinées à être potables et l'épuration des eaux usées)]	Faire la distinction à l'œil nu entre un mélange homogène et un mélange hétérogène. Décrire et schématiser une décantation et une filtration. Compétences expérimentales : – réaliser une décantation et une filtration ; – récupérer un gaz par déplacement d'eau ; – reconnaître le dioxyde de carbone par le test à l'eau de chaux.	**Comment obtenir de l'eau limpide ?** Observation d'une boisson d'apparence homogè... (sirop de menthe, café...), d'une boisson hétérogè... (jus d'orange...) ou de tout autre mélange aqueu... Proposition d'expériences destinées à obtenir un... solution aqueuse limpide à partir d'un mélange... aqueux hétérogène. Réalisation d'une décantation ou d'une centrifu... d'une filtration de boisson (jus d'orange...) ou de... autre mélange aqueux (eau boueuse, lait de cha... Réalisation du dégazage d'une eau pétillante. Recueil du dioxyde de carbone présent dans une... boisson et le reconnaître par le test de l'eau de c... * [B2i] Recherche documentaire : – pourquoi les poissons meurent-ils lorsque l'eau... se réchauffe ? – traitement de l'eau. Visite d'une station d'épuration.
Mélanges homogènes et corps purs Les eaux, mélanges homogènes. Présence dans une eau minérale de substances autres que l'eau. [SVT : besoins nutritifs des végétaux chlorophylliens, 6e] [Thème : Environnement et développement durable (Citoyenneté : l'emploi des colorants est réglementé)] [Thème : Santé (Nutrition et santé : sucres)] [Thème : Sécurité (Techniques de chauffage)] Obtention d'eau (presque) pure par distillation.	Illustrer par des exemples le fait que l'apparence homogène d'une substance ne suffit pas pour savoir si un corps est pur ou non. Interpréter des résultats expérimentaux en faisant appel à la notion de mélange (présence de différentes couleurs sur un chromatogramme, existence de résidus solides...). Décrire une distillation, une chromatographie. Compétences expérimentales : réaliser une chromatographie.	**Un liquide d'aspect homogène est-il pur ?** **Une eau limpide est-elle une eau pure ?** Chromatographie de colorants alimentaires dans... une boisson, un sirop homogène ou une encre. Lecture d'étiquettes de boissons et de fiches d'an... d'eau. Obtention d'un résidu solide par évaporation d'une eau minérale. Distillation d'une eau minérale fortement minéra... ou d'eau salée. Évaporation du distillat. * [B2i] Recherche documentaire : pureté et potab... d'une eau ; dessalement de l'eau de mer ; traiten... des eaux calcaires.
Les changements d'états de l'eau, approche phénoménologique [École primaire : fiche 1, états de la matière et changements d'état, cycles 2 et 3] Première approche des états de la matière. [Technologie : matériaux (tous niveaux)] [Géographie : L'eau sur la Terre] [Thème : Météorologie et climatologie (Le cycle de l'eau)]	Citer les trois états physiques de l'eau (solide, liquide, vapeur) et les illustrer par des exemples (buée, givre, brouillard, nuages...).	**Que se passe-t-il quand on chauffe ou refroidit d... l'eau (sous pression normale) ?** * [B2i] Recherches et études documentaires relat... à la météorologie et à la climatologie (formation... des nuages, humidité de l'air...).

Notions – contenus	Compétences	Exemples d'activités
·tés spécifiques de chaque état physique.	Identifier et décrire un état physique à partir de ses propriétés. Respecter sur un schéma les propriétés liées aux états de la matière (horizontalité de la surface d'un liquide…). Utiliser le vocabulaire : solidification, fusion, liquéfaction, vaporisation. *Compétences expérimentales :* *– mesurer des volumes avec une éprouvette graduée ;* *– mesurer une masse avec une balance électronique.* Retenir que 1 L = 1 dm^3 et que de même 1 mL = 1 cm^3. Retenir que la masse de 1 L d'eau est voisine de 1 kg dans les conditions usuelles de notre environnement.	Mise en évidence expérimentale de : – la forme propre de l'eau solide (glace) ; – l'absence de forme propre de l'eau liquide comme de tous les autres liquides ; – l'horizontalité de la surface libre de l'eau comme de tout liquide au repos ; – la compressibilité et l'expansibilité de la vapeur d'eau qui, comme tout gaz et notamment l'air, occupe tout le volume qui lui est offert. Réalisation, observation et schématisation d'expériences de changements d'états. Retour sur le cycle de l'eau : changement d'état. * [B2i] Recherche documentaire : est-ce un hasard si un litre d'eau pure a pour masse un kilogramme ? Recherche documentaire : en quoi, le système métrique représente-t-il un progrès ? Travail sur les unités de volume par des opérations de transvasement d'eau.
·ngements d'état sont inversibles. ·e l'eau. ·définition du magma, 4e] ·e de masses, unité, le kilogramme (kg). ·e de volumes, unité, le mètre cube (m^3). ·re : révolution française et système métrique] ·re des sciences : le système métrique, exigence ·érence et d'harmonisation] ·matiques : mesure de volumes] ·ologie : mesures et contrôles, tous niveaux ; ·cture et habitat (plan, échelle, volume, ·ce de mesure), 5e] ·ologie : design et produit (échelle de ·entation), 4e ; fonctions d'usage et fonctions ·que , 6e] ·e : pensée statistique] ·tion entre masse et volume.	Utiliser correctement les notions de masse et de volume sans les confondre, utiliser les unités correspondantes.	Mise en œuvre d'expériences montrant la proportionnalité entre une masse et le volume correspondant d'eau liquide pour amener le fait qu'un litre d'eau liquide a une masse voisine de 1 kg (tableau et/ou graphique et/ou * [B2i] tableur). Mise en évidence de la dispersion des mesures. Activité expérimentale : comment savoir si un liquide incolore est ou non de l'eau ?
·vation de la masse lors des changements d'état ·conservation du volume. ·matiques : grandeurs et mesures, ·tionnalité] ·ge d'une température, unité : le degré Celsius	Prévoir ou interpréter des expériences en utilisant le fait que le changement d'état d'un corps pur sous pression constante se fait sans variation de la masse mais avec variation de volume. Retenir le nom et le symbole de l'unité usuelle de température. *Compétences expérimentales :* *– utiliser un thermomètre ;* *– tracer et exploiter le graphique obtenu lors de l'étude du changement d'état d'un corps pur.*	Fusion de la glace accompagnée d'une pesée avant et après la fusion. Exercice « expérimental » : la fusion des icebergs ferait-elle monter le niveau des océans ? * [B2i] Recherche documentaire : – un effet de l'augmentation du volume de l'eau qui gèle : rupture des canalisations d'eau, barrières de dégel… – le méthanier : intérêt de liquéfier le méthane. Utilisation d'un thermomètre (ou d'un * [B2i] capteur de température). Congélation de l'eau et suivi de l'évolution de la température (* [B2i] éventuellement avec l'ordinateur).
·ce d'un palier de température lors ·nangement d'état pour un corps pur. ·matiques : représentation graphique ·nées] ·e : Sécurité (Techniques de chauffage)] ·refroidissement du magma par étapes, 4e] ·e : Sécurité (pour tout ce qui concerne les ·ions et la manipulation du cyclohexane)]	Prévoir ou interpréter des expériences en utilisant le fait que le changement d'état d'un corps pur se fait à température constante sous pression constante. Connaître les températures de changement d'état de l'eau sous pression normale. Retenir que la température d'ébullition de l'eau dépend de la pression.	Chauffage d'eau liquide obtenue par distillation et * [B2i] suivi de l'évolution de la température de l'eau, réalisation de l'ébullition. Comparaison avec la même expérience faite avec de l'eau très salée. Étude du changement d'état d'un corps pur autre que l'eau (* [B2i] la solidification du cyclohexane par exemple). Réalisation de l'ébullition sous pression réduite (fiole à vide et trompe à eau ou seringue).
·olvant		**Peut-on dissoudre n'importe quel solide dans l'eau (sucre, sel, sable…) ?** **Peut-on réaliser un mélange homogène dans l'eau avec n'importe quel liquide (alcool, huile, pétrole…) ?**
·st un solvant de certains solides et de certains ·le est miscible à certains liquides. ·vation de la masse totale au cours ·dissolution. ·e : Environnement : mécanisme de pollution ·ux ; les marées noires] ·respiration dans l'eau, 5e, action de l'eau sur les ·]	*Compétences expérimentales :* *– réaliser (ou tenter de réaliser) la dissolution d'un solide dans un liquide ou le mélange de deux liquides et vérifier la conservation de la masse totale au cours de ces expériences ;* *– utiliser une ampoule à décanter.*	Formulation d'hypothèses sur la possibilité de certaines dissolutions ou de certains mélanges puis réalisation des expériences pour les valider ou invalider. Préparation d'une solution de sucre en dissolvant une masse donnée de sucre dans un volume donné d'eau ; réalisation d'une nouvelle pesée après dissolution. Test de la miscibilité pour les liquides : agiter, laisser reposer, observer.
·ulaire de la dissolution : la notion de solution ·e est limitée à une approche qualitative.	Employer le vocabulaire spécifique à la discipline : solution, soluté, solvant, solution saturée, soluble, insoluble, miscibilité et non-miscibilité de deux liquides. Connaître des exemples de mélanges liquides où l'eau est le solvant. Distinguer dissolution et fusion.	Évaporation d'une eau salée ou sucrée pour récupérer le sel ou le sucre. * [B2i] Exploitation de documents sur les marais salants, sur les saumures.

B. Les circuits électriques en courant continu. Étude qualitative

Notions – contenus	Compétences	Exemples d'activités
Qu'est-ce qu'un circuit électrique ? [École primaire : fiche 23, électricité, cycles 2 et 3] Circuit électrique simple avec une seule lampe ou un moteur : – rôle du générateur ; – fils de connexion ; – rôle de l'interrupteur. [Technologie : environnement et énergie (matériaux isolants et matériaux conducteur d'énergie électrique et thermique), 4e] [Thème : Sécurité (danger du secteur)]	*Compétences expérimentales :* *– mettre en œuvre du matériel (générateur, fils de connexion, interrupteur, lampe ou moteur) pour allumer une lampe ou entraîner un moteur ;* *– test du comportement d'un circuit dépourvu de générateur.* Connaître le vocabulaire : circuit ouvert, circuit fermé. Prévoir l'absence de courant en l'absence de générateur. Retenir que les expériences ne doivent pas être réalisées avec le courant du secteur pour des raisons de sécurité.	Réalisation d'un circuit simple avec un générate des fils de connexion, un interrupteur et une lan (ou un moteur). Nécessité de la présence du générateur pour qu la lampe éclaire ou que le moteur tourne.
Du dessin au schéma, symboles normalisés. Notion de boucle.	Reconnaître et utiliser les symboles normalisés : pile, lampe, moteur, fils de connexion, interrupteur. Représenter le schéma normalisé d'un montage présent sur la paillasse. Repérer une boucle sur un schéma et sur un montage.	Tracé du schéma normalisé d'un montage présen sur la paillasse. Repérage sur un schéma de la boucle formée par les éléments d'un circuit fermé pour prévoir son fonctionnement et réalisation expérimental
Approche de la notion de court-circuit. [Thème : Sécurité (Citoyenneté et Sécurité : les dangers du court-circuit)]	Exposer les dangers en cas de court-circuit d'un générateur. Repérer sur un schéma la boucle correspondant au générateur en court-circuit.	Observation de l'échauffement d'une pile dont les bornes sont reliées par un fil de connexion. Observation de l'incandescence de la paille de fe reliant les deux bornes d'une pile.
Circuit électrique en boucle simple Circuit électrique en boucle simple : on pourra utiliser les dipôles suivants : générateur, interrupteurs, lampes, moteur, D.E.L., diode, fils de connexion, résistances (conducteurs ohmiques) en se limitant, outre les interrupteurs, à un générateur et à trois dipôles.	Reconnaître et utiliser les symboles normalisés d'une diode, d'une D.E.L., d'une résistance. Retenir que les dipôles constituant le circuit série ne forment qu'une seule boucle. *Compétence expérimentale : réaliser à partir de schémas des circuits en série pouvant comporter un générateur, des lampes, des interrupteurs, un moteur, une diode électroluminescente, une diode et des résistances.*	Réalisation de circuits en boucle simple pouvant comporter un générateur, des lampes, des interrupteurs, un moteur, une diode, une diode électroluminescente et des résistances (on se limi outre les interrupteurs, à un générateur et à tro dipôles).
Influence de l'ordre et du nombre de dipôles autres que le générateur. Conducteurs et isolants. Cas particuliers de l'interrupteur et de la diode. [Technologie : environnement et énergie (matériaux isolants et matériaux conducteurs d'énergie électrique et thermique), 4e]	Mettre en évidence la variation ou la non variation de l'éclat d'une lampe témoin en fonction : – de sa position dans le circuit ; – du nombre de dipôles autres que le générateur ajoutés dans le circuit. Passer du schéma normalisé au circuit et inversement. Citer des conducteurs et des isolants usuels. Retenir qu'un interrupteur ouvert se comporte comme un isolant et qu'un interrupteur fermé se comporte comme un conducteur. Retenir que le comportement d'une diode ressemble à celui d'un interrupteur selon son sens de branchement.	Schématisation et réalisation du montage perme d'observer la variation ou la non variation de l'é d'une lampe témoin en fonction : – de sa position dans le circuit ; – du nombre de dipôles autres que le générateu ajoutés dans le circuit. Passage du schéma normalisé au circuit et inversement. Introduction, dans un circuit en boucle simple, d différents échantillons conducteurs ou isolants y compris de l'eau, de l'eau « salée », une D.E.L.
Caractère conducteur du corps humain (électrisation). [Thème : Sécurité (Citoyenneté : règles de sécurité électrique)]	Prévoir que le circuit est ouvert lorsqu'une lampe est dévissée. Identifier la situation d'électrisation et en énoncer les effets.	Formulation d'une hypothèse et test concernant l'état du circuit lorsqu'on dévisse une lampe dans un circuit en série. Utilisation une maquette simplifiée de situation d'électrisation. * [B2i] Simulation informatisée de situation d'électrisation. * [B2i] Étude de documents sur les dangers de l'électrisation.
Sens conventionnel du courant.	Citer le sens conventionnel du courant.	Utilisation d'une diode ou d'un moteur pour me en évidence l'existence d'un sens du courant ou, pour la diode, imposer une absence de courant.
Circuit électrique comportant des dérivations Le circuit électrique avec des dérivations (on se limite, outre les interrupteurs, à un générateur et à trois dipôles). Retour sur le court-circuit : distinction entre court-circuit d'un générateur et court-circuit d'une lampe. [Thème : Sécurité (Citoyenneté : règles de sécurité électrique) et (Sécurité des personnes et des biens)]	Identifier les différentes boucles contenant le générateur dans des circuits comportant des dérivations. *Compétence expérimentale : identifier et être capable de réaliser des montages en dérivation.* Prévoir que la boucle correspondante est ouverte lorsqu'une lampe est dévissée. Identifier la situation de court-circuit d'un générateur dans un circuit et en prévoir les conséquences.	Matérialisation des boucles dans un circuit avec dérivation. Prévisions de fonctionnement. Réalisation et schématisation de circuits simples comportant notamment des lampes et des diodes électroluminescentes en dérivation (on se limite, l'interrupteur, à un générateur et à trois dipôles). Prévision et vérification des faits observés lorsqu dévisse une lampe dans un circuit comportant de dérivations.

Notions – contenus	Compétences	Exemples d'activités
	Identifier la situation de court-circuit d'un dipôle récepteur et en prévoir les conséquences.	Réalisation de situations de court-circuit, notamment identification du cas où le générateur se retrouve en court-circuit en même temps qu'une lampe.

C. La lumière : sources et propagation rectiligne

Notions – contenus	Compétences	Exemples d'activités
s de lumière et importance de la diffusion de la lumière dans l'œil nce de deux types de sources de lumière : ources primaires (étoiles, Soleil…) ; bjets diffusants (planètes, satellites, murs …). ondition nécessaire pour la vision : l'entrée umière dans l'oeil. e : Sécurité (Les dangers du laser)] re des sciences : Ibn Al-Haytham (ou Alhazen)] organe sensoriel = récepteur, 4e] ologie : architecture et habitat, 5e]	Citer quelques sources de lumière. Prévoir si un écran diffusant peut en éclairer un autre en fonction des facteurs suivants : – localisation spatiale des deux écrans ; – l'écran diffusant est éclairé ou non. Retenir que pour voir un objet, il faut que l'œil en reçoive de la lumière.	**Comment éclairer et voir un objet ?** **D'où vient la lumière ?** Formulation d'hypothèses et tests expérimentaux à partir de situations mettant en jeu des sources de lumière, des objets diffusants (écran blanc, obstacles opaques…). Interposition d'un écran opaque entre une source lumineuse et l'œil d'un élève : confrontation du point de vue de cet élève et celui d'un autre élève observateur.
gation rectiligne de la lumière ceau de lumière. re des sciences : en étudiant des ombres, a établi la première loi scientifique connue umanité] e du rayon de lumière. e propagation de la lumière.	Formuler que l'on peut visualiser le trajet d'un faisceau de lumière grâce à la diffusion. Et en faire un schéma. *Compétence expérimentale : visualisation de faisceaux, visées.* Représenter un rayon de lumière par un trait repéré par une flèche indiquant le sens de la propagation. Faire un schéma représentant un faisceau de lumière. Interpréter des résultats expérimentaux en utilisant le fait qu'une source lumineuse ponctuelle et un objet opaque déterminent deux zones : – une zone éclairée de laquelle l'observateur voit la source ; – une zone d'ombre de laquelle l'observateur ne voit pas la source.	**Comment se propage la lumière ?** Constatation de la non visibilité d'un faisceau de lumière en milieu non diffusant et de sa visualisation grâce à la diffusion. Observation du renvoi de lumière vers l'observateur par des objets diffusants placés dans le faisceau. Formulation d'hypothèses lors de visées au travers d'écrans troués et vérification expérimentale de ces hypothèses. * [B2i] Recherche documentaire : le théorème de Thalès. Limitation d'un faisceau de lumière émis par une source ponctuelle par des ouvertures de formes quelconques avec observation sur l'écran de taches lumineuses de mêmes formes que les ouvertures.
e propre, ombre portée et cône d'ombre : rétation en termes de rayons de lumière. primaire : fiche 17, lumière et ombres, cycle 3] ématiques : géométrie]	Interpréter les ombres propre et portée ainsi que l'existence du cône d'ombre en figurant des tracés rectilignes de lumière. Prévoir la position et la forme des ombres dans le cas d'une source ponctuelle. Retenir que l'ombre portée reste noire même dans le cas d'une source colorée. Prévoir si une source de lumière est visible ou non en vision directe, dans diverses situations, en fonction des positions relatives des objets opaques, des sources et de l'oeil, y compris dans le cône d'ombre. Tracer des schémas où figure l'œil de l'observateur et les rayons qui y pénètrent.	Formulation d'hypothèses sur la position, la forme et l'éventuelle couleur des ombres d'objets éclairés avec des sources ponctuelles blanches ou colorées. Vérification expérimentale de ces hypothèses.
me Soleil-Terre-Lune s de la Lune, éclipses : interprétation simplifiée. primaire : fiches 19 et 21, mouvement apparent eil, Système solaire et Univers, cycle 3] raphie : le calendrier, les saisons] re des sciences : l'observation des astres et la nce de la science] re des Sciences : le système solaire, la rotondité Terre] ématiques : tangente à un cercle, 4e] ologie : architecture et habitat, 5e] nologie : environnement et énergie, 4e]	Décrire simplement les mouvements pour le système Soleil-Terre-Lune. Interpréter les phases de la Lune ainsi que les éclipses. Prévoir le phénomène visible dans une configuration donnée du système simplifié Soleil-Terre-Lune.	Observation des phases de la Lune et des éclipses à l'aide d'une maquette et/ou par * [B2i] simulation informatique et/ou par une séquence audiovisuelle (bien distinguer l'observation par un observateur terrestre de l'interprétation par un observateur extérieur au système Soleil-Terre-Lune). Observation quotidienne de la Lune, avec compterendu, sur une durée suffisante. * [B2i] Recherche documentaire : cadran solaire, gnomon. * [B2i] Recherche documentaire : la prévision des éclipses, naissance d'une forme rudimentaire de science (empirisme)

1

L'eau dans notre environnement

Quel rôle l'eau joue-t-elle dans notre environnement et dans notre alimentation ?

▲ *L'eau, indispensable à la vie, doit être préservée.*

Objectifs

❱ Savoir extraire des informations d'un document scientifique.

❱ Savoir que l'eau est un constituant des boissons.

❱ Savoir décrire et utiliser le test de reconnaissance de l'eau par le sulfate de cuivre anhydre.

AU PROGRAMME DE L'ÉCOLE ÉLÉMENTAIRE :

Connaître le trajet et les transformations de l'eau dans la nature.

Reconnaître l'eau liquide et la glace dans notre environnement immédiat.

A▶ Les fleuves qui se déversent dans la mer transportent de grandes quantités d'eau. Pourquoi l'eau de ces fleuves ne la fait-elle pas déborder ?

B▶ Lorsqu'il pleut, la statuette est rose. Lorsqu'il fait beau, elle est bleue. Pourquoi change-t-elle de couleur ?

Ces liquides sont de l'eau car ils sont incolores.

Pas si sûr... Comment le vérifier ?

L'eau dans notre environnement

L'eau est partout présente autour de nous.
Comment circule-t-elle et se transforme-t-elle dans la nature ?

Analyse un document

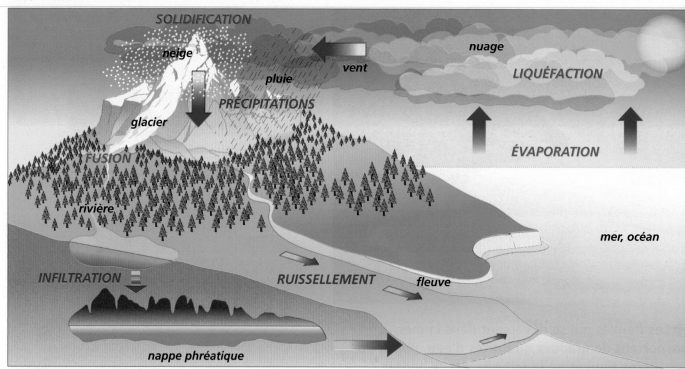

Doc 1 Le cycle de l'eau.

Observe le document 1 et suis le voyage d'une goutte d'eau depuis son évaporation jusqu'à son retour à l'océan.

❶ Où l'eau est-elle présente et dans quels états physiques se trouve-t-elle ?

❷ Quels sont les changements d'état indiqués sur le document 1 ?

❸ Justifie l'expression « cycle de l'eau ».

Interprète

→ L'eau de la mer s'évapore sous l'effet de la chaleur du Soleil ; le vent favorise cette évaporation. En s'élevant, la vapeur d'eau, gaz invisible, se refroidit et se liquéfie en fines gouttelettes qui forment les nuages.

→ L'eau des nuages retombe sur la Terre sous forme de pluie, de grêle ou de neige (précipitations).

→ L'eau s'infiltre dans le sol et forme les **nappes phréatiques**.

→ L'eau de ruissellement alimente les fleuves qui se jettent dans la mer (⏩).

Doc 2 L'eau de la pluie retournera à la mer.

⏩ *La mer reçoit l'eau des fleuves et en perd par évaporation (Doc A, page 11).*

Conclusion

L'eau, partie de la mer et des océans, y revient après avoir décrit un cycle et avoir subi des changements d'état physique.

Pour s'entraîner ▶ exercices 1 et

Le test de reconnaissance de l'eau

Il existe des objets contenant des cristaux qui changent de couleur suivant l'humidité de l'air. Comment utiliser cette propriété pour caractériser l'eau ?

Expérimente

- **Chauffe**, dans un tube à essai, des cristaux bleus de sulfate de cuivre (**Doc. 3**).

> ⚠️ **Le port des lunettes est obligatoire.**

- Quelle est la couleur prise par le sulfate de cuivre ?

- Qu'observes-tu à la sortie du tube et sur ses parois ?

- **Partage** la poudre obtenue en deux échantillons (a) et (b).

- **Verse** quelques gouttes d'eau sur l'échantillon (a) et quelques gouttes d'huile sur l'échantillon (b).

> ⚠️ **N'utilise que des faibles quantités de produit.**

- Quelle est la couleur prise par les échantillons (a) et (b) ?

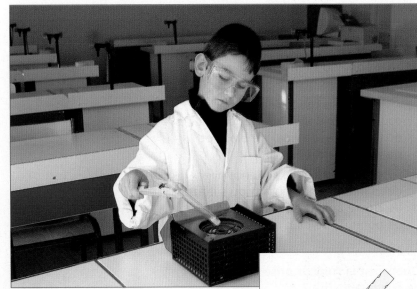

Doc 3 Chauffage du sulfate de cuivre hydraté.

Observe

- En chauffant les cristaux de sulfate de cuivre, on obtient une poudre blanche.
- Des gouttes se déposent sur les parois du tube à essai. On observe aussi un brouillard à la sortie du tube.
- La poudre blanche devient bleue avec l'eau et reste blanche avec l'huile (**Doc. 4**).

Interprète

- Les cristaux bleus de sulfate de cuivre contiennent de l'eau. Ces cristaux sont du sulfate de cuivre **hydraté**. Lorsque ces cristaux sont chauffés, ils libèrent de l'eau et se transforment en une poudre blanche : le sulfate de cuivre **anhydre** (qui signifie *sans eau*).
- Le sulfate de cuivre anhydre, de couleur blanche, redevient du sulfate de cuivre hydraté, de couleur bleue, au contact de l'eau (▶▶).

Doc 4 Le sulfate de cuivre anhydre devient du sulfate de cuivre hydraté bleu au contact de l'eau.

▶▶ *Il existe d'autres cristaux qui changent de couleur en présence d'eau : les cristaux de chlorure de cobalt, bleus lorsqu'ils sont anhydres, deviennent roses en présence d'eau (Doc B, page 11).*

Conclusion

Le test de reconnaissance de l'eau est réalisé avec le sulfate de cuivre anhydre, blanc, qui devient bleu au contact de l'eau.

Pour s'entraîner ▶ exercices 3 et 4

L'eau dans différents milieux

Le pain et le sucre contiennent-ils de l'eau ?
Comment mettre en évidence la présence d'eau dans les aliments,
dans les boissons et dans des liquides non alimentaires ?

Expérimente

• **Dépose** du sulfate de cuivre anhydre dans quatre coupelles.

• **Verse** dans chacune de ces coupelles quelques gouttes de lait, de limonade, de vinaigre blanc et de white-spirit (Doc. 5).

• **Recommence** l'expérience avec des aliments en déposant du sulfate de cuivre anhydre sur un morceau de pomme, de pain et de sucre.

Quelle est la couleur prise par le sulfate de cuivre anhydre ?

Doc 5 Recherche de la présence d'eau.

Observe

Substance	lait	limonade	vinaigre blanc	white-spirit	pomme	pain	sucre
Couleur observée	bleue	bleue	bleue	blanche	bleue	bleue	blanche

Interprète

→ Le lait, la limonade, le vinaigre blanc, la pomme et le pain, qui bleuissent le sulfate de cuivre anhydre, contiennent de l'eau.

→ Le white-spirit et le sucre, qui ne bleuissent pas le sulfate de cuivre anhydre, ne contiennent pas d'eau (▶▶).

▶▶ Le white-spirit est un liquide incolore utilisé pour dissoudre ou diluer certaines peintures. Pourtant ce n'est pas de l'eau, car il ne bleuit pas le sulfate de cuivre anhydre (Doc C, page 11).
D'autres liquides non alimentaires, comme le liquide vaisselle, contiennent de l'eau.

Conclusion

Toutes les boissons et la plupart des aliments contiennent de l'eau.
Certains liquides ne contiennent pas d'eau.

L'eau est le principal constituant des êtres vivants.
Le corps humain est composé, en moyenne, de 70 % d'eau : un enfant de 10 kg est donc composé d'environ 7 kg d'eau.

Pour s'entraîner ▶ exercices 6 et 7

Par le texte

- Après de nombreuses transformations, l'eau partie de la mer revient dans la mer : l'eau effectue un **cycle**.
- Le sulfate de cuivre anhydre blanc devient bleu en présence d'eau : c'est le **test de reconnaissance de l'eau**.
- Toutes les boissons et la plupart des aliments contiennent de l'eau.

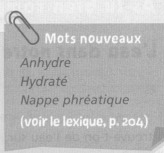

Mots nouveaux

Anhydre
Hydraté
Nappe phréatique

(voir le lexique, p. 204)

Par l'image

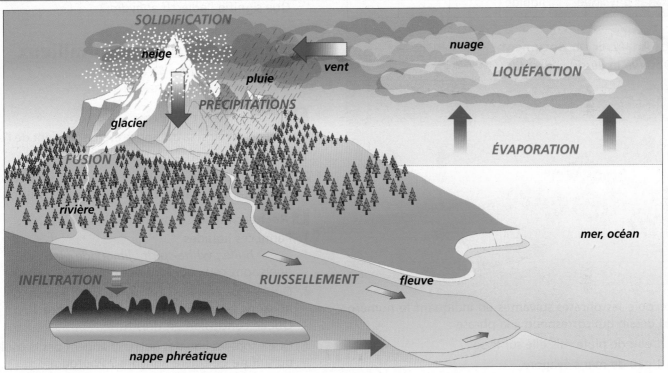

Cycle de l'eau

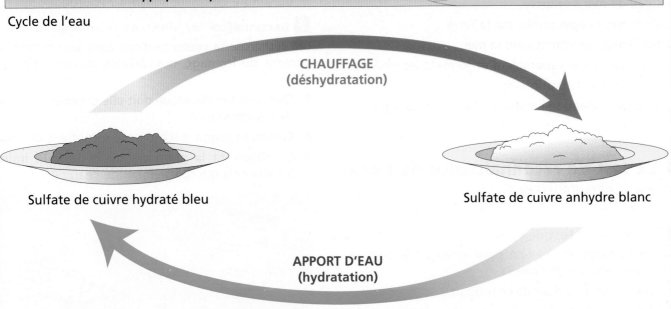

Sulfate de cuivre hydraté bleu

CHAUFFAGE
(déshydratation)

Sulfate de cuivre anhydre blanc

APPORT D'EAU
(hydratation)

exercices

As-tu bien compris le cours ?

▌ L'eau dans notre environnement
> *voir paragraphe* ❶ *du cours*

1 Indiquer où se trouve l'eau sur la Terre

Où trouve-t-on de l'eau sur la Terre et dans quel état physique ?

Recopie le tableau suivant et complète-le.

Origine de l'eau	mer	glacier	neige	…
État physique	liquide	…	…	…

2 Analyser un document

Observe le dessin ci-dessous.

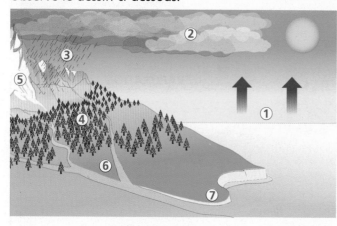

Recopie les phrases suivantes en indiquant le numéro du dessin qui correspond à la phrase :

a. L'eau de pluie ruisselle sur le sol.

b. L'eau de mer s'évapore.

c. L'eau des nuages tombe sur la Terre.

d. Les fleuves se jettent dans la mer.

e. Les ruisseaux se rassemblent et forment les rivières.

f. La neige fond au printemps.

g. La vapeur d'eau se liquéfie et forme des nuages.

▌ Le test de reconnaissance de l'eau
> *voir paragraphe* ❷ *du cours*

3 Rappeler le test de l'eau

1. Quel produit utilise-t-on pour effectuer le test de reconnaissance de l'eau ?

2. Quelle est la couleur de ce produit ?

3. Que se passe-t-il lorsqu'il entre en contact avec l'eau ?

4 Préparer du sulfate de cuivre anhydre

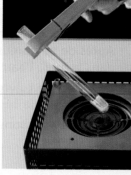

La photographie ci-contre présente la préparation du sulfate de cuivre anhydre à partir du sulfate de cuivre hydraté.

1. Doit-on chauffer ou refroidir le tube à essai et son contenu ?

2. Quelle substance se dépose sur les parois du tube D'où vient-elle ?

3. Quelle est la couleur du sulfate de cuivre anhydre Que signifie l'adjectif *anhydre* ?

▌ L'eau dans différents milieux
> *voir paragraphe* ❸ *du cours*

5 Décrire le test de l'eau

Marie veut savoir si sa boisson préférée contient de l'ea

1. Quelle expérience doit-elle réaliser ?

2. Représente cette expérience par un dessin et décr la en citant le matériel et les substances utilisés.

6 Rechercher les propriétés des boissons

1. Parmi ces liquides :
   huile ; white-spirit ; limonade ; lait ;
   quels sont ceux qui sont des boissons ?

2. Que se passe-t-il si on verse une goutte de c boissons sur du sulfate de cuivre anhydre ? Quelle conclusion en tires-tu ?

3. Quels sont les liquides qui ne changent pas la coule du sulfate de cuivre anhydre ? Pourquoi ?

7 Reconnaître les aliments contenant de l'ea

Léa recherche la présence d'eau dans une carotte, u pomme, du fromage, des céréales, du pain et du pa grillé.

1. Quel produit chimique doit-elle déposer sur chacu de ces aliments ?

2. Comment réagit-il si un aliment contient de l'eau

3. En observant la photographie ci-dessous, indiqu les aliments qui contiennent de l'eau.

exercices

Ce que tu dois savoir

- Retenir que l'eau est un constituant des boissons.
- Décrire le test de reconnaissance de l'eau par le sulfate de cuivre anhydre.

Ce que tu dois savoir faire

- Réaliser le test de reconnaissance de l'eau par le sulfate de cuivre anhydre.
- Distinguer les milieux qui contiennent de l'eau de ceux qui n'en contiennent pas.

8 Je vérifie que je sais

Choisis les bonnes réponses.

Énoncés	Réponse A	Réponse B	Réponse C	Aide
1. Sous l'effet de la chaleur du Soleil, l'eau de la mer et des océans...	se solidifie	s'évapore	se liquéfie	p. 12
2. L'eau partie de la mer revient à la mer. Cette circulation s'appelle...	la vaporisation de l'eau	le ruissellement de l'eau	le cycle de l'eau	p. 12
3. Le sulfate de cuivre anhydre est de couleur...	bleue	blanche	rouge	p. 13
4. En présence d'eau, le sulfate de cuivre anhydre devient...	vert	blanc	bleu	p. 13
5. Parmi ces liquides, celui qui ne contient pas d'eau est...	le jus d'orange	le white-spirit	la limonade	p. 14
6. Toutes les boissons contiennent...	de l'eau	de l'alcool	du sucre	p. 14

> *réponses en fin de manuel*

9 Je vérifie que je sais faire

Choisis les bonnes réponses.

Énoncés	Réponse A	Réponse B	Réponse C	Aide
1. Pour obtenir du sulfate de cuivre anhydre, on réalise l'expérience...	sulfate de cuivre hydraté	eau / sulfate de cuivre anhydre	sulfate de cuivre anhydre / glaçons	p. 13
2. Pour savoir si un morceau de pain contient de l'eau, on réalise l'expérience...	sucre en poudre / pain	sulfate de cuivre hydraté / pain	sulfate de cuivre anhydre / pain	p. 14

> *réponses en fin de manuel*

Utilise tes connaissances

10 Apprends à résoudre

Le repas du soir de Clément est composé :

– d'un bifteck de 120 g ;

– d'une tomate de 60 g ;

– d'une portion de fromage de 30 g ;

– d'une pomme de 100 g ;

– de trois tranches de pain de 50 g chacune.

Au cours du repas, Clément boit trois verres d'eau de 20 g chacun. La teneur en eau des aliments est donnée dans le tableau ci-dessous.

Aliments	tomate	bifteck	fromage	pomme	pain
Teneur en eau	95 %	60 %	50 %	85 %	30 %

1. Calcule la masse d'eau contenue dans chaque aliment.

2. Quelle est la masse totale d'eau (boisson et aliments) absorbée au cours du repas ?

SOLUTION

1. La masse d'eau contenue dans :

– le bifteck est : $120 \times \dfrac{60}{100} = 72$ g ;

– la tomate est : $60 \times \dfrac{95}{100} = 57$ g ;

– le fromage est : $30 \times \dfrac{50}{100} = 15$ g ;

– la pomme est : $100 \times \dfrac{85}{100} = 85$ g ;

– le pain est : $3 \times 50 \times \dfrac{30}{100} = 45$ g.

2. La masse d'eau dans les aliments absorbés au cours du repas est : $(72 + 57 + 15 + 85 + 45) = 274$ g.
La masse totale d'eau absorbée est :
$$274 + (3 \times 20) = 334 \text{ g.}$$

À TON TOUR

Samira a consommé pour son petit déjeuner 50 g de pain, 20 g de beurre et 300 g de lait. La teneur en eau de ces aliments est indiquée ci-dessous.

Aliments	pain	beurre	lait
Teneur en eau	30 %	15 %	87 %

1. Calcule la masse d'eau contenue dans chaque aliment solide et liquide.

2. Quelle est la masse totale d'eau absorbée par Samira au cours du petit déjeuner ?

11 Exploite une étiquette

1. Calcule la masse d'eau contenue dans ce produit.

Fromage frais de tradition en cours d'égouttage au lait frais pasteurisé.

Contient 85 % d'humidité.

À conserver entre + 2 °C et + 6 °C.

Conditionné sous atmosphère protectrice.

Poids net : 200 g

2. Comment peut-on mettre en évidence cette eau ?

12 Masse d'eau contenue dans le sulfate de cuivre hydraté

En chauffant 50 g de sulfate de cuivre hydraté, on obtient 32 g d'une poudre blanchâtre.

1. Quel est le nom de cette poudre blanchâtre ?

2. Quelle était la masse d'eau contenue dans le sulfate de cuivre hydraté ?

13 Physique et français

« Une goutte d'eau est tombée du ciel
Et sur mon carreau là, elle ruisselle
Elle glissera dans le caniveau
Pour aller grossir un petit ruisseau

Ce petit ruisseau devenant rivière
Rejoindra un jour les bords de la mer
La goutte chauffée par notre Soleil
Deviendra buée là-haut dans le ciel

Dans un gros nuage elle s'entretiendra
Avec d'autres gouttes du vent et du froid
Et puis tout à coup elle retombera
Sur mon carreau gris vous savez pourquoi. »

© Paroles et musique Guy Thomas, Unidisc,
Autorisation SEM N° 3216-10-85.

1. Pourquoi cette chanson illustre-t-elle le cycle de l'eau

2. Recopie la phrase qui évoque l'évaporation de l'eau

3. Recopie les vers où l'auteur fait allusion à l'apparition de la pluie.

14 Physique et français

Aqua signifie eau en latin. Les mots suivants son formés à partir de « aqu ». La plupart ont un rappor avec l'eau, mais deux sont des intrus :

*aqueux ; aquarium ; aquilon ; aqueduc ;
aquilin ; aquarelle.*

1. Quelle est la signification de tous ces mots ?

2. Quels sont les deux intrus ?

5 Rôle de l'eau dans notre environnement

Le schéma ci-dessous représente quelques exemples du rôle de l'eau dans notre environnement.

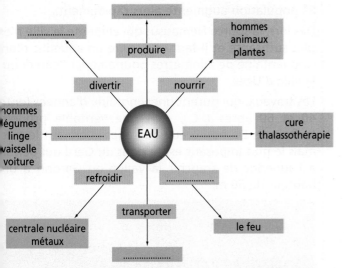

Recopie ce schéma sur ton cahier et complète-le en utilisant les mots suivants :

bateau ; laver ; énergie ; éteindre ; soigner ; baignade.

Dans les cases bleues écris des verbes d'action et dans les cases rouges des substantifs.

16 Physique et SVT

En cours de Sciences de la Vie et de la Terre, tu as réalisé l'expérience ci-dessous : un film plastique entoure un pot contenant une plante.

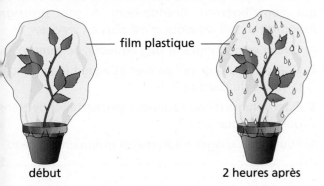

1. Comment peut-on montrer que les gouttes qui se déposent sur la paroi intérieure du film plastique sont des gouttes d'eau ?

2. Comment explique-t-on la présence de ces gouttes d'eau ?

17 Physique et français

Les mots en « hydr », « hydro » et « hydre » viennent du grec *hudôr*, qui signifie eau.

Associe chaque mot à sa définition :

a. hydraulique	1. qui « aime » l'eau
b. hydratant	2. qui fixe l'eau
c. hydrophobe	3. qui utilise l'énergie de l'eau
d. hydrophile	4. qui a peur de l'eau

18 Physique et SVT

Chaque jour, le corps humain rejette un certain volume d'eau.

① **Dans l'air**

0,5 L deau par jour est éliminé sous forme de vapeur lors de l'expiration.

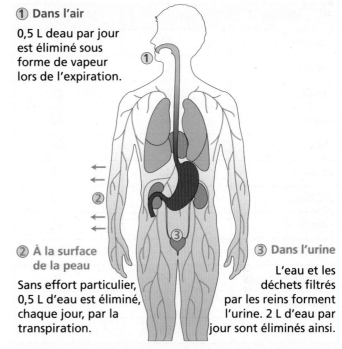

② **À la surface de la peau**

Sans effort particulier, 0,5 L d'eau est éliminé, chaque jour, par la transpiration.

③ **Dans l'urine**

L'eau et les déchets filtrés par les reins forment l'urine. 2 L d'eau par jour sont éliminés ainsi.

1. Observe le document ci-dessus et indique comment l'eau est rejetée par le corps humain.

2. Précise, dans chaque cas, le volume d'eau rejeté.

3. Pour compenser exactement ces pertes, quel volume d'eau faudrait-il absorber chaque jour ?

19 Exploite un document

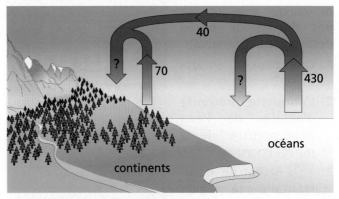

Le document ci-dessus exprime, en milliers de km³, les volumes d'eau qui se sont évaporés et sont tombés sous forme de précipitations, en une année, sur les océans et sur les continents. Par exemple, le nombre 430 représente en réalité 430 000 km³.

1. Quel est le volume de l'eau de pluie qui tombe sur les océans ?

2. Quel est le volume d'eau dont l'évaporation est due à la transpiration des plantes ?

3. Quel est le volume de l'eau de pluie qui tombe sur les continents ?

exercices

20 **Tracer un histogramme avec un tableur** B2i

On a relevé les hauteurs de précipitations (en mm) à Rennes et à Marignane au cours de l'année.

Mois	Rennes	Marignane
Janvier	61	46
Février	52	45
Mars	49	42
Avril	45	47
Mai	58	44
Juin	46	27
Juillet	43	12
Août	47	31
Septembre	57	62
Octobre	54	76
Novembre	68	57
Décembre	69	54

1. Utilise un tableur pour tracer l'histogramme des hauteurs de précipitations. Aide-toi de la **fiche méthode 3**, page 193.

2. Réponds aux questions de la **fiche méthode 3**.

21 **Graine de chercheur**

Verse un peu de sulfate de cuivre anhydre sur des flocons de purée déshydratée et observe.

1. Que peux-tu en déduire ?

2. L'étiquette préconise d'ajouter de l'eau pour préparer de la purée. Pourquoi ?

3. B2i Recherche documentaire (à l'aide d'Internet).

   a. Que signifie l'adjectif *déshydraté* ?

   b. Cite un avantage de la déshydratation des aliments.

   c. Cite un autre aliment qui nécessite une réhydratation au moment de sa consommation.

22 **HISTOIRE DES SCIENCES**

La ville de Nîmes connaît une rapide expansion lor qu'elle devient colonie romaine, en l'an 45 avant J.- Sa population augmente alors rapidement.

Dès lors, la source Némausus qui alimente la ville n'e plus suffisante et il faut construire un aqueduc d'un cinquantaine de kilomètres pour amener l'eau depu la ville d'Uzès.

Les travaux, qui durent une vingtaine d'années (entr 40 et 60 après J.-C.), sont une véritable prouess technique. De nombreux ouvrages jalonnent le trac mais le plus imposant est le pont du Gard qui perme à l'aqueduc de franchir la vallée du Gardon à un hauteur de 50 m.

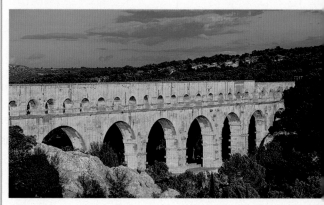

L'aqueduc transportait en moyenne 40 000 m³ d'ea par jour au château d'eau de Nîmes. La ville réalisa de fontaines, des thermes, des réseaux d'eau et d'égou qui contribuèrent grandement à son prestig Aujourd'hui, cet aqueduc n'est plus en service.

1. Quelle est la longueur de l'aqueduc de Nîmes ?

2. Quel est l'ouvrage qui permet à l'aqueduc de franch la vallée du Gardon ?

3. Quel volume d'eau l'aqueduc permettait-il de tran porter chaque jour ?

4. Pour quels usages les Romains utilisaient-ils l'eau

Boîte à idées

- Exercice 11
  1. Calcule d'abord la masse d'eau contenue dans 100 g de fromage frais.
- Exercices 14 et 17
  1. Utilise un dictionnaire.
- Exercice 16
  2. Les plantes respirent et, comme le corps humain, rejettent de l'eau.
- Exercice 19
  Le volume de 1 km³ représente le volume d'un cube ayant pour arête 1 km.

SCIENCE ET SOCIÉTÉ

Ne gaspillons pas l'eau

L'eau sur la planète se trouve essentiellement sous forme d'eau salée dans les mers et les océans.

❱ L'eau douce que nous pouvons consommer est rare : moins de 1 % du volume des réserves d'eau de la Terre. Cette eau est inégalement répartie sur les continents.

❱ Les prélèvements excessifs entraînent une baisse importante du débit des cours d'eau et du niveau des nappes phréatiques.

❱ Nous devons avoir le souci permanent des gestes et des procédés permettant d'économiser l'eau.

En Afrique, dans les pays où sévit la sécheresse, la consommation journalière de chaque habitant se réduit à 10 litres. Et cette eau, il faut aller la chercher le plus souvent dans des puits, loin des villages ou des campements, dans des récipients de fortune portés sur la tête. Cela tous les jours, car il en va de la survie de toute la famille.

L'eau à la maison en quelques chiffres...

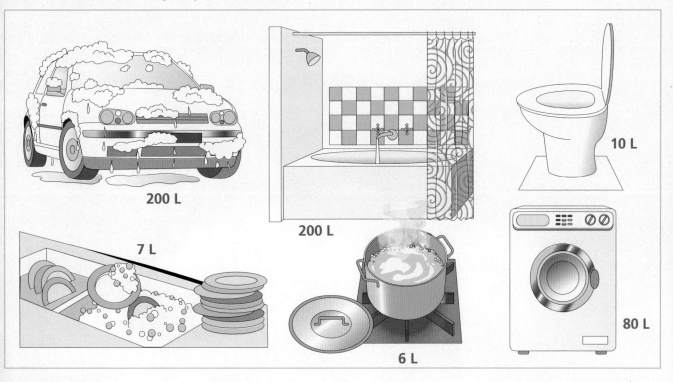

200 L

200 L

10 L

7 L

6 L

80 L

QUESTIONS

I. As-tu bien compris le texte ?

❶ *Quel pourcentage des réserves d'eau de la Terre représente l'eau douce que nous pouvons consommer ?*
❷ *Quel est le risque des prélèvements excessifs d'eau ?*
❸ *Quel est le volume d'eau utilisé, en moyenne, pour faire une vaisselle ? pour prendre un bain ?*

II. Sais-tu expliquer ?

❹ *Quelle est l'utilisation domestique qui consomme un volume d'eau égal à celui utilisé pendant une journée entière par un habitant d'un pays d'Afrique où sévit la sécheresse ?*
❺ *Énonce quelques gestes simples susceptibles de réduire ta consommation d'eau.*

Mélanges aqueux

Comment obtenir une eau limpide à partir d'une eau boueuse ?
Comment récupérer et identifier le gaz contenu dans une boisson gazeuse ?

▲ *À la suite des orages, l'eau des torrents et des rivières est boueuse.*

Objectifs

◗ Distinguer, à l'œil nu, un mélange homogène et un mélange hétérogène.

◗ Réaliser, décrire et schématiser une décantation et une filtration.

◗ Récupérer un gaz par déplacement d'eau.

◗ Identifier le dioxyde de carbone par le test à l'eau de chaux.

AU PROGRAMME DE L'ÉCOLE ÉLÉMENTAIRE :

re capable de montrer expérimentalement que des substances vivantes ou inertes ne sont pas
rêtées par les filtres domestiques.

➼ Quel est le rôle d'un bassin de décantation ?

➼ Lorsque l'on verse de l'eau gazeuse dans un verre,
n voit des bulles s'échapper de la boisson.
magine une expérience pour récupérer le gaz contenu
ans ces bulles.

az contenu dans
u Perrier est le
que celui contenu
s le Coca-Cola !

Comment
le prouver ?

➼

① Obtenir une eau limpide

Dans une eau boueuse, on voit, à l'œil nu, des particules solides en suspension.
Comment éliminer ces particules solides pour obtenir une eau limpide ?

Expérimente

Doc 1 Décantation d'une eau boueuse.

Doc 2 Filtration du liquide obtenu par décantation.

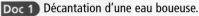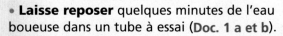

- **Laisse reposer** quelques minutes de l'eau boueuse dans un tube à essai (**Doc. 1 a et b**).
- En évitant d'agiter, **verse** le liquide qui surnage dans le verre à pied (**Doc. 1 c**).

❶ Qu'observes-tu au fond du tube à essai ?

- **Verse** le contenu du verre à pied dans le filtre en papier placé sur un entonnoir (**Doc. 2**).

❷ Qu'observes-tu sur le filtre ?

❸ Le liquide obtenu est-il limpide ?

Observe

→ On observe un dépôt au fond du tube à essai après avoir laissé reposer l'eau boueuse. Le liquide versé dans le verre à pied est **moins boueux**.

→ Après avoir versé le contenu du verre à pied dans l'entonnoir, on observe un dépôt solide sur le filtre. Le liquide obtenu dans l'erlenmeyer est limpide.

Interprète

→ Observée à l'œil nu, l'eau boueuse comporte des particules solides en **suspension** : c'est un **mélange hétérogène** (**Doc. 1 a et b**). En laissant reposer le liquide, une partie des particules solides tombe au fond du récipient : c'est la **décantation** (**Doc. 1 b**) (**▶▶**).

→ En versant le liquide sur un filtre, les particules en suspension sont retenues par le filtre tandis que le liquide le traverse : c'est la **filtration**. Le liquide obtenu, appelé filtrat, est coloré ; il contient donc des substances qui sont passées à travers le filtre. C'est un **mélange homogène**, car on n'y distingue pas de particules visibles à l'œil nu (**Doc. 2 b**).

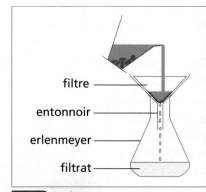

filtre
entonnoir
erlenmeyer
filtrat

Doc 3 Le filtrat est un mélange homogène : on ne peut pas distinguer ses composants à l'œil nu.

▶▶ *On laisse reposer les eaux usées dans les bassins de décantation (Doc A, page 23).*

Conclusion

- La décantation permet de séparer des constituants d'un mélange hétérogène.
- La filtration permet d'obtenir un mélange homogène à partir d'un mélange hétérogène.

Pour s'entraîner ▶ exercices 3 et

Recueillir le gaz d'une boisson

orsque l'on verse une boisson gazeuse, on observe des bulles de gaz.
omment recueillir ce gaz ?

xpérimente

• Tu **disposes** d'un cristallisoir rempli d'eau, d'un tube à essai et d'un tube fin à dégagement.

• **Réalise** le dispositif du **document 4**. Le tube fin permet de recueillir le gaz dans le tube à essai. Le tube à essai est d'abord rempli d'eau, bouché avec le pouce, puis retourné dans l'eau de la cuve.

Que se passe-t-il si tu agites la bouteille ?

Pourquoi le tube à essai doit-il être initialement plein d'eau ?

Imagine des expériences permettant d'obtenir un dégagement plus rapide et plus important du gaz.

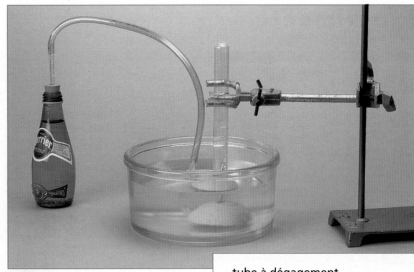

Doc 4 Récupération d'un gaz par déplacement d'eau.

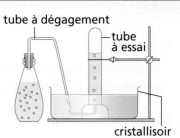

tube à dégagement
tube à essai
cristallisoir

bserve

Lorsque l'on agite la bouteille, on observe des bulles de gaz qui montent à la surface du liquide.

Des bulles de gaz sortent du tube à dégagement et montent dans le tube à essai initialement rempli d'eau. Le niveau de l'eau baisse dans le tube à essai.

Pour accélérer et obtenir un dégagement gazeux plus important, on peut agiter davantage ou élever la température en plaçant, par exemple, la bouteille de boisson gazeuse dans un chauffe-ballon (**Doc. 5**).

nterprète

Le gaz qui s'échappe de la bouteille monte dans le tube à essai et prend la place de l'eau. L'eau déplacée va dans le cristallisoir.

Cette technique est appelée ***recueil d'un gaz par déplacement d'eau*** (**voir fiche méthode n° 6, page 196**) (▶▶).

L'élévation de la température permet d'obtenir un dégagement plus rapide et plus important de gaz : les gaz sont moins solubles dans l'eau à une température plus élevée.

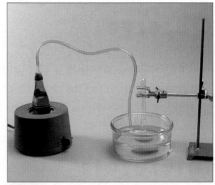

Doc 5 Un chauffe-ballon permet d'élever la température de la boisson gazeuse et d'accélérer ainsi le dégagement gazeux.

▶▶ *Le gaz contenu dans les bulles des boissons gazeuses peut être recueilli par déplacement d'eau (Doc B, page 23).*

onclusion

• Une boisson gazeuse contient un gaz dissous.

• Ce gaz peut être recueilli par déplacement d'eau.

Pour s'entraîner ▶ exercice 5

Identifier le gaz dissous

Après avoir récupéré le gaz présent dans une boisson gazeuse, on peut maintena...
l'identifier. Quel est ce gaz ?

Expérimente

Doc 6 L'air expiré barbote dans l'eau de chaux.

Doc 7 L'eau de chaux est versée dans les tubes à essai contena...
les gaz recueillis dans les boissons gazeuses par déplacement d'e...

Expérience 1
- Tu **disposes** d'eau de chaux dans un verre à pied.
- **Souffle** dans l'eau de chaux avec une paille (**Doc. 6**).

❶ Qu'observes-tu ?

❷ Tu as appris en SVT que l'air expiré contient du dioxyde de carbone. Que peux-tu en conclure ?

Expérience 2
- **Verse** un peu d'eau de chaux limpide dans les tubes à essai contenant les gaz qui ont été recueillis dans des boissons gazeuses (**Doc. 7**).
- **Agite** les tubes à essai.

❸ Qu'observes-tu ?

❹ Que peux-tu en conclure ?

Observe

→ L'air expiré provoque un trouble blanchâtre dans l'eau de chaux.
→ Lorsque l'on verse de l'eau de chaux limpide dans un tube à essai contenant le gaz recueilli, on observe un trouble blanc qui apparaît en agitant le tube (**Doc. 8**).

Interprète

→ L'eau de chaux se trouble en présence du gaz **dioxyde de carbone** (encore appelé gaz carbonique).
→ Ce gaz est présent dans l'air expiré. Les boissons gazeuses contiennent du dioxyde de carbone dissous.

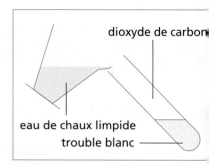

dioxyde de carbon...

eau de chaux limpide

trouble blanc

Doc 8 Test à l'eau de chaux du gaz recueilli.

Conclusion

- Toutes les boissons gazeuses contiennent du dioxyde de carbone dissous (**➡➡**).
- Le gaz dioxyde de carbone peut être identifié par le test à l'eau de chaux.

➡➡ *L'eau Perrier et le Coca-Cola contiennent du gaz dioxyde de carbone qui trouble l'eau de chaux (Doc C, page 23).*

Pour s'entraîner ▶ exercice 6

Par le texte

- Un mélange est dit **homogène** lorsque l'on ne peut pas distinguer ses composants à l'œil nu.
- Un mélange est dit **hétérogène** lorsque l'on peut distinguer ses composants à l'œil nu.
- La **décantation** permet de séparer des constituants d'un mélange hétérogène.
- La **filtration** permet d'obtenir un mélange homogène à partir d'un mélange hétérogène.
- Les boissons gazeuses contiennent du **dioxyde de carbone**.
- Le gaz dioxyde de carbone peut être identifié grâce à un test : il **trouble l'eau de chaux**.

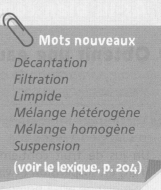

Mots nouveaux

Décantation
Filtration
Limpide
Mélange hétérogène
Mélange homogène
Suspension

(voir le lexique, p. 204)

Par l'image

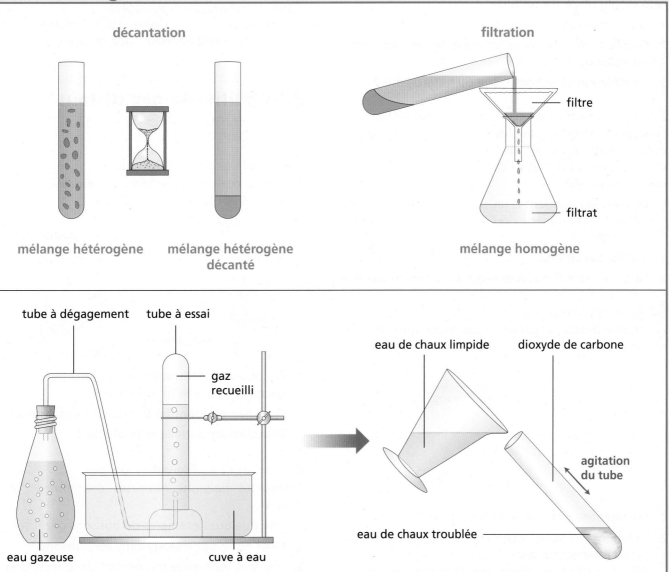

décantation

mélange hétérogène

mélange hétérogène décanté

filtration

filtre

filtrat

mélange homogène

tube à dégagement

tube à essai

gaz recueilli

eau gazeuse

cuve à eau

récupération du gaz

eau de chaux limpide

dioxyde de carbone

agitation du tube

eau de chaux troublée

test à l'eau de chaux

As-tu bien compris le cours ?

▶ Obtenir une eau limpide
> *voir paragraphe ❶ du cours*

1 Distinguer un mélange homogène d'un mélange hétérogène

1. Un jus de fruit contient des particules (pulpe de fruit) en suspension et visibles à l'œil nu.
Ce mélange est-il homogène ou hétérogène ?

2. Le mélange de sirop de menthe et d'eau est-il homogène ou hétérogène ?

2 Distinguer mélange homogène et mélange hétérogène

Pour faire du café, on verse de l'eau très chaude sur du café moulu placé sur un filtre.

1. Quel est le rôle du filtre ?

2. Pourquoi le café récupéré dans le récipient est-il un mélange ?

3. Ce mélange est-il homogène ou hétérogène ?

3 Reconnaître une technique de séparation

Thomas a agité un liquide qu'il a ensuite versé dans un tube à essai **(a)**. Puis, il l'a laissé reposer **(b)**.

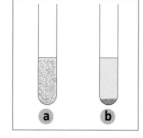

1. Le tube **(a)** contient-il un mélange homogène ou hétérogène ?

   Justifie ta réponse.

2. Quelle est la technique de séparation mise en œuvre ?

4 Reconnaître une technique de séparation

Le schéma ci-dessous présente une technique de séparation des constituants d'un mélange hétérogène.

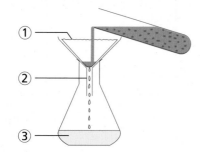

1. Comment se nomme cette technique ?

2. Attribue à chaque numéro une légende à choisir parmi les mots suivants :
   filtrat ; entonnoir ; filtre ; mélange hétérogène.

3. Où se trouve le mélange homogène ? le mélange hétérogène ?

▶ Recueillir le gaz d'une boisson
> *voir paragraphe ❷ du cours*

5 Recueillir un gaz

Le schéma ci-dessous représente un dispositif perme[t]tant de recueillir le gaz qui s'échappe d'une boiss[on] gazeuse.

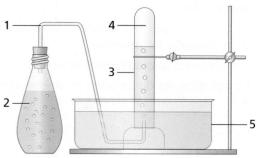

Attribue, à chaque numéro, une légende à choi[sir] parmi les propositions suivantes :
cuve à eau ; tube à essai ; tube à dégagement ; eau gazeuse ; gaz recueilli.

▶ Identifier le gaz dissous
> *voir paragraphe ❸ du cours*

6 Identifier un gaz dissous

Morgane réalise l'expérience schématisée ci-desso[us] et agite la bouteille d'eau gazeuse.

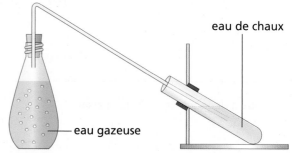

eau de chaux

eau gazeuse

1. Qu'observe Morgane dans la bouteille d'e[au] gazeuse ? dans le tube à essai ?

2. Quel gaz est identifié lors de cette expérience ?

3. Pourquoi agite-t-elle la bouteille ?

7 Recueillir et identifier un gaz

Toutes les boissons gazeuses contiennent un g[az] dissous.

1. Cite quelques exemples de boissons gazeuses.

2. Quel est le gaz dissous dans ces boissons ?

3. Cite une technique qui permet de le récupérer.

4. a. Par quel test peut-on l'identifier ?

   b. Décris ce test.

e que tu dois savoir

Faire la distinction entre un mélange homogène et un mélange hétérogène.

Décrire et schématiser une décantation.

Décrire et schématiser une filtration.

Connaître la nature du gaz contenu dans les boissons gazeuses et la façon de le caractériser.

Ce que tu dois savoir faire

- Recueillir un gaz par déplacement d'eau.
- Identifier le dioxyde de carbone.

Je vérifie que je sais

hoisis les bonnes réponses.

Énoncés	Réponse A	Réponse B	Réponse C	Aide
1. Un mélange dans lequel on distingue, à l'œil nu, es différents constituants est un...	mélange homogène	mélange hétérogène	mélange limpide	p. 24
2. La séparation des constituants par filtration est représentée par...		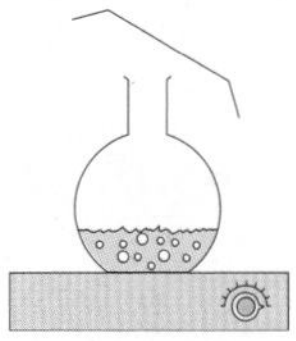	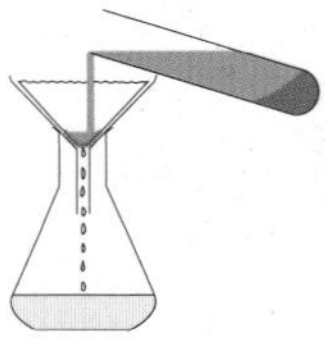	p. 24
3. La séparation des constituants par décantation est représentée par...		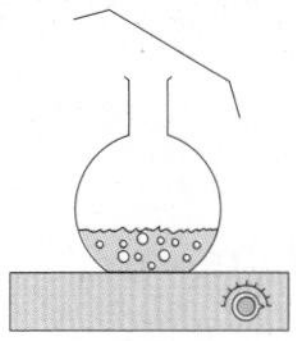	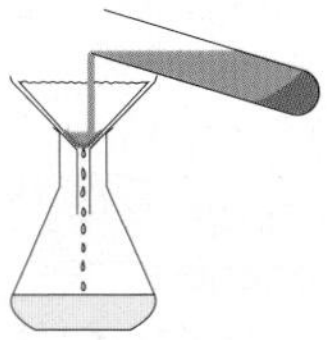	p. 24
4. Le gaz dissous dans les boissons gazeuses est...	du dioxygène	de l'air	du dioxyde de carbone	p. 26
5. Pour réaliser le test de reconnaissance du dioxyde de carbone, on utilise...	le sulfate de cuivre	l'eau de chaux	la chaux éteinte	p. 26

> *réponses en fin de manuel*

Je vérifie que je sais faire

hoisis les bonnes réponses.

Énoncés	Réponse A	Réponse B	Réponse C	Aide
1. La bonne expérience pour recueillir un gaz par déplacement d'eau est...	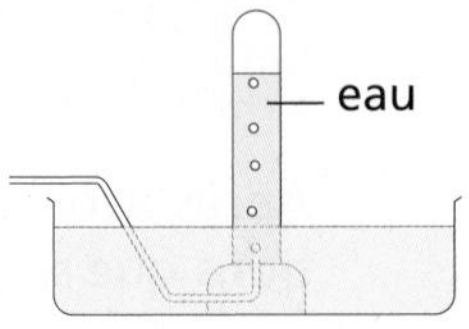 eau	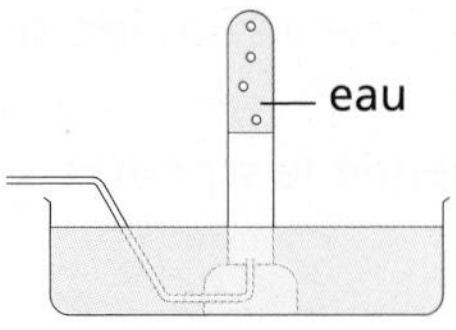 eau	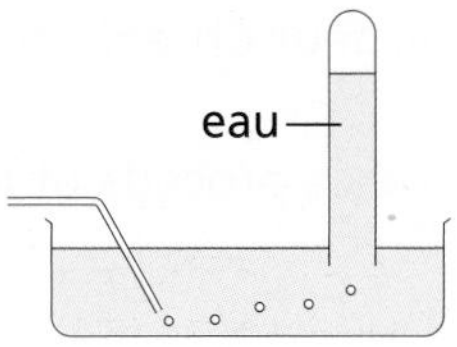 eau	p. 25
2. La bonne expérience pour reconnaître le gaz dioxyde de carbone est...	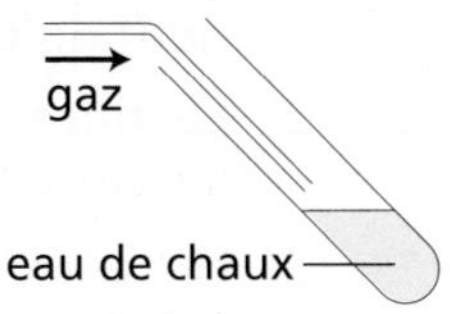 gaz / eau de chaux	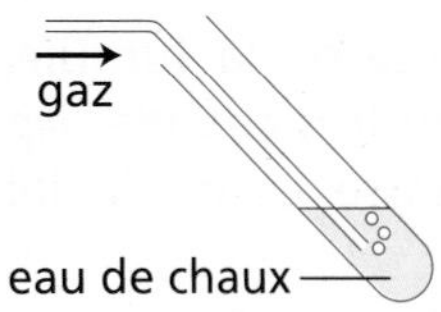 gaz / eau de chaux	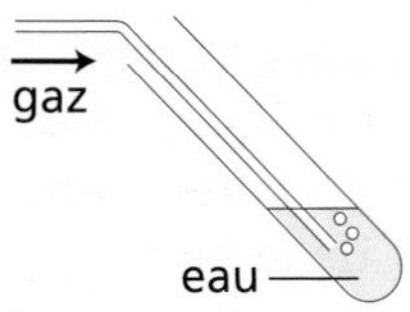 gaz / eau	p. 26

> *réponses en fin de manuel*

Utilise tes connaissances

10 Apprends à résoudre

Pour faire du café, Chloé verse le café moulu dans de l'eau bouillante. Elle verse ensuite le mélange sur un filtre posé sur un entonnoir. Puis elle recueille la boisson chaude dans un récipient, sous l'entonnoir.

1. Le mélange que réalise Chloé est-il homogène ou hétérogène ? Justifie ta réponse.
2. Quel est le rôle du filtre ?
3. La boisson obtenue est-elle un mélange homogène ?
4. Schématise ce procédé et légende le schéma.

SOLUTION

1. Le mélange réalisé par Chloé est hétérogène : les particules de café en suspension sont visibles à l'œil nu.
2. Le filtre retient les particules solides de café et laisse passer le liquide.
3. La boisson est de couleur sombre, mais limpide : on ne voit pas de grains. C'est un mélange homogène.
4.

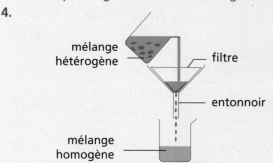

À TON TOUR

Pour préparer une infusion de verveine, on fait macérer des feuilles dans de l'eau très chaude.

1. Le mélange réalisé est-il homogène ou hétérogène ? Justifie ta réponse.
2. Comment peut-on ensuite séparer le liquide des feuilles ?
3. Schématise ce procédé et légende le schéma.

11 Café turc ou café grec ?

Dans certains pays, comme la Grèce ou la Turquie, le café moulu est mélangé à de l'eau très chaude. Après agitation, on le verse dans la tasse et on le laisse reposer avant de le boire.

1. Que se dépose-t-il au fond de la tasse ?
2. Comment nomme-t-on ce procédé de séparation ?
3. Schématise ce procédé et légende le schéma.
4. Pourquoi ce breuvage doit-il être bu délicatement ?

12 L'eau de chaux

La chaux se présente sous la forme d'une poud[re] blanche (aspect comparable à la farine). Si on mélang[e] cette poudre de chaux dans de l'eau, on obtient, apr[ès] agitation, un « lait de chaux », liquide blanc et troub[le].

1. Comment peut-on procéder pour obtenir une sol[u]tion limpide ?
2. Comment nomme-t-on cette solution limpide ?
3. À quoi peut servir cette solution ?

13 L'ultrafiltration

Sur Internet, Camille a trouvé le texte et le docume[nt] ci-après.

Pour obtenir de l'eau potable, il faut éliminer les substances polluantes ou toxiques, mais aussi les organismes microscopiques pathogènes (bactéries, virus).

Il existe pour cela un procédé très efficace : l'ultrafiltration. Il s'agit d'une filtration à travers de longues fibres creuses et poreuses dont les pores sont 10 000 fois plus petits que ceux de la peau humaine.

Comme le montre le document ci-dessous, l'ultrafiltration arrête toutes les particules d'une taille supérieure à 0,01 μm (micromètre) ; 1 micromètre étant égal à 1 millième de millimètre. Les microorganismes pathogènes sont ainsi éliminés.

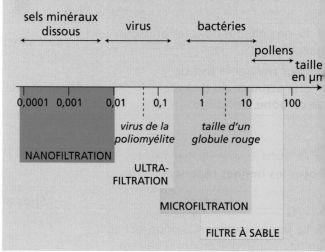

Après avoir consulté ce document, réponds aux que[s]tions que se pose Camille :

1. Un virus de la poliomyélite est-il plus grand ou plu[s] petit qu'un globule rouge ?
2. Le filtre à sable permet-il d'arrêter les pollens [et] les virus ?
3. Les eaux ultrafiltrées contiennent-elles encore d[es] sels minéraux dissous ? des virus ?
4. Quelle technique permet d'arrêter les sels minérau[x] dissous ?
5. Recherche la signification du mot *pathogène*.

exercices

La centrifugation

centrifugation est une
chnique de séparation des
nstituants d'un mélange
térogène.

Rappelle ce que signifie le mot *hétérogène*.

L'essoreuse à salade est une application de cette technique.
Que sépare-t-elle ?

Cite une machine, d'usage domestique, qui utilise, lors d'un de ses cycles de fonctionnement, le même procédé.

Recherche (sur Internet ou au CDI) d'autres utilisations de la centrifugation.

Physique et français

te trois mots qui ont la même origine que le mot
tration.

Quel désordre !

:mets ces étiquettes dans le bon ordre pour former
:ux phrases.

Dans un

les différents constituants.

on distingue

mélange homogène,

mélange hétérogène,

à l'œil nu

les différents constituants.

on ne distingue pas

Dans un

à l'œil nu

17 Attention aux taches !

us la température d'une boisson gazeuse est élevée,
oins cette boisson contient de gaz dissous. Lorsque
n ouvre une bouteille de Coca-Cola restée dans une
ture en plein soleil, la boisson jaillit hors de la
uteille.

Pourquoi la boisson jaillit-elle ?

Quelle action sur la bouteille permettrait d'obtenir le même effet ?

Schématise une expérience qui permettrait d'identifier le gaz contenu dans la boisson.

18 Champagne !

Sur le podium d'un grand prix de Formule 1, le vainqueur agite une grosse bouteille de champagne, puis l'ouvre. Le champagne jaillit hors de la bouteille.

1. Quel gaz est présent dans le champagne ?
2. Comment identifier ce gaz ?
3. Pourquoi le champagne jaillit-il ?

19 Mots croisés

Recopie et complète la grille ci-dessous.

Horizontalement

A. Technique de séparation.
B. Qualificatif d'un mélange où l'on voit des particules solides en suspension.
C. L'eau de chaux le devient en présence de dioxyde de carbone.

Verticalement

1. Ne laisse pas passer les particules en suspension.
2. Qualificatif d'un mélange où l'on ne distingue pas les constituants.
3. Technique de séparation.

exercices

20 Physique et santé

En 1978, deux chercheurs de Cambridge, S. H. Preston et E. van de Walle, ont publié une étude sur l'évolution de l'espérance de vie des femmes de 1816 à 1905 dans les villes de Paris, Lyon et Marseille. Cette étude montre que l'augmentation de l'espérance de vie pendant cette période est due au traitement de l'eau, pour la rendre potable, et à la collecte des eaux usées.

1. À quoi est due l'augmentation de l'espérance de vie au XIXe siècle ?

2. Recherche ce qu'est :
   a. une eau potable ;   b. une eau usée.

3. Pour rendre une eau de rivière potable, on doit lui faire subir, entre autres, une décantation, une filtration et un traitement chimique.
   Décris, par un schéma :
   a. une expérience de décantation ;
   b. une expérience de filtration.

21 Physique, SVT... et français !

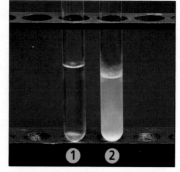

Avant de placer un poisson rouge dans un bocal, on prélève de l'eau du bocal dans un premier tube à essai. On place ensuite le poisson rouge dans le bocal.
Huit heures après, on prélève à nouveau de l'eau du bocal dans un second tube.

On ajoute la même quantité d'eau de chaux dans chacun des tubes. L'eau du tube ② se trouble alors que celle du tube ① reste limpide. Pour interpréter ces expériences, complète les phrases suivantes : *Je constate que… . Or je sais que… . Donc, j'en déduis que… .*

22 Graine de chercheur

Les comprimés effervescents produisent un dégagement gazeux lorsqu'ils sont dissous dans l'eau ; mais il ne s'agit pas toujours du même gaz. Pour la plupart, il s'agit du gaz dioxyde de carbone, mais pour d'autres c'est du gaz dioxygène qui se forme.
– Verse de l'eau dans deux tubes à essai, munis d'un bouchon et d'un tube à dégagement.
– Ajoute, dans l'un, un comprimé d'aspirine effervescente et, dans l'autre, un comprimé utilisé pour le nettoyage des lunettes.
– Fais barboter le gaz qui se dégage dans un bécher contenant de l'eau de chaux.

1. Décris ce que tu observes.

2. Dans quel cas le gaz trouble-t-il l'eau de chaux ? Quel est ce gaz ?

3. Recherche la signification du mot *effervescent*.

23 La Chimie en s'amusant

Verse un peu de Coca-Cola dans un verre. Ajoute u[ne] pincée de sable ou de sucre en poudre.

1. Décris ce que tu observes.

2. Quel est le gaz qui se dégage ?

3. Comment pourrais-tu en être sûr ?

24 HISTOIRE DES SCIENCES

Au milieu du XVIIIe siècle, la technique de récupération des gaz par déplacement d'eau commence à être utilisée. Joseph Black physicien, chimiste et médecin écossais (né en 1728 à Bordeaux et mort en 1789 à Édimbourg), est un des fondateurs de la chimie des gaz. C'est en 17[..] qu'il démontre que le gaz obtenu en chauffant [du] calcaire est identique à celui rejeté par la respiratio[n.] Il découvre aussi que ce gaz se forme également lo[rs] de l'action d'un acide sur la craie ou lors d'un[e] fermentation. Black le nomme *air fixe* et utilise l'ea[u] de chaux pour l'identifier.

Quelques années plus tard, le chimiste frança[is] Lavoisier montre que l'*air fixe* est un oxyde de carbon[e.] Ce gaz est du dioxyde de carbone, appelé *gaz carb[o]nique*.

1. Quelle est la technique utilisée à l'époque de Bla[ck] pour recueillir un gaz ?

2. Quel est le chimiste qui a trouvé la composition d[e] l'*air fixe* ?

3. Comment Black a-t-il identifié l'*air fixe* ?

4. Quel est le nom actuel de l'*air fixe* ?

☼ Boîte à idées

- **Exercice 12**
  1. Utilise une technique de séparation étudiée dans le cours.

- **Exercice 13**
  Sur le document sont indiqués les tailles des particules : sels minéraux, virus, bactéries et pollens. $1~\mu m = 0,001$ mm.

- **Exercice 17**
  Plus il y a de gaz dans un récipient, plus la pression est grande.

- **Exercice 18**
  Voir l'aide de l'exercice 17.

SCIENCE ET SOCIÉTÉ

L'assainissement individuel

En ville, les habitations sont raccordées au tout-à-l'égout. Les eaux usées sont dirigées vers la station d'épuration. En campagne, lorsque l'habitat est isolé, les maisons doivent disposer d'un système d'assainissement individuel des eaux usées, en bon état de fonctionnement, et qui ne pollue pas l'environnement (comme pourrait le faire le rejet dans les fossés, chez les voisins…).

La description de l'installation

Le traitement des eaux usées est présenté ci-dessous ; il comporte quatre étapes.

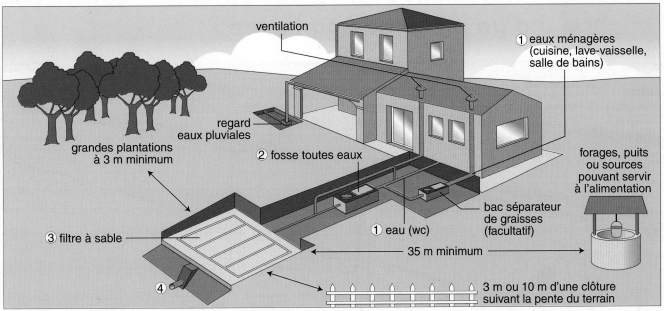

① **La collecte des eaux usées** provenant des toilettes, de la cuisine, de la salle de bains, etc.

② **Le prétraitement :** il est réalisé dans une fosse « toutes eaux » qui reçoit toutes les eaux usées. Le rôle de cette fosse est de séparer les matières solides des liquides.

③ **Le traitement :** il est réalisé dans le filtre à sable. Ce filtre retient une partie des substances polluantes de l'eau. Celles-ci sont alors consommées par des bactéries présentes dans le sable.

④ **L'évacuation :** les eaux traitées sont ensuite évacuées, soit par infiltration dans le sol chez le propriétaire, soit par un rejet vers un fossé ou un ruisseau après avoir obtenu les autorisations nécessaires.

L'entretien et le contrôle de l'installation

▶ **L'entretien :** il faut contrôler et nettoyer régulièrement les regards (trappes d'accès) et vidanger la fosse toutes eaux tous les quatre ans.

▶ **Le contrôle obligatoire :** tous les quatre ans, le maire doit faire contrôler l'installation pour vérifier sa conformité et son fonctionnement.

QUESTIONS

I. As-tu bien compris le texte ?

❶ *Quel est le système d'assainissement utilisé dans les grandes villes ?*

❷ *À la campagne, quelles sont les différentes étapes qui interviennent dans l'assainissement individuel et quels sont leurs rôles respectifs ?*

II. Sais-tu expliquer ?

❸ *La filtration suffit-elle à éliminer les substances polluantes dans le filtre à sable ?*

❹ *Quelle étape correspond à une décantation ?*

3

Séparation des constituants d'un mélange homogène

Comment séparer les différents constituant d'un mélange homogène ?

▲ *Les bassins des marais salants sont remplis d'eau de mer. Au bout de plusieurs mois, on récupère le sel qui est l'un des constituants de l'eau de mer.*

Objectifs

▶ Illustrer par des exemples le fait que l'apparence homogène d'une substance ne suffit pas pour savoir si un corps est pur ou non.

▶ Décrire une distillation et une chromatographie.

AU PROGRAMME DE L'ÉCOLE ÉLÉMENTAIRE :

re capable de mettre en évidence, par ébullition, qu'une eau limpide n'est pas nécessairement pure,
ais qu'elle peut contenir des substances dissoutes.

➥ Qu'est-ce qui différencie ces eaux minérales ?

➥ Les pays du Proche-Orient, en particulier,
anquent d'eau douce et installent des usines
e dessalement. Comment dessaler l'eau de mer ?

faire une chromatographie
ur savoir quels colorants
ouvent dans ces bonbons.

Une chromatographie ?
Vite, un dictionnaire !

C➥ Aide Maxime en utilisant un dictionnaire
ou Internet.

1 Des solides dissous dans l'eau

Tu as peut-être déjà remarqué qu'autour des robinets et sur les éviers il y avait souvent un dépôt blanc. D'où provient-il ? L'eau du robinet est-elle pure ?

Expérimente

• **Verse** un peu d'eau du robinet dans un bécher.

• **Porte** le liquide à ébullition jusqu'à vaporisation complète de l'eau.

Que remarques-tu au fond du bécher ?

 Il ne faut pas laisser le bécher sur l'appareil de chauffage après la vaporisation complète du liquide : le bécher chaufferait énormément et risquerait de se briser.

Doc 1 L'eau est portée à ébullition.

Doc 2 Le résidu solide après vaporisation de l'eau.

Observe

Après vaporisation de l'eau, on observe un dépôt blanc à l'intérieur du bécher (**Doc. 2**).

Interprète

→ Ce dépôt blanc provient de substances dissoutes dans l'eau, inobservables à l'œil nu et appelées **sels minéraux**. L'eau du robinet, limpide et transparente, est un mélange homogène : elle n'est pas pure.

→ Lors de l'ébullition, seule l'eau est vaporisée, alors que les sels minéraux se déposent.

Conclusion

• Un liquide pur ne contient pas d'autre matière que lui-même.

• L'eau du robinet est un mélange homogène qui contient des sels minéraux dissous.

• L'apparence homogène d'une substance ne suffit pas pour savoir si c'est un corps pur.

Des sels minéraux sont présents dans l'eau du robinet, mais aussi dans les eaux minérales (▶▶). La composition de chaque eau minérale en sels minéraux est indiquée sur l'étiquette collée sur la bouteille (**Doc. 3**).

ANALYSE MOYENNE	
Calcium (Ca^{2+}) :	64,5 mg
Magnésium (Mg^{2+}) :	3,5 mg
Sodium (Na^+) :	12,0 mg
Potassium (K^+) :	0,5 mg
Fluor (F^-) :	< 0,1 mg
Hydrogénocarbonates (HCO_3^-) :	195,0 mg
Chlorures (Cl^-) :	20,0 mg
Sulfates (SO_4^{2-}) :	6,0 mg
Nitrates (NO_3^-) :	2,5 mg
Nitrites (NO_2^-) :	< 0,05 mg
Résidu à sec à 180°C :	223,0 mg

Doc 3 Étiquette d'eau minérale indiqu[ant] sa composition.

▶▶ *Les eaux minérales diffèrent par leur composition en sels minéraux (Doc A, page 35).*

Pour s'entraîner ▶ exercices 3 et[...]

Obtenir de l'eau pure

Pour entretenir certaines batteries d'automobiles on ajoute de l'eau distillée. Cette eau, pure, ne contient plus de sels minéraux. Comment obtenir une eau pure ?

Expérimente

- **Réalise** le montage du document 4.
- **Fais circuler** de l'eau froide dans le réfrigérant.
- **Verse** de l'eau du robinet dans le ballon et **fais-la bouillir** jusqu'à sa vaporisation complète.
- **Récupère** le liquide, appelé **distillat**, qui s'écoule du réfrigérant.

◗ Qu'observes-tu au fond du ballon après l'expérience ?

◗ Quelles expériences peut-on réaliser pour montrer que le distillat :
a. est bien de l'eau ?
b. ne contient pas de substances dissoutes ?

◗ Réalise ces expériences.

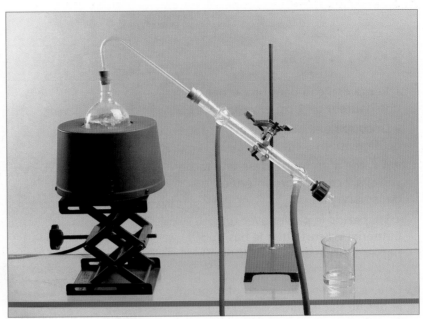

Doc 4 Dispositif permettant de réaliser une distillation.

Observe

- L'eau du robinet contenue dans le ballon, bout et son niveau baisse. À la fin, il reste un **résidu solide** sur les parois.
- Des gouttes sortent du réfrigérant et tombent dans le bécher. Si on verse une goutte de distillat sur du sulfate de cuivre anhydre, il devient bleu.
- Si l'on fait bouillir le distillat, on n'observe pas de dépôt après vaporisation complète du liquide.

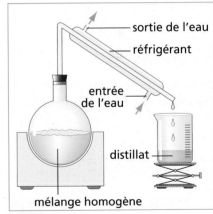

Doc 5 Schéma d'une distillation.

Interprète

- Le test au sulfate de cuivre montre que le distillat est bien de l'eau : c'est de l'eau distillée.
- Puisqu'il n'y a pas de dépôt après vaporisation complète, l'eau distillée ne contient pas de solides dissous. Cette eau est **pure** (▶▶).
- Les **sels minéraux**, dissous dans l'eau du robinet, mélange homogène, sont restés dans le ballon pour former le résidu solide.

▶▶ *L'eau de mer peut être dessalée par distillation (Doc B, page 35).*

Conclusion

- La **distillation** permet de séparer les différents constituants d'un mélange homogène.
- L'eau distillée, qui ne contient pas de substances dissoutes, est de l'eau pure : c'est un **corps pur**.

Pour s'entraîner ▶ exercices 5 et 6

Analyse d'un mélange homogène par chromatographie

En mélangeant de la peinture jaune et de la peinture bleue, on obtient de la peinture verte. L'encre verte d'un feutre est-elle un mélange d'encre jaune et d'encre bleue ?

Expérimente

- **Verse** de l'eau dans un bécher sur une hauteur de 1 cm environ.
- **Découpe** une bande de papier-filtre de dimensions 5 cm × 8 cm.
- **À** l'aide d'un feutre, **fais** une tache verte, à 2 cm du bord inférieur de la bande de papier.
- **Suspends** le papier avec un bâtonnet de sorte que le bas du papier trempe dans l'eau (Doc. 6).

❶ Que se passe-t-il quand tu plonges le bas du papier-filtre dans l'eau ?

❷ L'encre verte comporte-t-elle un seul constituant ?

Doc 6 Chromatographie d'une encre verte.

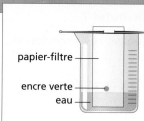

papier-filtre
encre verte
eau

Observe

L'eau monte le long du papier-filtre, entraînant la tache d'encre qui se sépare en une tache jaune et une tache bleue (Doc. 7).

Interprète

→ La tache jaune est de l'encre jaune ; la tache bleue est de l'encre bleue.

→ L'eau, qui monte le long du papier-filtre en entraînant les encres, est appelée l'**éluant**. Celles-ci se déplacent à des vitesses différentes et, ainsi, se séparent.

→ L'encre verte est un mélange homogène d'encre jaune et d'encre bleue.

→ Cette expérience est appelée une **chromatographie**.

Doc 7 Résultat de la chromatographie.

➡ *Les différents constituants alimentaires peuvent être séparés et identifiés grâce à la chromatographie (Doc C, page 35).*

Conclusion

La chromatographie est une technique de séparation des constituants d'un mélange homogène.

Après séparation, on peut analyser les constituants d'un mélange initial (➡).

Pour s'entraîner ▶ exercices 7 et 8

RETIENS L'ESSENTIEL

Par le texte

- **L'eau du robinet contient des sels minéraux. C'est un mélange homogène. Elle n'est pas pure.**
- **Un liquide pur ne contient pas d'autre matière que lui-même.**
- **La distillation permet de séparer les constituants d'un mélange homogène.**
- **La chromatographie est une technique de séparation des constituants d'un mélange homogène.**

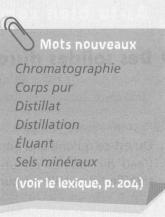

Mots nouveaux

Chromatographie
Corps pur
Distillat
Distillation
Éluant
Sels minéraux

(voir le lexique, p. 2o4)

Par l'image

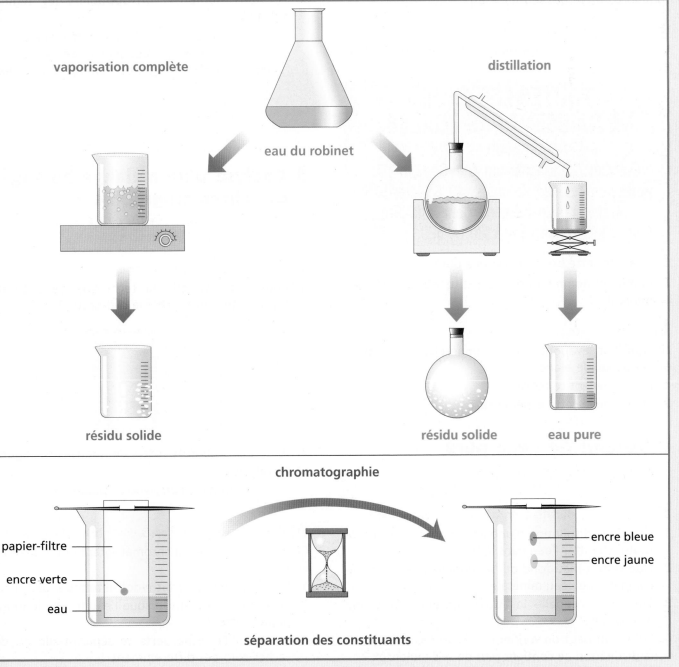

vaporisation complète

distillation

eau du robinet

résidu solide

résidu solide eau pure

chromatographie

papier-filtre

encre bleue

encre verte

encre jaune

eau

séparation des constituants

As-tu bien compris le cours ?

▶ Des solides dissous dans l'eau
> *voir paragraphe* ❶ *du cours*

1 Savoir ce qu'est une eau pure
1. Qu'est-ce qu'une eau pure ?
2. L'eau du robinet est un liquide homogène. Cela signifie-t-il qu'elle est pure ?

2 Vérifier expérimentalement qu'une eau est pure ou non
Décris une expérience permettant de vérifier si l'eau du robinet contient des sels minéraux.

3 Lire une étiquette d'eau minérale
Le document ci-dessous représente l'étiquette d'une eau minérale.

> TOUTES LES EAUX
> NE NAISSENT PAS ÉGALES.
> Minéralisation en mg/l
> Calcium 222. Magnésium 18,0. Sodium 3,7.
> Potassium 1,6. Bicarbonates 142. Sulfates 520.
> Nombreux oligo-éléments dont le lithium.
> Fluor 1,3. Résidu Sec à 180°C : 889.

1. L'eau de cette bouteille est-elle pure ?
2. Comment nomme-t-on les constituants de cette eau minérale ?

4 Évaporer une eau minérale
Lorsque l'on évapore une eau minérale, il se dépose un résidu solide blanc.
1. D'où provient ce résidu ?
2. Que prouve cette expérience ?

▶ Obtenir de l'eau pure
> *voir paragraphe* ❷ *du cours*

5 Réaliser la distillation d'une eau minérale
1. Lors de la distillation d'une eau minérale, pourquoi faut-il chauffer l'eau dans le ballon ?
2. Que reste-t-il au fond du ballon après vaporisation complète de l'eau minérale ?
3. Comment s'appelle le liquide obtenu après une distillation ?
4. Comment peut-on vérifier que l'eau recueillie après la distillation ne contient plus de sels minéraux ?

6 Reconnaître un montage
1. Comment s'appelle l'expérience schématisée dessous ?

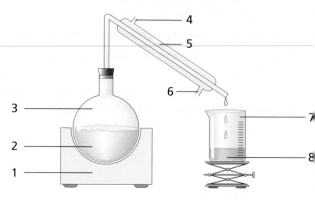

2. À quels numéros correspondent les légend suivantes :

> *entrée de l'eau ; distillat ; réfrigérant ;*
> *sortie de l'eau ; dégagement de vapeur ;*
> *chauffe-ballon ; mélange homogène ; bécher.*

▶ Analyse d'un mélange homogèn par chromatographie
> *voir paragraphe* ❸ *du cours*

7 Reconnaître un montage
1. Comment s'appelle la technique de séparatio représentée sur le schéma ci-dessous ?

2. À quels numéros correspondent les légend suivantes :

> *bécher ; eau ; encre ; papier-filtre.*

8 Séparer des colorants par chromatographie
Cédric veut réaliser la chromatographie d'un colora vert.
1. Pourquoi le papier-filtre doit-il tremper dans l'eau
2. Que fait le colorant lorsque l'eau monte le long papier-filtre ?
3. Pourquoi la tache verte se sépare-t-elle en de taches colorées différemment ?

e que tu dois savoir

- éfinir un corps pur.
- écrire une distillation.
- écrire une chromatographie.

Ce que tu dois savoir faire

- **Réaliser une chromatographie.**

Je vérifie que je sais

oisis les bonnes réponses.

Énoncés	Réponse A	Réponse B	Réponse C	Aide
. Une eau pure contient…	de l'eau et des sels minéraux	uniquement de l'eau	de l'eau et des gaz dissous	p. 36
. Pour séparer les constituants 'un mélange homogène on peut éaliser…	une filtration	une distillation	une chromatographie	p. 37
. Une eau minérale est…	un mélange homogène	une eau pure	un mélange hétérogène	p. 36
. L'eau du robinet est une eau…	pure	limpide	potable	p. 36
. On appelle distillat, le liquide btenu lors de…	la filtration	la distillation	la chromatographie	p. 37

> *réponses en fin de manuel*

Je vérifie que je sais faire

oisis les bonnes réponses.

Énoncés	Réponse A	Réponse B	Réponse C	Aide
. Pour séparer les colorants ar chromatographie, on réalise e montage…	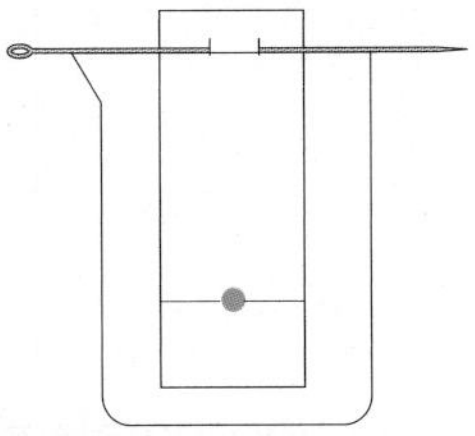	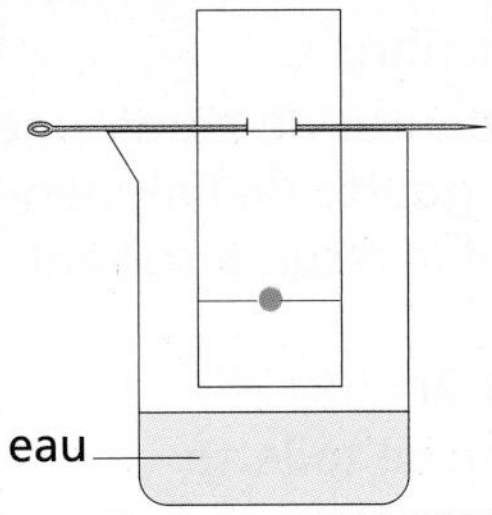 eau	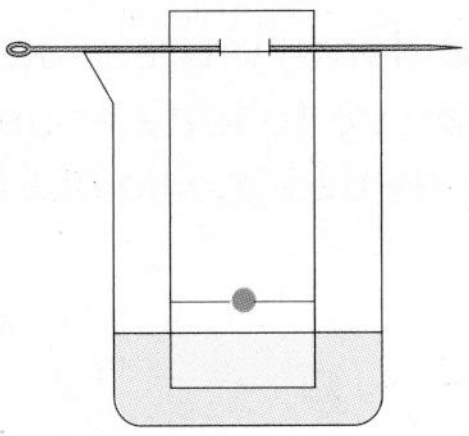	p. 38
. Le résultat de la chromatographie st représenté par le schéma…	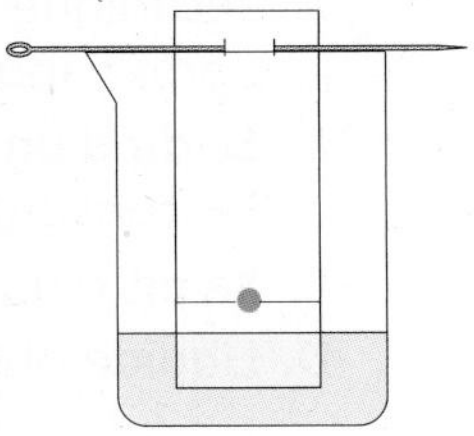	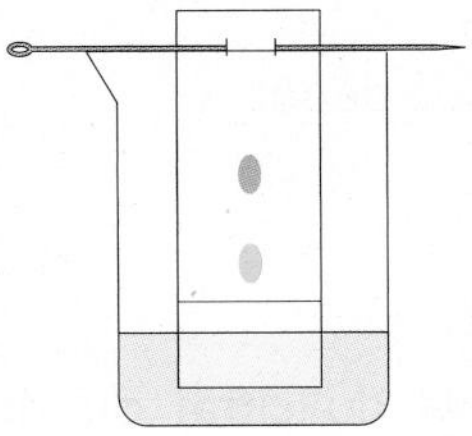	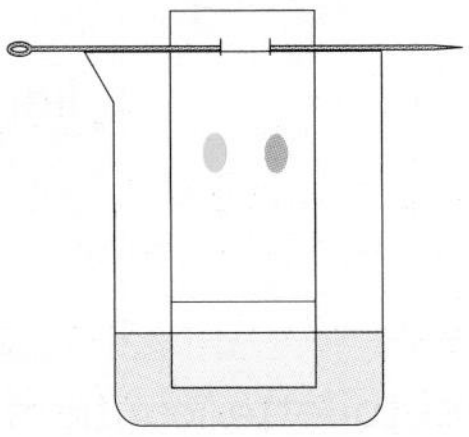	p. 38

> *réponses en fin de manuel*

Utilise tes connaissances

11 Apprends à résoudre

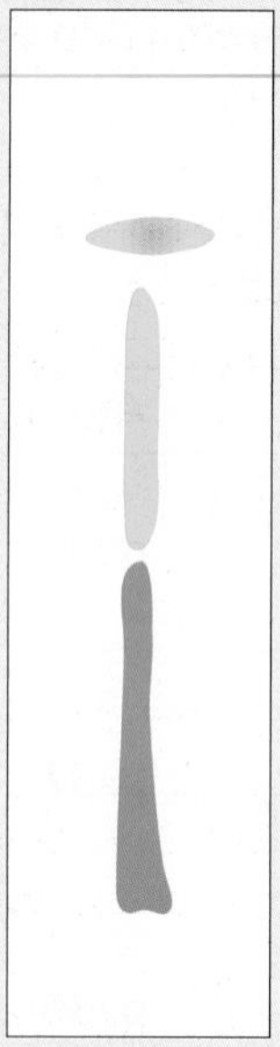

La chlorophylle est une substance fabriquée naturellement par certains végétaux. Elle a une couleur verte et elle joue un rôle important dans leur croissance. Après son extraction, on réalise sa chromatographie.

1. Décris le mode opératoire.
2. Quel est le but d'une chromatographie ?
3. Que montre la chromatographie de la chlorophylle ?

SOLUTION

1. Sur un papier-filtre, on dépose une goutte de chlorophylle. On plonge ensuite le bas du papier-filtre dans l'éluant contenu dans un bécher.
2. Une chromatographie permet de vérifier si une substance est formée d'un ou de plusieurs constituants.
3. La chromatographie montre que la chlorophylle est formée de plusieurs constituants.

À TON TOUR

Justine désire savoir de quelle substance provient l'odeur de son eau de toilette. Pour cela, elle réalise une chromatographie. Elle a appris que lors d'une chromatographie certains constituants d'un mélange homogène se séparent. Un même constituant, seul ou dans un mélange homogène, montera toujours à la même hauteur sur le papier-filtre.

Elle dépose dans l'ordre : une goutte de citral, une goutte d'eau de toilette et une goutte de limonène sur la ligne de dépôt. Elle obtient le résultat suivant :

1 : citral
2 : eau de toilette
3 : limonène

ligne de dépôt

1. L'eau de toilette contient-elle du citral ou du limonène ? Justifie ta réponse.
2. Quelle substance donne cette odeur à son eau de toilette ?

12 Obtention d'une huile essentielle

L'huile essentielle est extraite par distillation de fru ou de plantes. C'est par exemple le cas de la lavand Les bottes de fleurs séchées sont introduites dans cuve de l'alambic avec de l'eau.

Le montage ci-dessous présente le principe de distillation permettant d'obtenir des huiles essentiell

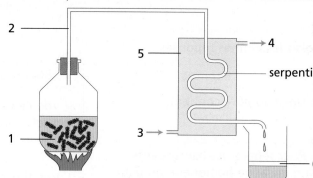

1. Associe chaque numéro aux légendes ci-dessous :

entrée d'eau froide ; sortie d'eau tiède ; vapeur d'huile essentielle ; lavande et eau ; huile essentielle ; réfrigérant.

2. À quoi sert le réfrigérant ?

13 Mots croisés

Recopie et complète la grille ci-dessous.

Horizontalement

A. Technique qui permet d'obtenir un liquide p après vaporisation puis liquéfaction.
B. Se dit d'un mélange dans lequel on ne distingue p les constituants à l'œil nu.
C. Se dit d'un liquide formé d'une seule substance.
D. Liquide obtenu après une distillation.

Verticalement

1. Se dit d'une eau qui contient des sels minéraux.
2. Technique de séparation de différents constituan d'un mélange homogène.

Remets les morceaux de phrase dans l'ordre

ce les étiquettes dans le bon ordre pour écrire deux
rases.

> qui contient des sels
> minéraux dissous.

> est de l'eau pure.

> est un mélange homogène

> L'eau du robinet

> qui ne contient pas de
> substances dissoutes,

> L'eau distillée,

Fabrication du cognac

cognac est obtenu à partir de vins blancs récoltés
ns la zone d'appellation d'origine.

Le vin est-il un mélange homogène ou hétérogène ?

Quelle technique permet de récupérer l'alcool contenu
dans le vin ?

16 Composition d'une eau minérale

Analyse (mg/l)			
alcium	: 70,0	Bicarbonates	: 200,0
agnésium	: 2,1	Sulfates	: 15,3
odium	: 4,4	Chlorures	: 8,0
otassium	: 1,6	Nitrates	: <2,0
Extrait sec à 180°C : 223 mg/l			

ndication mg/l signifie « milligramme par litre ».

Quelle masse de magnésium y a-t-il dans un litre de
cette eau minérale ?

Une personne boit 500 mL de cette eau en une
journée. Quelle masse de magnésium a-t-elle
absorbé ? Justifie ta réponse.

17 Production de l'éthanol B2i

s tableaux ci-dessous montrent l'évolution de la
oduction brésilienne en canne à sucre.

Année	1971	1974	1977	1980
Production (millions de tonnes)	85	92	120	149

Année	1983	1986	1989	1992
Production (millions de tonnes)	216	238	252	271

Année	1995	1998	2001	2004
Production (millions de tonnes)	304	345	346	411

La canne à sucre est transformée afin de produire de
l'éthanol. L'éthanol est un biocarburant utilisé comme
substituant de l'essence. Il présente une « alternative
écologique » aux produits extraits du pétrole.

1. Recopie ce tableau dans un tableur. Réalise ensuite
   la courbe montrant l'évolution de la production en
   canne à sucre des années 1971 à 2004.
   Comment a-t-elle évolué ?

2. Recherche sur Internet quelles techniques permettent d'obtenir l'éthanol à partir de la canne à sucre.

3. Recherche sur Internet quel est l'événement
   mondial auquel on peut attribuer, au début des
   années 1970, l'augmentation de la production de
   canne à sucre.

18 Dessalement d'une eau de mer

L'eau des mers et des océans n'est pas potable, car elle
est salée. On sait fabriquer de l'eau douce et potable à
grande échelle grâce à la distillation de l'eau de mer.
Malheureusement, cette solution n'est pas réalisable
facilement, car le système est très coûteux : vaporiser
l'eau de mer nécessite beaucoup d'énergie. Seuls des
pays riches (comme l'Espagne) ou des pays disposant
de sources d'énergie comme le pétrole (comme le
Koweït), utilisent actuellement ce système.

1. Qu'appelle-t-on une eau *douce* ?

2. Pourquoi la distillation permet-elle de dessaler l'eau
   de mer ?

3. Quelle énergie naturelle non polluante le Koweït
   pourrait-il aussi utiliser à la place du pétrole ?

19 Physique et français

La publicité pour une eau minérale précise que l'eau
vendue est pure.

1. Quel est le sens du mot *pur* utilisé dans cette publicité ?

2. Les scientifiques donnent-ils le même sens au mot *pur* ?

20 Le fer à repasser

Pourquoi vaut-il mieux utiliser de l'eau distillée ou
déminéralisée dans un fer à repasser plutôt que de
l'eau du robinet ou de l'eau minérale ?

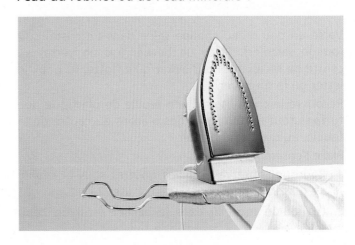

exercices

21 Et maintenant le lave-linge !

Un lave-linge est tombé en panne : un résidu blanc s'est déposé sur la résistance électrique qui permet de chauffer l'eau.

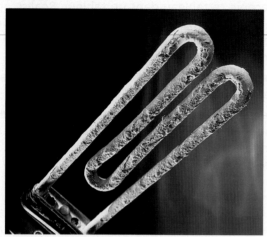

1. De quoi est constitué ce résidu ?

2. D'où provient ce dépôt ?

22 A cup of tea

Patrick veut préparer du thé. Il remplit le quart d'une casserole avec de l'eau du robinet. Puis, il met la casserole à chauffer sur sa gazinière. Le téléphone sonne, il y répond et oublie sa casserole. Quand il revient, il n'y a plus d'eau mais un dépôt blanchâtre.

1. Quel est ce dépôt ? D'où provient-il ?

2. Où est passée l'eau qui se trouvait dans la casserole ?

23 Graine de chercheur

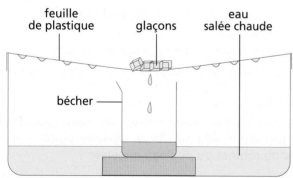

feuille de plastique   glaçons   eau salée chaude

bécher

Verse un peu d'eau chaude salée dans un cristallisoir (ou un saladier). Place un bécher (ou un verre) au centre du récipient. Pour éviter qu'il flotte, tu peux le lester ou le surélever.

Recouvre le cristallisoir d'une feuille de plastique que tu fixes tout autour. Pose des glaçons au centre de la feuille, au-dessus du bécher.

Place l'ensemble au soleil.

1. Pourquoi observe-t-on des gouttes sous la feuille de plastique après quelques minutes ?

2. Le liquide recueilli dans le bécher est-il de l'eau salée ?

24 HISTOIRE DES SCIENCES

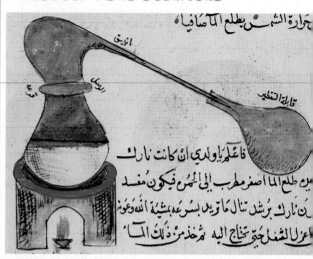

Même si les parfums sont connus et utilisés dep l'Antiquité, leur procédé de fabrication a subi u révolution au Moyen Âge avec l'invention par Arabes vers le xᵉ siècle de l'alambic et du procé de distillation. On place des fleurs et de l'eau da l'alambic. Lorsque l'eau se vaporise, elle entraîne av elle les huiles essentielles (substances odorantes). vapeur d'eau et les huiles essentielles quitte l'alambic et sont ensuite refroidies dans un serpen jusqu'à leur liquéfaction. Il reste alors à séparer l'e des huiles essentielles pour obtenir le parfum.

1. Quel peuple a inventé l'alambic ? À quelle époqu

2. Comment appelle-t-on les substances qui donne leur odeur aux fleurs ?

3. Pourquoi l'eau est-elle importante pour la fabri tion des parfums ?

4. Quels changements d'état ont lieu au cours cette fabrication ?

Boîte à idées

- **Exercice 16**
  On rappelle les conversions d'unités :
  1 L = 1000 mL et 1 g = 1 000 mg.

- **Exercice 17**
  – Voir fiche méthode n° 2, page 192.
  – Lors de la fermentation du jus de canne à sucre il se forme de l'alcool. On obtient alors un mélange liquide.

- **Exercice 21**
  Le « calcaire » est un dépôt de sels minéraux.

- **Exercice 23**
  Le sel contenu dans l'eau du cristallisoir ne s'évapore pas, contrairement à l'eau. Les glaçons jouent le rôle de réfrigérant.

La chromatographie :
une technique couramment utilisée

La chromatographie est une technique d'analyse très utilisée en laboratoire pour déterminer la composition d'une substance.

Doc 1 Analyse d'une substance, par chromatographie, dans un laboratoire.

▶ Les laboratoires d'analyses médicales peuvent, par exemple, évaluer la quantité de vitamines dans le sang et savoir ainsi si le malade présente une carence vitaminique.

▶ Dans le domaine sportif, cette technique permet, par exemple, de savoir, par une chromatographie des urines ou du sang, si un athlète s'est dopé.

▶ La police scientifique utilise souvent la chromatographie.
Sur les lieux d'un crime, les enquêteurs peuvent aussi être amenés à prélever des substances (poudres, liquides...) dont ils voudraient connaître la nature pour les besoins de l'enquête : la chromatographie permet de révéler la composition et l'origine de ces substances.

QUESTIONS

I. As-tu bien compris le texte ?

1 *Qu'est-ce qu'une chromatographie ?*

2 *Cite trois applications de la chromatographie.*

3 *Recherche, dans un dictionnaire, l'origine du mot chromatographie.*

4 *Recherche, à l'aide d'un dictionnaire, ce qu'est une carence vitaminique.*

II. Sais-tu expliquer ?

5 *Décris l'expérience de chromatographie présentée dans la leçon et schématise l'expérience.*

6 *Quel est le rôle de l'éluant utilisé en chromatographie ?*

Les états de la matière

Que se passe-t-il lorsque l'on chauffe ou lorsque l'on refroidit de l'eau ?

▲ *Selon la température, l'eau apparaît dans la nature sous différents états.*

Objectifs

❱ Citer et identifier les trois états physiques de l'eau.

❱ Savoir mesurer le volume et la masse d'un liquide.

❱ Connaître la masse d'un litre d'eau.

❱ Savoir que le changement d'état d'un corps pur se fait sans variation de masse, mais avec variation de volume.

AU PROGRAMME DE L'ÉCOLE ÉLÉMENTAIRE :

Connaître l'eau dans la vie quotidienne (glace, eau liquide).

Connaître les états et changements d'état de l'eau.

➡ Un iceberg est un morceau de glacier qui part à la dérive.

De quoi est constitué un iceberg ?

Comment différencier les états physiques de l'eau ?

➡ D'où provient la rosée ?

Pourquoi se forme-t-elle le matin, lorsqu'il fait frais ?

Les paris sont ouverts : que va-t-il se passer lorsque le glaçon va fondre ?

Il va y avoir plus d'eau. Donc la balance devrait pencher du côté du verre. Mais je n'en suis pas si sûr !

➡ Qu'en penses-tu ?

Les trois états physiques de l'eau

L'eau d'un lac, la glace et la vapeur d'eau sont une même matière dans trois états différents. Comment différencier ces états ?

Expérimente

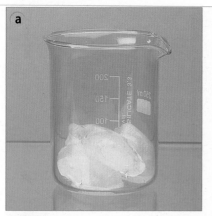
a

b

c

Doc 1 L'eau est présente sous trois états : **a)** solide (glaçons), **b)** liquide et **c)** gazeux (dans le gant).

- **Transvase** des glaçons, puis de l'eau liquide dans différents récipients.
- **Incline** un récipient contenant de l'eau liquide.
- **Chauffe** de l'eau liquide dans un bécher surmonté d'un gant.

Comment identifier et différencier un solide, un liquide et un gaz ?

Observe

→ Contrairement au glaçon, l'eau liquide prend la forme du récipient qui la contient (Doc. 1 a et 1 b).

→ La surface de l'eau liquide en contact avec l'air est appelée surface libre. Pour un liquide au repos, elle reste **plane et horizontale**, quelle que soit l'inclinaison du récipient (Doc. 2).

→ Le gant se gonfle lors de l'ébullition de l'eau dans le bécher (Doc. 1 c).

Interprète

→ Un glaçon a toujours la même forme (➤➤). On dit qu'il a une forme propre.

→ L'eau liquide prend la forme du récipient qui la contient ; elle n'a pas de forme propre.

→ La vapeur d'eau gonfle le gant : elle occupe tout le volume offert.

Conclusion

- La glace est de l'eau solide. Un solide a une forme propre.
- L'eau liquide prend la forme du récipient qui la contient. Un liquide n'a pas de forme propre.
- La surface libre d'un liquide au repos est plane et horizontale.
- Un gaz occupe tout le volume du récipient qui le contient.

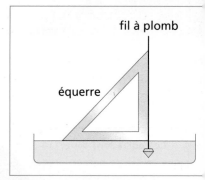
fil à plomb

équerre

Doc 2 La surface libre de l'eau au rep[...] est plane et horizontale (perpendiculair[...] à la verticale donnée par le fil à plomb)

➤➤ *Un iceberg est de l'eau douce, solide (**Doc A, page 47**).*

Pour s'entraîner ▶ exercices 1 et [...]

Les changements d'état

u cours de l'année, les paysages changent. En hiver, les montagnes se recouvrent
e neige, les lacs gèlent. Au printemps, la neige fond ainsi que la glace qui
couvre les lacs. Quelle est la cause des changements d'état de l'eau ?

xpérimente

Expérience 1
- **Chauffe** de la glace contenue dans un tube à essai pour obtenir de l'eau liquide (**Doc. 3**).
- **Place** ensuite le tube à essai dans un mélange réfrigérant (**Doc. 5**).

Expérience 2
- **Chauffe** de l'eau dans un ballon.
- **Place** une soucoupe froide au-dessus du ballon quand l'eau bout (**Doc. 4**).

mment nomme-t-on les changements
état observés ?

Doc 3 Expérience 1 : chauffage de la glace.

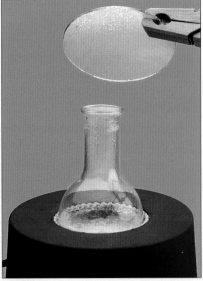

Doc 4 Expérience 2 : des gouttelettes d'eau se forment sur une soucoupe froide lorsque l'eau bout dans le ballon.

bserve

Expérience 1 : En chauffant de la glace, on obtient de l'eau liquide. En refroidissant l'eau liquide, on obtient de la glace.

Expérience 2 : En chauffant de l'eau liquide, on obtient de la vapeur d'eau. Il se forme de l'eau liquide sur la coupelle froide.

nterprète

- La transformation de l'eau solide (glace) en eau liquide s'appelle une **fusion** et celle de l'eau liquide en eau solide est une **solidification**.
- La transformation de l'eau liquide en eau vapeur (gaz) s'appelle une **vaporisation** et celle de l'eau vapeur en eau liquide est une **liquéfaction** (▶▶).
- Une **vaporisation** s'observe par **ébullition** lorsque l'eau bout ou par **évaporation** lorsqu'elle ne bout pas.
- Les changements d'état de l'eau sont **inversibles**, car l'eau peut passer d'un état à un autre et revenir à l'état de départ.

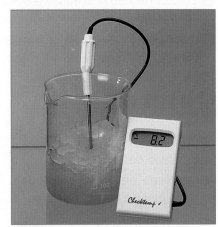

Doc 5 Un mélange réfrigérant est un mélange de glace pilée et de sel. Il permet d'obtenir des basses températures (ici – 8,2 °C) et de refroidir les corps qui sont en contact avec lui.

onclusion

En chauffant ou en **refroidissant** un corps, on peut le faire changer d'état. Ces changements d'état sont inversibles.

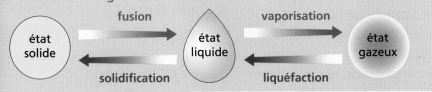

▶▶ *La rosée provient de la liquéfaction de la vapeur d'eau contenue dans l'air et qui s'est refroidie pendant la nuit (Doc B, page 47).*

Pour s'entraîner ▶ exercices 5 et 6

Masse et volume de l'eau pendant un changement d'état

Une bouteille en verre, remplie d'eau et bouchée, éclate lorsqu'elle est placée dans un congélateur.

L'eau solide occupe-t-elle plus de place que l'eau liquide ? Est-elle plus lourde ?

Expérimente

- Dans un congélateur, **place** une éprouvette graduée contenant 100 mL d'eau liquide (voir fiche méthode n° 5).

- Après solidification, **sors** l'éprouvette et **repère** le niveau de la glace.

- **Pèse** l'éprouvette graduée contenant de la glace (voir fiche méthode n° 4) et **laisse-la** se réchauffer (Doc. 6 a).

- **Pèse** l'éprouvette après fusion de la glace (Doc. 6 b).

- **Note** le niveau de l'eau.

❶ Compare le volume de la glace à celui de l'eau liquide obtenue.

❷ L'indication de la balance a-t-elle changé après la fusion de la glace ?

❸ Quelle est la masse de 100 mL d'eau ? Déduis-en la masse de 1 L d'eau.

Doc 6 Expérience permettant d'étudier comment varient la masse et le volume de l'eau lors de la fusion.

Observe

Après fusion de la glace :

→ la masse de la glace est égale à la masse de l'eau liquide ;

→ le niveau de l'eau liquide dans l'éprouvette graduée est plus bas que le niveau de la glace.

Interprète

→ L'eau occupe un volume **plus grand** à l'état solide qu'à l'état liquide.

→ Lorsque la glace fond dans l'éprouvette en donnant de l'eau liquide, la masse **ne varie pas** (➡➡).

→ **La masse d'un litre d'eau liquide (1 dm³) est égale à un kilogramme.**

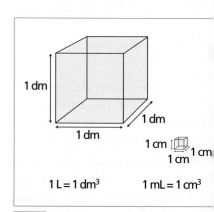

$1\,L = 1\,dm^3$ $1\,mL = 1\,cm^3$

Doc 7 Correspondances d'unités.

Conclusion

- La masse d'un corps ne varie pas pendant un changement d'état.

- Lorsque l'eau se solidifie, son volume augmente. Le volume d'un corps varie pendant un changement d'état.

- Un litre d'eau liquide a une masse d'un kilogramme.

➡➡ *La glace et l'eau liquide obtenue après fusion ont la même masse (Doc C, page 47).*

Pour s'entraîner ▶ exercices 7 et 8

Par le texte

- **Un solide a une forme propre.**
- **Un liquide au repos prend la forme du récipient qui le contient ;** sa surface libre est **plane et horizontale**.
- **Un gaz occupe tout l'espace qui lui est offert.**
- **Si on chauffe ou si on refroidit un corps, on peut le faire changer d'état. Ces changements d'état sont inversibles.**
- **Au cours d'un changement d'état la masse d'un corps ne varie pas,** alors que **le volume varie**.
- **La masse d'un litre d'eau liquide est égale à un kilogramme.**

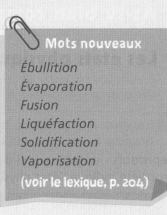

Mots nouveaux

Ébullition
Évaporation
Fusion
Liquéfaction
Solidification
Vaporisation

(voir le lexique, p. 204)

Par l'image

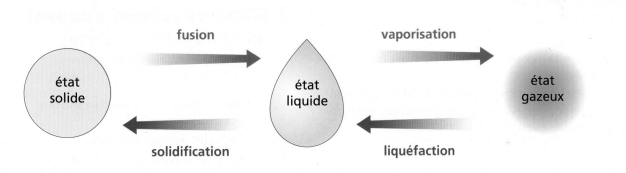

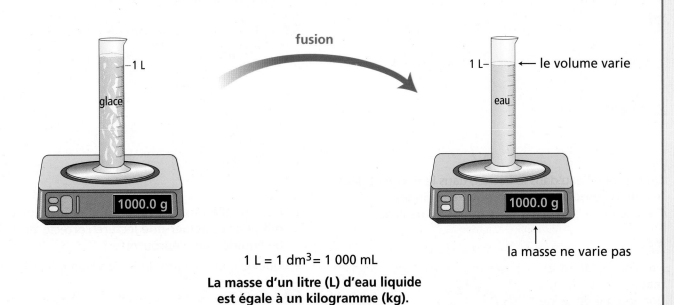

$1\ L = 1\ dm^3 = 1\ 000\ mL$

La masse d'un litre (L) d'eau liquide est égale à un kilogramme (kg).

As-tu bien compris le cours ?

▶ Les états physiques de la matière
> *voir paragraphe* ❶ *du cours*

1 **Reconnaître les états de la matière d'après leurs propriétés**

Reproduis le tableau ci-dessous et pour chaque propriété indique l'état physique correspondant.

Propriétés	État physique
prend la forme du récipient et ne peut être saisi avec les doigts	
a une forme propre	
occupe tout l'espace qui lui est offert	
sa surface libre est plane et horizontale	

2 **Connaître la propriété de la surface libre d'un liquide**

Un élève a schématisé trois tubes à essai contenant de l'eau liquide. Redessine ces trois schémas en corrigeant les erreurs éventuelles.

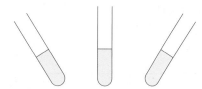

3 **Représenter la surface libre**

On verse de l'eau dans le bécher, dans le flacon et dans le ballon, jusqu'au niveau indiqué par l'index.
Dessine ces récipients et trace le niveau de l'eau.

4 **Connaître les états de la matière**

Dans quel état est la matière constituant ce bonhomme de neige ? Justifie ta réponse.

▶ Les changements d'état
> *voir paragraphe* ❷ *du cours*

5 **Nommer les changements d'état**

Recopie le schéma ci-dessous et complète-le en nota les changements d'état.

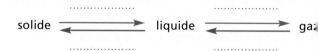

solide ⇄ liquide ⇄ gaz

6 **Rechercher les effets du réchauffement ou du refroidissement d'une substance**

1. Quels sont les changements d'état qui peuvent produire quand on chauffe une substance ?
2. Quels sont les changements d'état qui peuvent produire quand on refroidit une substance ?

▶ Masse et volume pendant un changement d'état
> *voir paragraphe* ❸ *du cours*

7 **Savoir comment varient la masse et le volume**

Choisis la ou les bonnes réponses.

1. La masse d'un corps ne varie pas pendant un cha gement d'état.
2. La masse de l'eau augmente lorsqu'elle gèle.
3. Lorsque l'on fait fondre 1 dm³ de glace, on obtie 1 dm³ d'eau liquide.

8 **Savoir utiliser une éprouvette graduée**

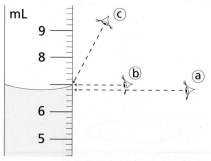

1. Dans quelle position (a, b ou c) doit-on placer s œil pour effectuer une lecture correcte du volur de liquide dans l'éprouvette ?
2. Quel est, en millilitre (mL), le volume mesuré ?

9 **Connaître la masse d'un litre d'eau**

Choisis les bonnes réponses.
La masse d'un litre d'eau liquide est :

a. 100 g ; **b.** 1 kg ; **c.** 1 000 g.

e que tu dois savoir

iter et identifier les trois états physique de l'eau.

Iommer les différents changements d'état.

onnaître la conservation de la masse d'un corps
rs d'un changement d'état.

Ce que tu dois savoir faire

• Mesurer le volume et la masse d'un liquide.

Je vérifie que je sais

oisis les bonnes réponses.

Énoncés	Réponse A	Réponse B	Réponse C	Aide
Un liquide...	a une forme propre	au repos, a une surface libre plane et horizontale	occupe tout l'espace qui lui est offert	p. 48
Le passage de la vapeur d'eau l'eau liquide s'appelle...	la liquéfaction	la vaporisation	l'ébullition	p. 49
La masse d'un litre d'eau liquide est...	1 dm^3	1 kg	1 g	p. 50
Au cours de la solidification de 50 g 'eau liquide, on obtient...	25 g de glace	75 g de glace	50 g de glace	p. 50
Lorsqu'un glaçon fond, le volume 'eau obtenu est...	égal au volume du glaçon	inférieur au volume du glaçon	supérieur au volume du glaçon	p. 50
Le schéma représentant un liquide u repos dans un récipient est...	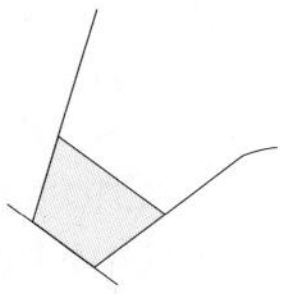	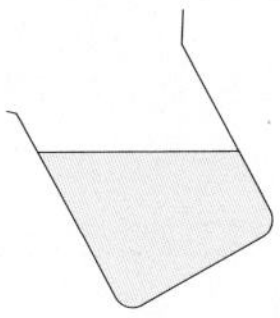	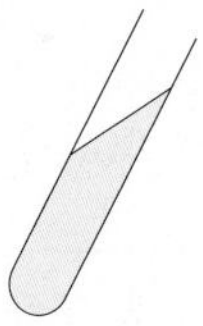	p. 48

> *réponses en fin de manuel*

Je vérifie que je sais faire

oisis les bonnes réponses.

Énoncés	Réponse A	Réponse B	Réponse C	Aide
Le volume e liquide esuré dans éprouvette -contre est... 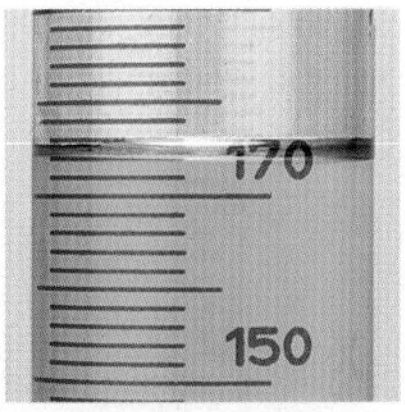	172 mL	174 mL	190 mL	p. 195
La position de l'œil pour effectuer une cture correcte sur l'éprouvette est...	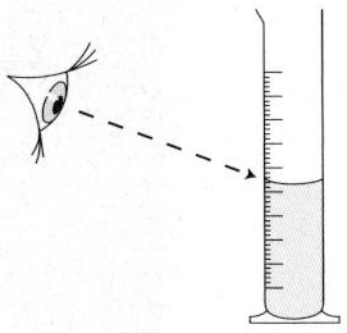	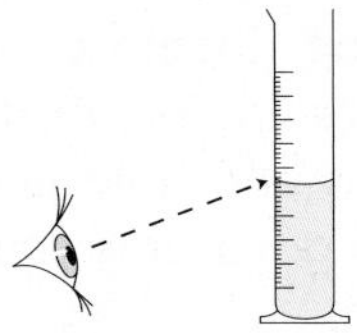	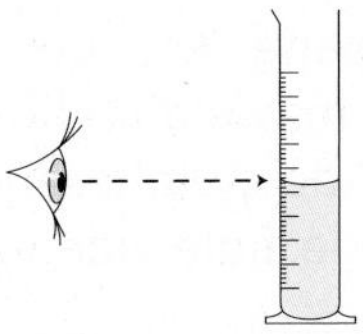	p. 195

> *réponses en fin de manuel*

Utilise tes connaissances

12 Apprends à résoudre

Un flacon contient un liquide incolore. Pour savoir si ce liquide est de l'eau, Marie pèse le flacon rempli et trouve une masse de 260 g, puis elle verse le liquide dans une éprouvette et elle lit un volume de 205 mL. Elle pèse alors le flacon vide et trouve une masse de 80 g.

Elle affirme alors : « Ce liquide n'est pas de l'eau ».

1. Quelle est la masse du liquide ?
2. Comment Marie peut-elle savoir que ce liquide n'est pas de l'eau ?

SOLUTION

1. La masse du liquide est la différence entre la masse du flacon plein et la masse du flacon vide. Masse du liquide : $m = 260$ g $- 80$ g $= 180$ g.

2. Le liquide de volume 205 mL a une masse de 180 g. Calculons la masse de 1 000 mL de liquide :

mL	205	1 000
g	180	m

$$m = \frac{1\,000 \times 180}{205} = 880 \text{ g}.$$

Le liquide n'est pas de l'eau, car 1 000 mL = 1 L d'eau a une masse de 1 000 g.

À TON TOUR

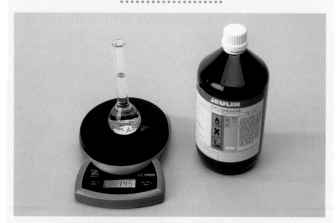

Le cyclohexane est un liquide incolore. Pour connaître la masse d'un litre de ce liquide, Bertrand verse 50 mL de cyclohexane dans une fiole jaugée. La masse de la fiole vide est 105 g. La fiole remplie pèse 145 g.

1. Quelle est la masse de 50 mL de cyclohexane ?
2. Calcule la masse de 1 mL de cyclohexane, puis la masse de 1 L.

13 Les différents états de l'eau dans la nature

Indique dans quel état se trouve l'eau pour chaq étiquette ci-dessous.

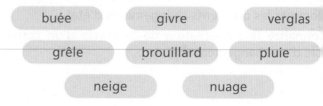

buée   givre   verglas

grêle   brouillard   pluie

neige   nuage

14 Dominos et changements d'état

Replace dans le jeu les 5 dominos restants : associe chaque numéro du jeu le domino correspondant (A, C, D ou E).

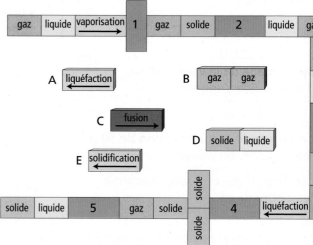

15 La bouteille brisée

Choisis la ou les bonnes réponses.

Une bouteille en verre remplie d'eau et bouchée, plac au congélateur, s'est brisée :

a. parce que la masse de la glace formée est pl grande que celle de l'eau ;

b. parce que le volume de l'eau a augmenté au cou de la solidification ;

c. parce que le verre ne résiste pas au froid.

16 Volume des liquides

Quel est le volume des liquides contenus dans l éprouvettes graduées photographiées ci-dessus ?

exercices

Physique et français

[As]socie le verbe qui convient à chaque nom indiquant [un] changement d'état. Puis recopie chaque couple [ain]si obtenu.

- Solidification •
- Liquéfaction •
- Ébullition •
- Vaporisation •
- Fusion •

- • Se vaporiser
- • Bouillir
- • Se liquéfier
- • Fondre
- • Se solidifier

Physique et mathématiques

[Co]nvertis les unités.

1. 12 cL = ... mL.
2. 1,5 L = ... mL.
3. 25 L = ... dm³.
4. 18 cL = ... cm³.

De la fumée au-dessus de l'eau ?

[Lor]squ'il fait très froid, on dit que les rivières « fument » : [le]s brouillards se forment au-dessus de l'eau.
[Ex]plique ce phénomène en recopiant la phrase ci-dessous [et] en choisissant les termes appropriés :
[L'a]ir humide au-dessus de la rivière *se réchauffe / se [re]froidit* et *la vapeur d'eau / les gouttelettes d'eau [co]ntenue(s) dans cet air se vaporise(nt) / se liquéfie(nt)* [fo]rmant un brouillard appelé de façon incorrecte [fu]mée.

Physique et SVT

[En h]iver, il se forme un brouillard lorsque l'on souffle [da]ns l'air.

1. Le brouillard est-il de l'eau vapeur ou de l'eau liquide ?
2. Ce brouillard provient de la vapeur d'eau que nous rejetons lorsque nous expirons. Pourquoi ce brouillard se forme-t-il ?
3. Pourquoi ne l'observe-t-on pas en été ?

21 Volume d'un caillou

Pour mesurer le volume d'un caillou, Damien verse de l'eau dans une éprouvette suffisamment large pour contenir le caillou. Il mesure le volume de l'eau versée : $v_1 = 150$ mL.
Il fait glisser le caillou à l'intérieur de l'éprouvette en évitant les éclaboussures.
Il repère le niveau de l'eau et lit : $v_2 = 212$ mL.

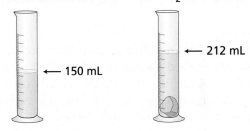

1. Calcule le volume V du caillou.
2. Peut-on utiliser cette méthode pour mesurer le volume d'un bouchon de liège ? Explique pourquoi.

22 Masse de l'eau

Recopie le tableau ci-dessous et calcule la masse de l'eau liquide.

Volume d'eau	1,2 L	25 cL	68 mL	75 L
Masse de l'eau	... g	... g	... g	... kg

23 Masse et volume

100 mL d'eau liquide donnent en gelant 110 mL de glace. On sait que 1 mL d'eau liquide a une masse de 1 g.

1. Quelle est la masse d'eau liquide obtenue en faisant fondre un glaçon de 100 g ?
2. Quel est le volume de l'eau liquide recueillie en faisant fondre un glaçon de 100 g ?
3. Quelle masse d'eau liquide obtient-on en faisant fondre 110 mL de glace ?

24 Pourquoi as-tu froid en sortant du bain ?

Lorsque tu sors du bain, tu as une sensation de froid. L'eau qui est sur ta peau s'évapore.

1. Quel changement d'état a lieu sur ta peau ?
2. Ce changement d'état nécessite-t-il un apport de chaleur ? Si oui, d'où provient cette chaleur ?
3. Peux-tu expliquer la sensation que tu ressens en sortant du bain ?

25 Formation des nuages B2i

Recherche sur le site Internet de Météo-France comment se forment les nuages et utilise ce site pour répondre aux questions suivantes.

1. Pour que les nuages se forment, il faut que de l'air humide s'élève. Pour quelles raisons une masse d'air peut-elle s'élever ?

2. Comment appelle-t-on les nuages les plus élevés ? De quoi sont-ils composés ? À quelle altitude se trouve la base de ces nuages ?

3. Comment appelle-t-on les nuages les plus bas ? De quoi sont-ils composés ? À quelle altitude se trouve la base de ces nuages ?

4. Quelle est la particularité des *cumulonimbus* ?

26 Physique et cuisine

Pour faire cuire des nouilles, Anaïs a placé sur son four-neau une casserole d'eau salée coiffée d'un couvercle. Après 10 minutes de chauffage, Anaïs soulève le couvercle. L'eau bout dans la casserole et le dessous du couvercle est recouvert de gouttelettes.

1. Comment expliques-tu la formation de ces goutte-lettes sur le couvercle ?

2. Ces gouttelettes sont-elles de l'eau pure ou de l'eau salée ?

3. Recherche quel est l'intérêt de placer un couvercle sur une casserole.

27 Distillation

Indique, dans le montage de distillation ci-dessous, où se produit une vaporisation et où se produit une liquéfaction.

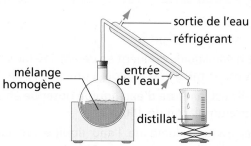

28 Graine de chercheur

Le réchauffement de la planète peut entraîner la fusion des icebergs. Le niveau de la mer ne risque-t-il pas de s'élever ? Vérifie-le expérimentalement :
• place un glaçon dans un verre ;
• remplis le verre d'eau de mer* jusqu'au bord ;
• attends que le glaçon fonde.

1. L'eau a-t-elle débordé ?

2. La fonte des icebergs peut-elle provoquer l'élévation du niveau de la mer ?

* ou d'eau salée (3,5 g pour 100 mL de solution).

29 HISTOIRE DES SCIENCES

Les unités de longueur les plus anciennes étaient li[é]es au corps humain (pas, coudée, pied, pouce). E[lles] variaient d'une région à l'autre du pays, ce qui entr[aî]nait des difficultés dans le commerce.

Le décret du 18 germinal an 3 (7 avril 1795) définit [les] premières unités du système métrique :
« On appellera :
– *Mètre*, la mesure de longueur égale à la dix-mill[io]nième partie de l'arc du méridien terrestre comp[ris] entre le pôle boréal et l'équateur ;
– *Litre*, la mesure de capacité, dont la contenance s[era] celle du cube de la dixième partie du mètre ;
– *Gramme*, le *poids** absolu d'un volume d'eau pu[re] égal au cube de la centième partie du mètre, et à [la] température de la glace fondante. »

Le système métrique est à l'origine du système int[er]national d'unités en vigueur de nos jours.

* Le mot « poids » désignait à cette époque la masse.

1. a. À quelle date ont été définies les premièr[es] unités du système métrique ?

   b. Quel événement important de l'Histoire de Fran[ce] s'est déroulé à cette époque-là ?

2. Pourquoi le système métrique est-il un progrès ?

3. Comment appelle-t-on le « cube de la centièr[e] partie du mètre » ?

4. Quelle est la masse d'un litre d'eau ?

☀ Boîte à idées

• Exercice 23
  3. Relis bien la première ligne de l'énoncé.
  Ne confonds pas masse et volume.

• Exercice 24
  Généralement, un corps qui fournit de la chaleur se refroidit.

• Exercice 25
  Connecte-toi à la page : http://www.meteofrance.com/FR/pedagogie/dossiers_thematiques/nuages.jsp

SCIENCE ET SOCIÉTÉ

La fonte des glaciers menace-t-elle la Terre ?

Les trois quarts de l'eau douce de la Terre sont à l'état solide (sous forme de neige ou de glace) et sont situés sur le continent Antarctique, au pôle Sud (Doc. 1). La température y est très basse, elle descend parfois jusqu'à – 90 °C. La couche de glace qui constitue la calotte glaciaire peut atteindre 4 000 m d'épaisseur.

Doc 1 L'Antarctique vu de l'espace.

▶ Un glacier se forme par entassement de la neige sur les reliefs. Sous l'effet de son poids, le glacier se déplace très lentement. Sa base s'avance dans l'océan qui borde le continent.

▶ La température moyenne de la Terre s'est élevée d'environ 0,6 °C au cours du siècle dernier. Les activités humaines ne sont pas étrangères à cet accroissement de la température qui accélère la fusion de la glace.

▶ La fonte des glaciers (Doc. 2) peut provoquer une augmentation du niveau des océans. Cette augmentation est dangereuse pour certaines régions du globe, comme au Bangladesh où dix-sept millions de personnes vivent à moins d'un mètre au-dessus du niveau de l'océan.

Si la totalité des glaciers fondaient, le niveau des océans pourrait s'élever de 84 mètres…

Doc 2 Glacier Larsen. Une partie du glacier se détache.

QUESTIONS

I. As-tu bien compris le texte ?

❶ *Comment se forme un glacier ?*

❷ *Pourquoi un glacier se déplace-t-il ?*

❸ *La plus grande partie de l'eau douce de la Terre se trouve-t-elle dans les lacs et les cours d'eau ?*

II. Sais-tu expliquer ?

❹ *D'après le texte, cite une conséquence de l'élévation de la température de la Terre.*

❺ *Pourquoi la fonte des glaciers est-elle un danger pour le Bangladesh ?*

❻ B2i *Cherche sur Internet une origine du réchauffement climatique.*

5

Étude des changements d'état

Comment varie la température de l'eau lorsqu'on la chauffe ou lorsqu'on la refroidit

▲ *Au printemps, lors du dégel, on peut observer la formation de magnifiques stalactites de glace.*

Objectifs

▸ Connaître les températures de changement d'état de l'eau.

▸ Savoir que la température reste constante lors du changement d'état physique d'un corps p...

▸ Connaître l'influence de la pression sur la température d'ébullition.

AU PROGRAMME DE L'ÉCOLE ÉLÉMENTAIRE :

La glace fond à 0 °C.

L'eau bout à 100 °C.

A➤ Dans de nombreux pays nordiques, on pratique le char à voile sur les lacs gelés. À quelle période de l'année, ce sport est-il possible ? Pourquoi ?

B➤ Pourquoi sale-t-on les routes en hiver ?

> Cela fait un quart d'heure que l'eau bout et les pâtes ne sont toujours pas cuites !

> Si tu chauffes plus fort, peut-être cuiront-elles plus vite ?

C➤ Laura a-t-elle raison ?

Étude de la fusion

Lorsque l'on chauffe un solide, en général, sa température augmente.
Dans quel cas n'augmente-t-elle pas ?

Expérimente

- **Verse** de la glace pilée dans un tube à essai et **places-y** un thermomètre et un agitateur.
- **Plonge** le tube dans un ballon contenant de l'eau chaude et **déclenche** le chronomètre (**Doc. 1**).
- Tout en agitant, **relève** la température toutes les minutes.
- **Porte** ces valeurs dans un tableau puis **trace** le graphique montrant l'évolution de la température en fonction du temps.
- **Recommence** l'expérience avec du cyclohexane solide.

Qu'observes-tu ?

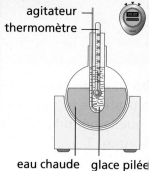

Doc 1 Dispositif d'étude de la fusion de la glace.

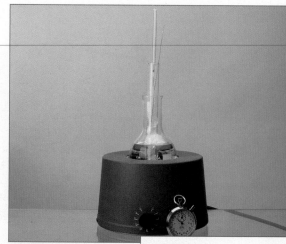

agitateur
thermomètre

eau chaude   glace pilée

Observe et interprète

→ Lorsque l'on chauffe la glace, sa température augmente. À 0 °C, les premières gouttes d'eau liquide apparaissent. La température reste **constante et égale à 0 °C** pendant toute la fusion de la glace (➤➤). Lorsque toute la glace s'est transformée en eau liquide, la température augmente à nouveau (**Doc. 2**).

→ Lorsque l'on chauffe le cyclohexane, sa température augmente. À 6 °C, les premières gouttes de cyclohexane liquide apparaissent. La température reste **constante** et égale à 6 °C pendant toute la fusion du cyclohexane. Lorsque tout le cyclohexane est devenu liquide, la température augmente à nouveau (**Doc. 3**).

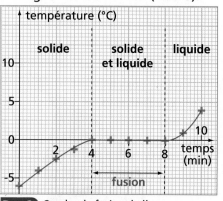

Doc 2 Courbe de fusion de l'eau pure.

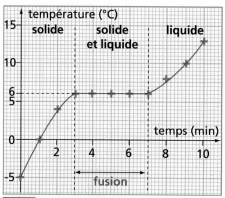

Doc 3 Courbe de fusion du cyclohexane.

➤➤ *En hiver, la température est inférieure à 0 °C et l'eau est sous forme solide. En été, la température est supérieure à 0 °C et l'eau est sous forme liquide (**Doc A, page 59**).*

On utilise le degré Celsius (noté °C) en l'honneur de Anders CELSIUS (1701 – 1744), physicien suédois.

Conclusion

- La fusion de la glace s'effectue à la température constante de 0 °C. La courbe de fusion de l'eau présente un **palier** à 0 °C.
- La fusión du cyclohexane solide s'effectue à la température constante de 6 °C. La courbe de fusion du cyclohexane présente un **palier** à 6 °C.

Pour s'entraîner ▶ exercices 1 et 2

Étude de la solidification

orsque l'on refroidit un liquide, en général, sa température diminue.
ans quel cas ne diminue-t-elle pas ?

xpérimente

- **Verse** de l'eau distillée dans un tube à essai et **places-y** un thermomètre et un agitateur.
- **Plonge** le tube dans un mélange réfrigérant et **déclenche** le chronomètre (**Doc. 4**).
- Tout en agitant, **relève** la température toutes les minutes.
- **Porte** ces valeurs dans un tableau puis **trace** le graphique montrant l'évolution de la température en fonction du temps.
- **Recommence** l'expérience avec de l'eau salée.

u'observes-tu ?

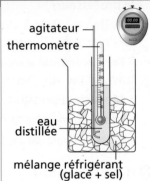

Doc 4 Dispositif d'étude de la solidification de l'eau.

agitateur
thermomètre

eau distillée

mélange réfrigérant
(glace + sel)

Observe et interprète

Lorsque l'on refroidit l'eau, la température diminue. À 0 °C, des cristaux de glace apparaissent. La température reste **constante et égale à 0 °C** pendant toute la solidification de l'eau. Elle diminue à nouveau lorsque toute l'eau liquide s'est transformée en glace (**Doc. 5**).

Lorsque l'on refroidit l'eau salée, la **température diminue**. Des cristaux de glace apparaissent à une température inférieure à 0 °C (**▶**). La température diminue pendant toute la solidification (**Doc. 6**).

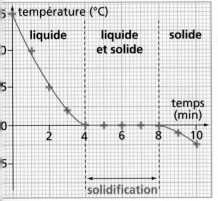
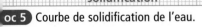

oc 5 Courbe de solidification de l'eau.

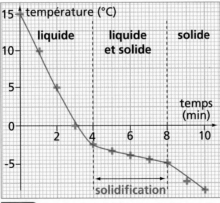

Doc 6 Courbe de solidification de l'eau salée.

▶ *La présence de sel abaisse la température de solidification de l'eau et évite la formation de verglas qui est de la glace (Doc B, page 59).*

onclusion

- La fusion et la solidification de l'eau pure se produisent à la même température de 0 °C. Les courbes de fusion et de solidification de l'eau pure présentent un palier à 0 °C.
- L'eau salée, mélange de sel et d'eau, n'est pas un corps pur ; sa courbe de solidification ne présente pas de palier.
- Le changement d'état d'un corps pur s'effectue à température constante. Cette température permet d'identifier le corps pur.

Pour s'entraîner ▶ exercices 4 et 5

3 Étude de l'ébullition

Lorsque l'on chauffe de l'eau, sa température augmente. Augmente-elle encore lorsque l'eau bout ? L'eau bout-elle toujours à la même température ?

Expérimente

Expérience 1

• **Place** un ballon contenant de l'eau distillée dans un chauffe-ballon (Doc. 7).

• **Relève** la température toutes les deux minutes puis **trace** le graphique montrant l'évolution de la température de l'eau en fonction du temps.

❶ Qu'observes-tu ?

Expérience 2 (manipulation réalisée par le professeur)

• **Relie** une fiole à vide, contenant de l'eau à 80 °C, à une trompe à eau.

• **Ferme** la fiole avec un bouchon traversé par un thermomètre et un capteur de pression (Doc. 9).

• **Mesure** la pression.

• **Mets** en marche la trompe à eau pour diminuer la pression.

• **Note** les valeurs de la température et de la pression.

❷ Qu'observes-tu ?

Doc 7 Dispositif d'étude de l'ébullition de l'eau.

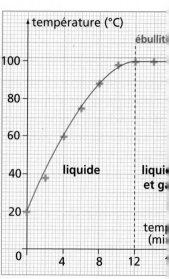

Doc 8 Courbe d'ébullition de l'eau pure.

Observe et interprète

Expérience 1

→ La température de l'eau augmente progressivement, de petites bulles s'échappent. Ce sont des bulles d'air dissous.

→ Lorsque la température atteint 100 °C, de grosses bulles se forment au sein du liquide et éclatent à la surface. Ce sont des bulles de vapeur d'eau car le niveau de l'eau diminue dans le ballon.

→ Lors de l'**ébullition**, la température **ne varie pas** (Doc. 8).

Expérience 2

→ La pression dans la fiole, avant la mise en marche de la trompe à eau, est de 1 013 **hectopascals** (symbole hPa), valeur de la **pression atmosphérique** normale (pression exercée par l'air au niveau de la mer).

→ Lorsque la pression atteint 470 hectopascals, l'eau bout à la température de 80 °C (➡).

Doc 9 Ébullition de l'eau sous pression réduite. Le thermomètre est à gauche de la photographie.

➡ *En haute montagne la pression atmosphérique est inférieure à 1 013 hPa. La température d'ébullition est plus faible et les pâtes mettent plus de temps à cuire (Doc C, page 59).*

Conclusion

• L'ébullition de l'eau est une vaporisation qui s'effectue à une température constante de 100 °C, sous la pression atmosphérique normale.

• La température d'ébullition dépend de la pression : elle diminue lorsque la pression diminue.

L'hectopascal (hPa) est une unité de pression.

Pour s'entraîner ▶ exercices 6 et

Par le texte

- Le changement d'état d'un **corps pur** s'effectue à **température constante**. Cette température permet d'identifier le corps pur.
- Le changement d'état d'un **mélange** ne s'effectue **pas à température constante**.
- Les températures de fusion t_F et de solidification t_S de l'eau, corps pur, sont $t_F = t_S = 0$ **degré Celsius (°C)**.
- La température d'ébullition t_E de l'eau est égale à **100 °C** sous la pression atmosphérique « normale ». Elle est plus **faible** lorsque la pression **diminue**.

Mots nouveaux

Hectopascal (hPa)
Palier
Pression atmosphérique

(voir le lexique, p. 204)

Par l'image

Eau pure

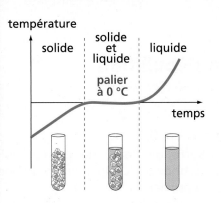

fusion de la glace

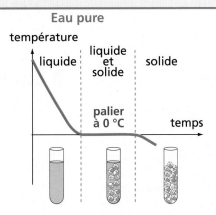

solidification de l'eau

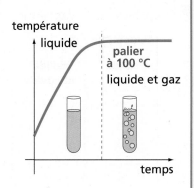

ébullition de l'eau

> **Un changement d'état se produit à température constante.**

Eau salée

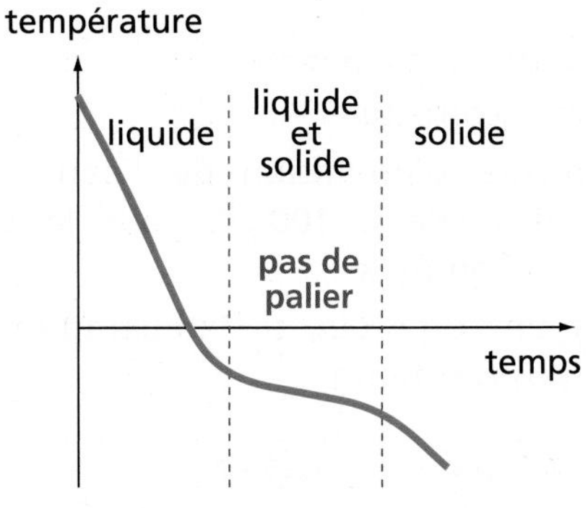

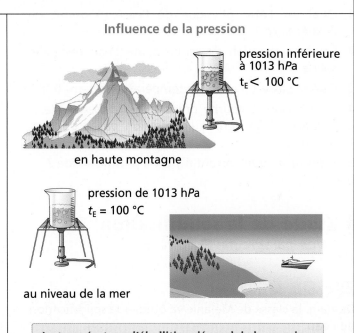

solidification de l'eau salée

> **La température varie au cours de la solidification : l'eau salée est un mélange.**

Influence de la pression

pression inférieure à 1013 hPa
$t_E < 100$ °C

en haute montagne

pression de 1013 hPa
$t_E = 100$ °C

au niveau de la mer

> **La température d'ébullition dépend de la pression.**

As-tu bien compris le cours ?

▶ Étude de la fusion
> *voir paragraphe* ❶ *du cours*

1 **Décrire la fusion de l'eau**

Recherche les propositions exactes et corrige celles qui sont fausses.

1. La température de fusion de la glace est plus basse en hiver qu'en été.

2. Lorsque la glace fond, la température de fusion de l'eau est toujours de 0 °C.

3. Un glaçon peut être conservé à une température de 5 °C.

2 **Exploiter un graphique**

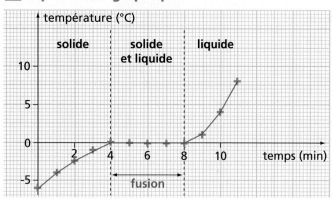

Observe la courbe ci-dessus représentant l'évolution de la température lors de la fusion de la glace, et réponds aux questions suivantes.

1. Quel est l'état physique de l'eau au début de l'expérience ?

2. Pendant combien de temps toute l'eau reste-elle solide ?

3. Que se passe-t-il quand la température atteint 0 °C ?

4. On dit que la courbe présente un *palier de température*. Que signifie l'expression *palier de température* ?

5. À partir de quel instant n'y a-t-il plus de solide ?

▶ Étude de la solidification
> *voir paragraphe* ❷ *du cours*

3 **Choisir le matériel**

Demain, la classe de Mélanie va étudier la solidification de l'eau.
Rédige la liste du matériel dont chaque groupe aura besoin.

4 **Choisir la bonne proposition**

1. La température *reste / ne reste pas* constante lors de la solidification de l'eau salée. L'eau salée est un *corps pur / mélange*.

2. La température de solidification de l'eau pure est *100 °C / 0 °C*. Elle *varie / est constante* au cours du changement d'état.

5 **Remettre un peu d'ordre**

Reconstitue deux phrases en plaçant les étiquettes dans le bon ordre.

> Ce n'est pas le cas

> Lors

> pour un mélange.

> de la solidification

> d'un corps pur,

> la température reste constante.

▶ Étude de l'ébullition
> *voir paragraphe* ❸ *du cours*

6 **Décrire l'ébullition de l'eau**

1. Quand on chauffe de l'eau, de petites bulles s'échappent à partir de 50 °C. Quel gaz contiennent ces bulles ? D'où provient-il ?

2. Au cours de l'ébullition, le niveau de l'eau dans le ballon baisse. Pourquoi ?

3. Quelle observation te permet de penser que les grosses bulles, lors de l'ébullition, sont formées de vapeur d'eau ?

4. À la fin de l'ébullition où se trouve l'eau ? Dans quel état physique ?

7 **Choisir les affirmations exactes**

Recopie la phrase correcte.

1. La température d'ébullition de l'eau pure est constante et égale à 100 °C sous la pression atmosphérique normale.

2. L'alcool est un corps pur, sa température d'ébullition n'est pas constante.

8 **Choisir la bonne proposition**

1. Lorsque la pression atmosphérique augmente, la température d'ébullition de l'eau *augmente / diminue*.

2. Pour une pression inférieure à la pression atmosphérique normale, la température d'ébullition de l'eau est *supérieure / inférieure* à 100 °C.

3. Lorsque l'altitude augmente, la pression atmosphérique diminue, la température d'ébullition de l'eau devient *supérieure / inférieure* à 100 °C.

Ce que tu dois savoir

- Les changements d'état de l'eau ont lieu à 0 °C et 100 °C.
- Un corps pur change d'état à température constante.
- La pression a une influence sur la température d'ébullition.

Ce que tu dois savoir faire

- Utiliser un thermomètre.
- Tracer et exploiter un graphique.

Je vérifie que je sais

Choisis les bonnes réponses.

Énoncés	Réponse A	Réponse B	Réponse C	Aide
1. La température de solidification de l'eau pure est...	100 °C	25 °C	0 °C	p. 61
2. Le graphique représentant la solidification de l'eau est...	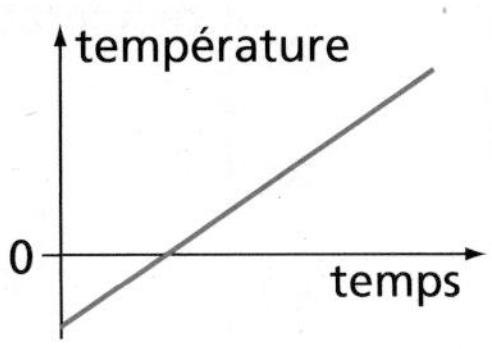	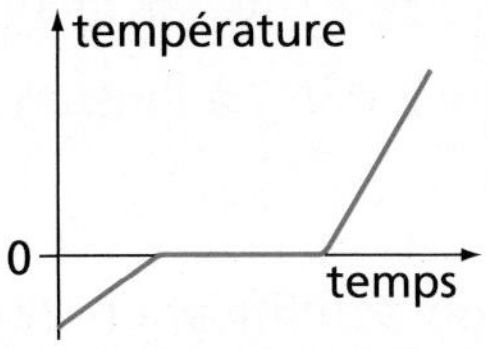	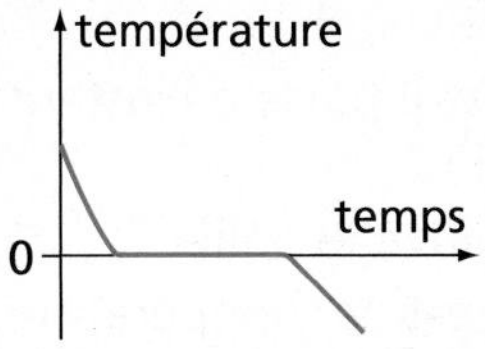	p. 61
3. La température d'ébullition de l'eau pure est...	0 °C	100 °C	40 °C	p. 62
4. Lors du changement d'état d'un corps pur, la température...	augmente	diminue	reste constante	pp. 60, 61 et 62
5. La température d'ébullition d'un corps pur dépend...	de la masse	du volume	de la pression	p. 62
6. Le graphique représentant la solidification de l'eau salée est...	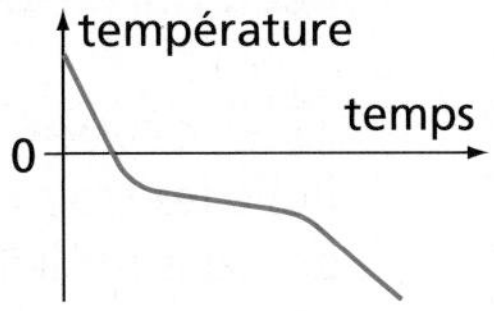	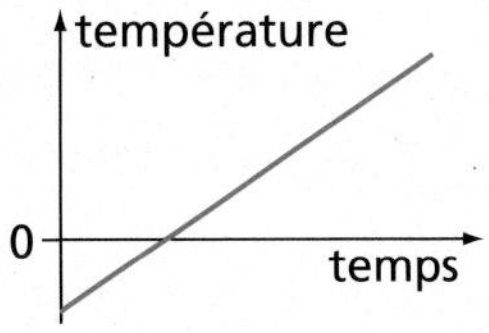	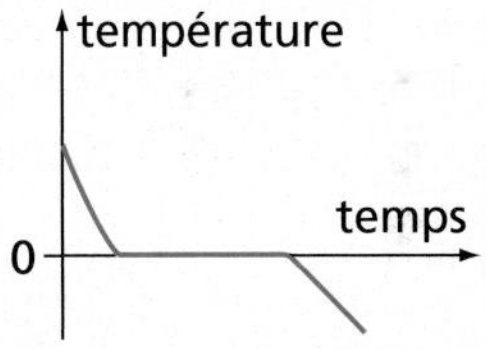	p. 61

> *réponses en fin de manuel*

Je vérifie que je sais faire

Choisis les bonnes réponses.

Énoncés	Réponse A	Réponse B	Réponse C	Aide
1. Pour relever les températures de changement d'état d'un corps pur au cours du temps, il faut utiliser les matériels...	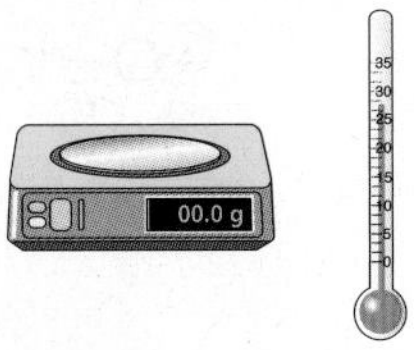	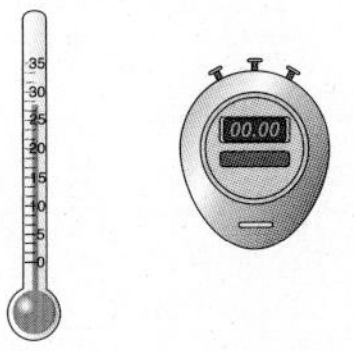	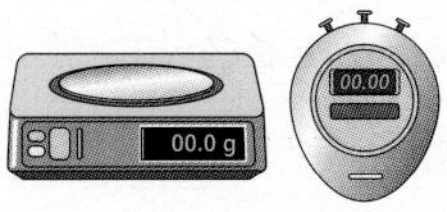	pp. 60, 61 et 62
2. La position de l'œil pour effectuer une lecture correcte sur le thermomètre est...	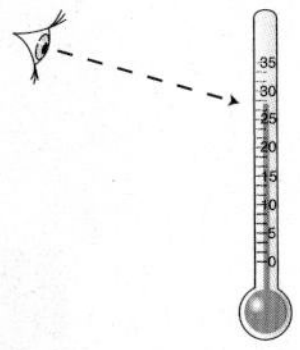	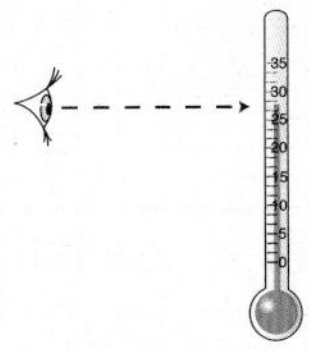	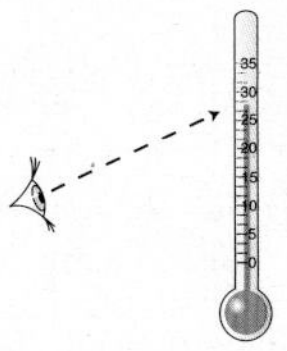	p. 195

> *réponses en fin de manuel*

Utilise tes connaissances

11 Apprends à résoudre

Des élèves ont étudié la solidification du cyclo-hexane et ont tracé la courbe ci-dessous.

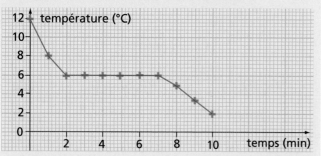

1. Que s'est-il passé à l'instant $t = 2$ min ? à l'instant $t = 7$ min ?
2. Que prouve le palier ?
3. Quelle est la température de solidification du cyclohexane ? Peut-on en déduire la température de fusion du cyclohexane ?

SOLUTION

1. Pendant les deux premières minutes, le cyclo-hexane est à l'état liquide.
   À $t = 2$ min, des premiers cristaux de cyclohexane apparaissent.
   À $t = 7$ min, tout le cyclohexane est à l'état solide.
2. Le palier horizontal montre que le cyclohexane est un corps pur.
3. D'après le palier, la température de solidification du cyclohexane est égale à 6 °C. La température de fusion est égale à 6 °C, car, pour un corps pur, la température de fusion est égale à la tempé-rature de solidification.

À TON TOUR

Des élèves ont tracé le graphique suivant lors de l'étude d'un changement d'état.

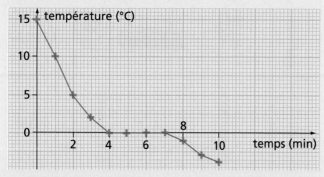

1. En t'inspirant de l'exercice précédent, trouve et écris des questions à partir de ce graphique.
2. Rédige la réponse à chacune des questions.

12 Léon n'a pas de mémoire

Léon a retenu que la courbe de changement d'ét d'un corps pur possédait un palier.

1. Que signifie le mot *palier* ?
2. Sur le graphique, la température est-elle portée s l'axe vertical ou sur l'axe horizontal ?
3. Quelle grandeur est portée sur l'autre axe ?
4. Trace une telle courbe en précisant s'il s'agit d'u fusion, d'une solidification ou d'une ébullition.

13 Identifie les courbes

Victor a tracé sur le même graphique les courb d'ébullition de l'eau pure et de l'eau salée.

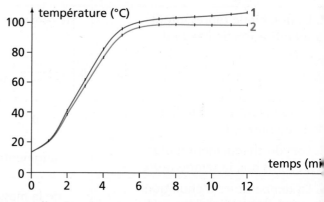

Laquelle des deux courbes est celle de l'ébullition l'eau pure ? de l'eau salée ? Justifie ta réponse.

14 Physique et français

Relie les trois phrases en les mettant dans le bon ordre en utilisant les conjonctions de coordination *or* et *don*
• La température d'ébullition de l'eau diminue av l'altitude.
• La pression atmosphérique diminue avec l'altitude.
• La température d'ébullition de l'eau diminue quar la pression atmosphérique diminue.

15 Aide le savant Albert

Le savant Albert fait une conf rence sur l'eau pure. Il a oubl d'emporter le graphique représe tant la solidification de l'eau. Qu graphique son secrétaire doit-il l faxer ?

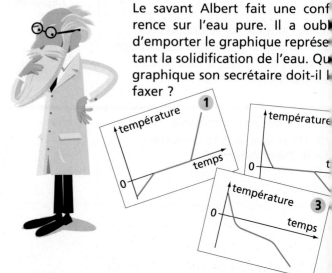

Recherche une explication

...dric, en vacances au bord de la mer, mesure la ...mpérature d'ébullition de l'eau de mer. Il s'étonne ... ne pas trouver 100 °C. Explique pourquoi.

Eau pure ou eau salée ?

...our savoir si ce verre contient ...de l'eau salée ou de l'eau pure, ...eux la goûter, la faire évaporer ...ou mesurer une température ...de changement d'état...

...écise, pour chaque expérience, les résultats que l'on ...ut obtenir et qui permettront de résoudre l'énigme.

18 Choisis la bonne réponse

...rôme a lu que la température d'ébullition de l'alcool ...t de 78 °C et se demande quelle allure aurait la courbe ...ébullition du liquide obtenu en ajoutant de l'eau à ...lcool. Il hésite entre les trois hypothèses suivantes :

... la courbe présenterait un palier à 100 °C ;

... la courbe présenterait un palier à 78 °C ;

... la courbe ne présenterait pas de palier.

...uelle est la bonne réponse ? Justifie ton choix et ...dique pourquoi les autres réponses sont fausses.

Choisis la bonne courbe

...arie et Léa ont dessiné la courbe d'ébullition de l'eau ...lée :

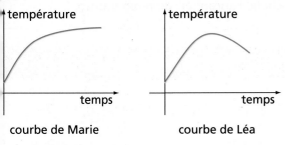

courbe de Marie   courbe de Léa

...i a raison ? Pourquoi ?

Caractérise l'ébullition

...e l'eau bout sur la plaque électrique de la cuisinière. ...séphine augmente le chauffage. Que se passe-t-il ? ...copie la ou les bonnes réponses en justifiant ton choix.

... L'eau se vaporise plus rapidement.

... La température de l'eau augmente.

... La température de l'eau ne varie pas.

21 Quel est ce panache ?

Lorsque l'on utilise une cocotte-minute, il se forme un panache de *fumée* au moment de la libération brutale de la vapeur d'eau. En fait, il ne s'agit pas de fumée.

1. À l'aide des indications ci-dessous, trouve la nature de ce panache :
   – fumée : particules solides en suspension dans l'air ;
   – la température est plus faible à l'extérieur de la cocotte-minute qu'à l'intérieur.

2. Reproduis le schéma de la cocotte-minute et complète les légendes en indiquant les états de l'eau.

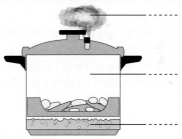

22 Ébullition sous cloche

Les schémas ci-dessous représentent deux situations d'ébullition de l'eau : une dans l'atmosphère, l'autre dans une cloche sous pression réduite.
Complète les légendes avec les valeurs appropriées :
– pression : 200 hPa, 1 000 hPa ;
– température : 100 °C, 65 °C.

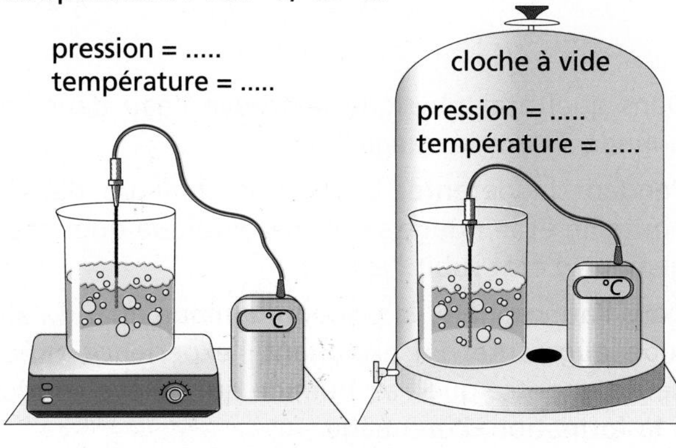

pression = ...
température = ...

cloche à vide

pression = ...
température = ...

23 Une cocotte-minute au sommet du Mont-Blanc

Kim prétend qu'avec une cocotte-minute on peut faire bouillir de l'eau, à plus de 100 °C, au sommet du Mont-Blanc.

Dans une cocotte-minute, la pression peut atteindre deux fois la pression de l'air environnant.

1. Au sommet du Mont-Blanc la pression est de 850 hPa. Quelle pression peut-on atteindre dans la cocotte-minute au sommet du Mont-Blanc ?

2. Compare la valeur trouvée à la valeur de la pression atmosphérique normale.

3. Comment varie la température d'ébullition avec la pression ?

4. Que penses-tu de l'affirmation de Kim ?

24 Graine de chercheur

⚠ *L'expérience ci-dessous est à réaliser en classe sous la responsabilité de ton professeur. Elle permet de comprendre l'importance de la variation de la pression atmosphérique lors de la formation des nuages.*

– Verse de l'eau chaude (5 cm de hauteur, environ) dans une bouteille en matière plastique propre.
– Introduis une grande allumette que tu viens juste d'éteindre dans la bouteille. Retire-la lorsqu'il y a suffisamment de fumée.
– Bouche la bouteille, agite-la et retourne-la deux ou trois fois pour éliminer la buée des parois.
– Comprime la bouteille et relâche-la (détente).
– Observe la formation du « nuage » pendant la détente.

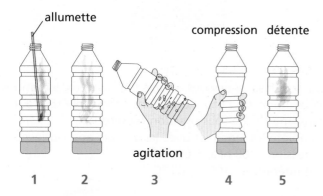

allumette
compression détente
agitation
1   2   3   4   5

1. Dans quel état physique se trouve l'eau dans l'air humide ? dans le nuage ?

2. Pendant la détente, la pression diminue dans la bouteille et le nuage se forme. Explique quel changement d'état subit l'eau.

3. Dans l'atmosphère, la pression diminue quand l'altitude augmente. En exploitant l'expérience précédente, montre que l'air humide qui s'élève conduit à la formation d'un nuage.

25 HISTOIRE DES SCIENCES

Le premier véritable thermomètre a été inventé, à Florence en 1654, par le grand-duc de Toscane. Ce thermomètre à alcool comportait 50 graduations.

En 1717, le savant allemand FAHRENHEIT (1686-1736) remplace l'alcool par du mercure. Il fixe à 0° la température, d'un mélange de glace pilée, d'eau liquide et de sel de mer, à 32° la température de la glace fondante et à 96° la température normale du sang. Il donne au thermomètre forme définitive.

CELSIUS, physicien et astronome suédois (1701-174_) construit en 1742 un thermomètre à mercure q__ marque 100° au point de congélation de l'eau et 0° _ point d'ébullition de l'eau ! Cette échelle est invers__ par ses collègues après sa mort.

1. Quelle est la température de fusion de la gla__ indiquée :
   a. par le thermomètre de FAHRENHEIT ?
   b. par le thermomètre de CELSIUS, avant la mort __ ce savant ?
   c. par un thermomètre actuel ?

2. a. Quels liquides sont utilisés dans les thermomètr__ cités dans le texte ?
   b. **B2i** Actuellement un de ces liquides est interd__ dans la construction des thermomètres. Recherch__ sur Internet lequel et pourquoi.

3. **B2i** Cherche sur Internet quels pays utilise__ l'échelle Fahrenheit de température.

Boîte à idées

• Exercice 12
Lors de l'étude de la fusion, la température augmente en dehors du palier. Lors de l'étude de la solidification, la température décroît en dehors du palier.

• Exercice 13
Seule la courbe correspondant au corps pur présente un palier de température.

• Exercice 18
L'alcool et l'eau forment un mélange.

• Exercice 24
La pression atmosphérique diminue avec l'altitude.

L'autocuiseur ou cocotte-minute

L'autocuiseur permet de cuire plus rapidement les aliments. Pourquoi ?

Comment fonctionne-t-il ?

▶ Les aliments à cuire sont placés dans la cocotte-minute avec de l'eau, puis la cocotte est fermée hermétiquement avec un couvercle muni d'une soupape (Doc. 1).

▶ Lorsque l'on chauffe l'eau, qui se vaporise, il se produit une augmentation progressive de la pression dans la cocotte. Donc, la température d'ébullition de l'eau augmente.

▶ Quand la pression dans la cocotte-minute vaut environ deux fois la pression atmosphérique, la vapeur d'eau peut s'échapper par la soupape, en émettant un sifflement. La température d'ébullition de l'eau vaut alors environ 120 °C.

Quels en sont les avantages ?

▶ L'augmentation de la température d'ébullition dans une cocotte-minute rend plus rapide la cuisson des aliments.

▶ L'utilisation d'un autocuiseur, qui diminue le temps de cuisson, entraîne une économie d'énergie.

Doc 2 Publicité parue en 1952 : faire des économies d'énergie, c'est aussi faire des économies financières.

Doc 1 Au premier plan, sur le couvercle, on voit la soupape.

QUESTIONS

I. As-tu bien compris le texte ?

1 *Quel est l'avantage d'un autocuiseur par rapport à une casserole ? Justifie l'appellation cocotte-minute.*

2 *Quelle est la température de cuisson dans une cocotte-minute ?*

3 *Quelle est la pression dans une cocotte-minute, lors d'une cuisson ?*

II. Sais-tu expliquer ?

4 *Quel est le changement d'état qui se produit dans une cocotte-minute ?*
Quel est le changement d'état qui se produit lorsque la vapeur sort de la soupape ?

5 *Pourquoi la pression augmente-t-elle dans la cocotte lorsque l'on chauffe ?*

6 *Pourquoi, dans une cocotte-minute, l'eau bout-elle à plus de 100 °C ?*

L'eau solvant

Peut-on dissoudre n'importe quelle substance dans l'eau ?

▲ Les stalactites et les stalagmites proviennent du calcaire dissous dans les eaux d'infiltration.

Objectifs

▶ Savoir distinguer dissolution et fusion.

▶ Connaître des exemples de mélanges liquides où l'eau est le solvant.

▶ Savoir utiliser une ampoule à décanter.

▶ Savoir que lors d'une dissolution, la masse d'une solution est égale à la somme des masses du solvant et du soluté.

AU PROGRAMME DE L'ÉCOLE ÉLÉMENTAIRE :

tre capable de montrer expérimentalement la conservation de la masse au cours d'un mélange et particulier d'une dissolution.

tre capable de mettre en évidence expérimentalement que la solubilité a des limites.

B▸ Lors d'une marée noire, comment récupérer le pétrole ?

▸ La mer Morte se trouve entre Israël et la Jordanie. urquoi trouve-t-on des blocs de sel dans la mer orte, alors qu'il n'y en a pas en mer Méditerranée ?

ts le morceau
re dans l'eau,
sera moins
le sucre
isparaître.

Moi, j'attends le résultat de l'expérience.

C▸ Qu'en penses-tu ?

Dissolution de solides dans l'eau

Les étiquettes d'eaux minérales mentionnent la présence de substances dissoute
Peut-on dissoudre n'importe quel solide dans l'eau et en n'importe quelle quanti

Expérimente

Expérience 1

• Dans différents tubes à essai contenant de l'eau, **introduis** une pincée de diverses substances : sel, sable, farine et sucre (**Doc. 1**).

• **Agite**.

❶ Note tes observations.

Expérience 2

• Dans le tube contenant l'eau salée, **continue à ajouter** du sel et **agite**.

❷ Qu'observes-tu ?

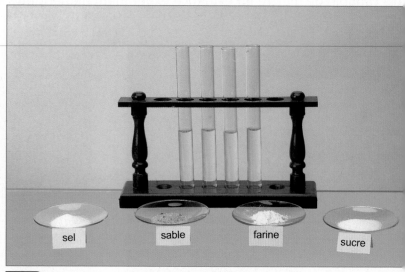

Doc 1 Essais de dissolution de divers solides dans l'eau.

Observe

➜ Le sucre et le sel semblent disparaître lorsqu'on les met dans l'eau (**Doc. 2 a**). Ce n'est pas le cas du sable qui reste au fond du tube et de la farine qui surnage (**Doc. 2 c**).

➜ Si on continue à ajouter du sel dans le tube d'eau salée, il apparaît alors un dépôt de sel au fond du tube (**Doc. 2 b**).

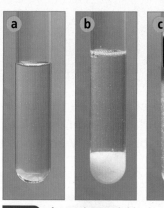

Interprète

➜ Le sel et le sucre, mélangés à l'eau, forment un mélange homogène : ils sont **solubles** dans l'eau. Le mélange obtenu par **dissolution** est une **solution**. Le sucre ou le sel, corps dissous, sont les **solutés** et l'eau, le **solvant**.

➜ Le sable et la farine, qui restent visibles, sont **insolubles** dans l'eau. Ils forment avec l'eau un mélange hétérogène.

➜ L'eau ne peut dissoudre qu'une quantité limitée de sel dans un volume donné d'eau. Lorsque le sel ne se dissout plus et qu'il reste au fond du récipient, la solution est **saturée** (➨).

Doc 2 **a)** Le sel est soluble dans l'eau **b)** La solution est saturée en sel. **c)** La farine n'est pas soluble dans l'eau

➨ *On observe des blocs de sel dans la mer Morte, car cette mer est saturée en sel (**Doc A, page 71**).*

Conclusion

• L'eau est un solvant capable de dissoudre de nombreux solutés : sucre, sel... Les mélanges homogènes obtenus sont des solutions.

• On ne peut pas dissoudre n'importe quelle quantité de soluté dans un volume donné de solvant. À partir d'une certaine quantité de soluté, la solution est saturée.

Attention au vocabulaire : le sucre **ne fond pas** dans l'eau, il **se dissout**.

Pour s'entraîner ➤ exercices 1 et

Liquides miscibles ou non miscibles

ur certains pots de peinture, il est précisé que les outils peuvent être nettoyés vec de l'eau. Tous les liquides se mélangent-ils avec l'eau ?

xpérimente

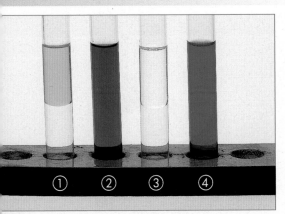

c 3 Mélanges obtenus après avoir laissé reposer.

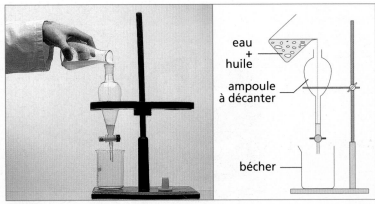

eau
+
huile

ampoule
à décanter

bécher

Doc 4 Décantation du mélange d'eau et d'huile.

Expérience 1

• Dans différents tubes à essai contenant de l'eau, **verse** divers liquides : huile ①, vinaigre ②, white-spirit ③ et sirop de grenadine ④ (Doc. 3).

• **Agite** puis **laisse reposer**.

Note tes observations.

Expérience 2

• Dans un erlenmeyer, **verse** 20 mL d'eau et 20 mL d'huile.

• **Bouche** l'erlenmeyer et **agite**.

• **Transvase** ensuite le mélange obtenu dans l'ampoule à décanter (Doc. 4) et **laisse reposer** quelques instants.

❷ Qu'observes-tu ?

❸ Comment peux-tu récupérer l'eau, puis l'huile ?

bserve

• Le vinaigre ou le sirop forment, avec l'eau, un mélange homogène.

• L'huile ou le white-spirit forment, avec l'eau, un mélange hétérogène.

• L'ampoule à décanter permet de séparer l'eau de l'huile après les avoir laissées reposer. En ouvrant le robinet de l'ampoule à décanter, on fait couler l'eau. On peut alors récupérer l'huile qui reste dans l'ampoule.

nterprète

• Le vinaigre ou le sirop forment, avec l'eau, un **mélange homogène**, car ces liquides sont **miscibles** à l'eau.

• L'huile ou le white-spirit se séparent de l'eau et forment un **mélange hétérogène**. Ces deux liquides **ne sont pas miscibles** à l'eau (▶▶).

▶▶ *L'eau et le pétrole ne sont pas miscibles, ce qui permet de récupérer une partie du pétrole par pompage, lors des marées noires (Doc B, page 71).*

onclusion

• Les liquides miscibles à l'eau forment un mélange homogène avec l'eau.

• Les liquides non miscibles à l'eau forment un mélange hétérogène avec l'eau. Une ampoule à décanter permet de séparer des liquides non miscibles.

Pour s'entraîner ▶ exercices 5 et 6

Conservation de la masse

Pour préparer un biberon, on mélange 30 g de lait concentré avec 200 g d'eau.
La masse du mélange est-elle égale à la somme des masses des substances mélangées

Expérimente

Doc 5 Vérification de la conservation de la masse lors de la dissolution du sucre dans l'eau.

Doc 6 Vérification de la conservation de la masse lors du mélange d'eau et de sirop de grenadine.

Expérience 1

• Sur le plateau d'une balance, **place** un morceau de sucre et un bécher contenant de l'eau et un agitateur (Doc. 5).

• **Note** l'indication de la balance.

• **Mets** le sucre dans le bécher.

• **Dissous** le sucre dans l'eau à l'aide de l'agitateur puis **laisse** celui-ci dans le bécher.

❶ Note tes observations.

Expérience 2

• Sur le plateau d'une balance, **place** deux bécher l'un contenant de l'eau, l'autre du sirop de grenadine (Doc. 6).

• **Note** l'indication de la balance.

• **Verse** l'eau dans le bécher contenant la grenadine.

• **Repose** le bécher vide sur le plateau.

• **Recommence** l'expérience en utilisant de l'eau et de l'huile.

❷ Note tes observations.

Observe

Dans chacune de ces expériences, la masse indiquée par la balance ne change pas (➡).

➡ *Lors de la dissolution d'un morcea de sucre dans l'eau, l'indication de la balance ne change pas (Doc C, page 71).*

Interprète

→ Lors de la dissolution du sucre dans l'eau, la masse de la solution obtenue est égale à la somme des masses du soluté et du solvant.

→ Il en est de même lorsqu'on mélange deux liquides, miscibles ou non.

Conclusion

Lors de la dissolution d'un solide dans un liquide ou lors du mélange de deux liquides, il y a conservation de la masse totale.

Pour s'entraîner ▶ exercices 7 et **8**

Par le texte

- L'eau peut **dissoudre** de nombreux solides : le sucre, le sel... Les **mélanges homogènes** obtenus sont des solutions où l'eau est le **solvant** et la substance dissoute le **soluté**.

- De nombreux liquides sont **miscibles** à l'eau. Les liquides non miscibles peuvent être séparés avec une **ampoule à décanter**.

- La masse d'un mélange est égale à la somme des masses des substances mélangées.

Mots nouveaux

Dissolution
Miscible
Soluble
Soluté
Solution
Solution saturée
Solvant

(voir le lexique, p. 204)

Par l'image

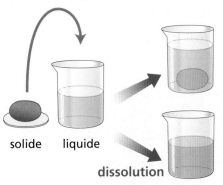

solide   liquide

dissolution

mélange
hétérogène :
substance
insoluble

mélange
homogène :
substance
soluble

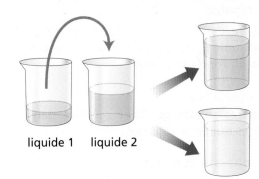

liquide 1   liquide 2

mélange
hétérogène :
liquides
non miscibles

mélange
homogène :
liquides
miscibles

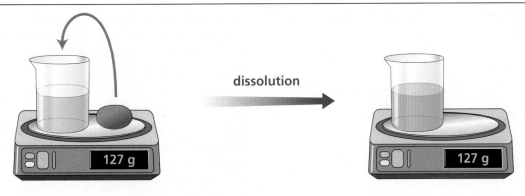

dissolution

127 g   127 g

La masse totale se conserve lors de la dissolution.

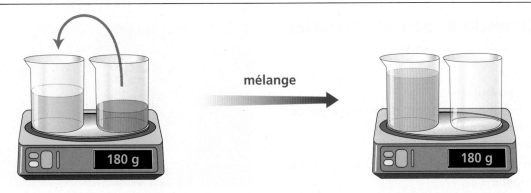

mélange

180 g   180 g

La masse totale se conserve lors du mélange de deux liquides.

exercices

As-tu bien compris le cours ?

▶ Dissolution de solides dans l'eau
> *voir paragraphe* ❶ *du cours*

1 **Utiliser le vocabulaire approprié**

1. Comment qualifie-t-on les solides qui peuvent se dissoudre dans l'eau ? Et ceux qui ne le peuvent pas ?

2. Comment appelle-t-on le mélange obtenu après une dissolution ?

3. Comment appelle-t-on une solution salée dans laquelle on ne peut plus dissoudre de sel ?

2 **Ne pas confondre**

Choisis la bonne réponse.

Marie met du sucre dans le thé ; le sucre *fond / se dissout*. Mais Guillaume préfère du thé glacé ; il ajoute un glaçon. Le glaçon *fond / se dissout*.

3 **Classer des substances**

Cite deux substances solides qui sont solubles dans l'eau et deux autres qui ne le sont pas.

4 **Rédiger des phrases correctes**

Place les étiquettes dans le bon ordre pour écrire trois phrases.

> soluté.

> est le solvant.

> La dissolution

> L'eau

> donne un mélange homogène

> appelé solution.

> Le sel est le

> du sel dans l'eau

▶ Liquides miscibles ou non miscibles
> *voir paragraphe* ❷ *du cours*

5 **Utiliser le vocabulaire**

1. Lorsque tu mélanges du sirop de menthe et de l'eau, tu obtiens un mélange homogène.
   Que peut-on dire de ces deux liquides ?

2. Pourquoi un mélange d'huile et de vinaigre n'est-il jamais homogène ?

3. Comment appelle-t-on l'appareil qui permet de séparer deux liquides non miscibles ?

6 **Indiquer le mode d'emploi**

Quentin prépare une vinaigrette dans un tube à es qu'il agite fortement.

1. Schématise ce que Quentin observe immédiateme

2. Schématise ce que Quentin observe après av laissé reposer la vinaigrette.

3. Quentin veut maintenant séparer l'huile du vinaig

   a. Donne le nom de la technique de séparation de l'appareil qu'il peut utiliser.

   b. Comment doit-il procéder ?

▶ Conservation de la masse
> *voir paragraphe* ❸ *du cours*

7 **Établir des formules**

En choisissant certains opérateurs de la calcule ci-dessus, écris, sur ton cahier, différentes relatio entre la masse m_1 du soluté, la masse m_2 du solvant la masse m_3 de la solution.

8 **Calculer une masse**

Alexis a préparé le biberon de Margaux. Le biber seul pèse 80 g. Il a mis 200 g d'eau et dissous du lait poudre.

À la fin de la préparation, le biberon pèse 310 g. Que masse de lait en poudre Alexis a-t-il dissous ?

Ce que tu dois savoir

Utiliser le vocabulaire spécifique : dissolution, soluté, solvant, solution, solution saturée, soluble, insoluble, miscible, non miscible.

Comparer la masse d'une solution et la somme des masses du solvant et du soluté.

Distinguer dissolution et fusion.

Ce que tu dois savoir faire

- Utiliser une ampoule à décanter.
- Mesurer une masse.

Je vérifie que je sais
Choisis les bonnes réponses.

Énoncés	Réponse A	Réponse B	Réponse C	Aide
Quand on dissout du sel dans de l'eau, le sel est…	le solvant	la solution	le soluté	p. 72
Quand on dissout du sucre dans de l'eau, l'eau est…	le solvant	la solution	le soluté	p. 72
L'eau et l'huile sont deux liquides…	miscibles	non miscibles	solubles	p. 73
En dissolvant 30 g de sel dans 100 g d'eau, on obtient une solution d'une masse de…	100 g	30 g	130 g	p. 74
En mettant un sucre dans une tasse de café, le sucre…	fond	se dissout	se liquéfie	p. 72
Lorsque l'on mélange du sucre dans de l'eau, on réalise…	une fusion	une dissolution	une liquéfaction	p. 72

> *réponses en fin de manuel*

Je vérifie que je sais faire
Choisis les bonnes réponses.

Énoncés	Réponse A	Réponse B	Réponse C	Aide
Pour séparer l'huile et l'eau dans un mélange, on utilise le dispositif…	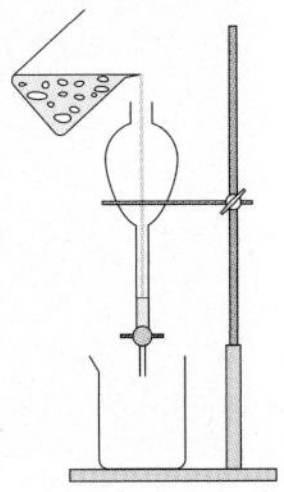	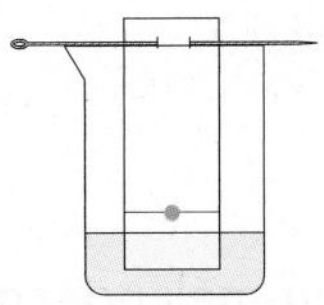	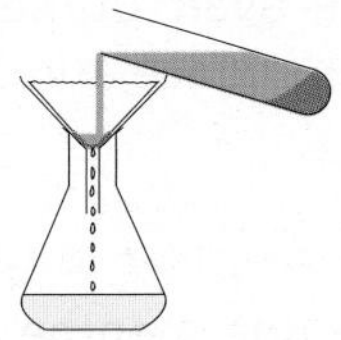	p. 73
Pour vérifier la conservation de la masse totale au cours d'une dissolution, on utilise…	un thermomètre	une éprouvette	une balance	p. 74

> *réponses en fin de manuel*

Utilise tes connaissances

11 Apprends à résoudre

Florian veut impressionner sa sœur Mélanie qui fait flotter une petite tortue en matière plastique dans une bassine d'eau. Il veut faire couler la tortue et la faire réapparaître peu de temps après. Pour cela, il leste la tortue avec du sel contenu dans un sac en coton, pour éviter qu'elle flotte. La tortue remonte à la surface après être restée sous l'eau quelques minutes.

1. Pourquoi la tortue remonte-t-elle à la surface après quelques minutes ?
2. Florian aurait-il pu lester la tortue en remplaçant le sac en coton par un sac en matière plastique ?

SOLUTION

1. La tortue flotte sans le sac de sel. Lorsqu'elle est lestée avec le sac de sel, elle coule. Lors du contact avec l'eau le sel se dissout, ce qui allège l'ensemble et la tortue remonte à la surface.
2. Florian n'aurait pas pu lester la tortue en remplaçant le sac en coton par un sac en matière plastique. La matière plastique étant imperméable, l'eau n'est pas en contact avec le sel et ne peut le dissoudre.

À TON TOUR

Mélanie veut, comme son frère, faire couler la tortue et la faire réapparaître au bout de quelques minutes. Pour cela, elle met du sable dans le sac en coton. Malheureusement, son expérience échoue : la tortue ne remonte pas à la surface.

1. Pourquoi la tortue ne remonte-t-elle pas à la surface ?
2. Si Mélanie avait utilisé du sucre à la place du sable, l'expérience aurait-elle réussi ?

12 Une boisson pour le goûter

Chloé prépare une menthe à l'eau en mélangeant du sirop de menthe vert et de l'eau.

1. Le mélange obtenu sera-t-il hétérogène ou homogène ? Pourquoi ?
2. Thomas veut faire une farce à sa sœur. Il ajoute de l'huile dans son verre. Va-t-elle s'apercevoir de la supercherie ? Pourquoi ?
3. Avec quel appareil Chloé pourrait-elle séparer l'huile de la menthe à l'eau ?

13 Les mots dissous

Recopie et complète la grille ci-dessous.

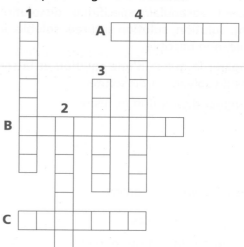

Horizontalement

A. Partie du nom d'un appareil permettant de sépar deux liquides par décantation.
B. Se dit d'un solide qui ne se dissout pas dans l'eau.
C. Nom donné à l'eau dans laquelle un solide se disso

Verticalement

1. Nom du mélange homogène formé après dissoluti d'un solide.
2. Se dit d'un solide lorsqu'il peut se dissoudre da l'eau.
3. Nom donné à un solide dissous dans l'eau.
4. Se dit de deux liquides formant un mélange hom gène.

14 Eau sucrée

On réalise l'expérience ci-dessus, puis on met le suc dans l'eau contenue dans le bécher. On agite mélange.

1. Voit-on encore le sucre après avoir agité ? Pourquo
2. La masse de la solution obtenue est-elle supérieur égale ou inférieure à la valeur lue sur la balance
3. Quelle expérience peux-tu proposer pour montr que, dans la solution, le sucre n'a pas disparu ?

exercices

15 Recopie la bonne proposition

ns une bouteille contenant 1 L d'eau, on dissout 20 g
sucre.

La masse de la solution obtenue est de 980 g.

La masse de la solution obtenue est de 1 020 g.

La masse de la solution obtenue est de 1 200 g.

Des liquides

ra dispose de trois tubes à essai qui contiennent
is liquides différents A, B et C.

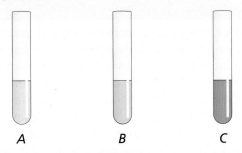

| A | B | C |

e mélange les liquides A et B, puis B et C et obtient
résultats schématisés ci-dessous :

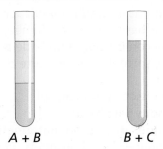

| A + B | B + C |

Recopie et complète les phrases suivantes :

Le mélange A + B est ……………… ; on dit que les
liquides A et B sont ………………

Le mélange B + C est ……………… ; on dit que les
liquides B et C sont ………………

Quels pourraient être ces liquides ?

Glycémie du sang

saccharose (sucre ordinaire) donne, lors de la diges-
n, un autre sucre, le glucose. Les médecins deman-
nt parfois, dans les analyses sanguines, le dosage du
ucose (glycémie). L'analyse sanguine d'un patient
dique :

> **Glucose (à jeun) : 0,92 g/L**

Le sang étant un liquide homogène, le glucose s'y
trouve-t-il sous forme solide ?

0,92 g/L signifie qu'il y a 0,92 g de glucose dans un
litre de sang du patient. Sachant que ce patient a
5 L de sang, quelle est la masse totale de glucose
contenu dans son sang ?

18 Rébus

Mon tout est un appareil permettant de séparer deux
liquides non miscibles.

19 Les malheurs de Lucas

Lucas a voulu enlever une tache sur la voiture de son
père. Il a pour cela utilisé un liquide appelé acétone.
Malheureusement, il a aussi enlevé une partie de la
peinture qui s'est ainsi retrouvée sur le chiffon imbibé
d'acétone.

1. Pourquoi y a-t-il de la peinture sur le chiffon ?

2. L'acétone est-elle un soluté ou un solvant pour la
   peinture ? Justifie ta réponse.

20 Et le sel réapparut !

Dans les marais salants (voir photo p. 34), l'eau de mer
s'évapore lentement. Au bout de quelques temps, on
voit apparaître des cristaux de sel alors qu'il reste
encore de l'eau. Pourquoi le sel n'est-il plus dissous
en totalité ?

21 Histoire de volumes

Jonathan veut comparer le volume de la glace au
volume d'eau liquide obtenue après sa fusion. Pour
cela, il mélange dans une éprouvette des glaçons et du
fioul.

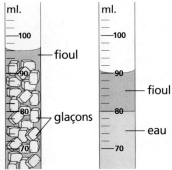

avant fusion   après fusion

1. Quel est le volume total occupé par le fioul et les
   glaçons ?

2. Quel est le volume du fioul ? des glaçons ?

3. Quel est le volume de l'eau liquide obtenue après la
   fusion des glaçons ?

4. Le fioul et l'eau sont-ils miscibles ?

5. Jonathan aurait-il pu faire la même mesure en
   remplaçant le fioul par de l'eau ?

22 Physique et français

Le dissolvant est un liquide qui permet de dissoudre le vernis à ongle. Le mot *dissolvant* n'est pas scientifique.

1. Comment devrait-on appeler le *dissolvant* ?
2. Que peut-on dire du vernis à ongle qui se dissout ?

23 Plus ou moins sucré

Cédric et Virginie ont décidé de tester leur goût. Pour cela Virginie prépare des verres d'eau sucrée A, B, C et D en dissolvant dans le :
– verre A : 1 cuil. à café de sucre dans 25 cm³ d'eau ;
– verre B : 2 cuil. à café de sucre dans 25 cm³ d'eau ;
– verre C : 1 cuil. à café de sucre dans 50 cm³ d'eau ;
– verre D : 2 cuil. à café de sucre dans 50 cm³ d'eau.
Cédric goûte et doit classer les solutions de la moins sucrée à la plus sucrée.
Quel classement fait-il ? Y a-t-il des solutions qui ont le même goût ?

24 Stylo à bille

L'encre d'un stylo à bille contient des pigments colorés et des résines en solution dans de l'éthylène glycol. Une fois l'encre appliquée, elle sèche car l'éthylène glycol s'évapore et les résines emprisonnent les pigments qui donnent à l'encre sa couleur.

1. Quels sont, dans l'encre, le solvant et les solutés ?
2. Quel changement d'état se produit lorsque l'encre sèche ?
3. Sachant que les pigments sont des poudres, quel est le rôle de l'éthylène glycol ?

25 Graine de chercheur

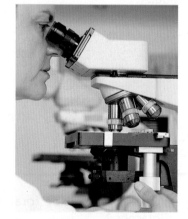

Des policiers appréhendent un suspect qui a, en sa possession, un sachet de poudre. La poudre est analysée au laboratoire. L'examen sous microscope révèle que la poudre est composée de deux types de grains. On note F les grains fins et G les grains les plus gros. Des tests de solubilité sont alors entrepris : dans l'eau, les grains F sont solubles et les grains G sont insolubles.

1. Décris les expériences qui te permettraient de ne récupérer que les grains G.
2. Comment pourrais-tu récupérer la substance constituant les grains F à la fin de l'expérience précédente ?

26 HISTOIRE DES SCIENCES

L'encre de Chine est une encre noire qui peut se trouv... sous forme liquide ou solide. Elle peut être appliqué... la plume ou au pinceau et sert aussi bien à la peintu... qu'à l'écriture. Selon certaines sources, elle aur... été utilisée dès 2 500 ans avant J.-C. Sa fabricati... « industrielle » remonterait à 1 500 ans avant J... L'enjeu qu'elle représentait était si important que... très puissante administration chinoise nomma ... « administrateurs de l'encre » chargés d'en surveil... la fabrication.

Lors de la préparation traditionnelle, on mélangea...
– un pigment à base de noir de fumée, sorte de su... obtenue par la combustion d'huile de sésame ;
– une gélatine, sorte de colle extraite des poissons ... des os de bœuf ;
– du camphre dissous dans l'alcool ;
– du sucre dissous dans l'eau.

La pâte obtenue, divisée en bâtonnets, était cu... pendant six heures. Les bâtonnets étaient ensu... lissés au pinceau et polis avec un coquillage ava... d'être décorés avec des motifs en or et en argent.

1. De quelle époque date le début de la fabricati... « industrielle » de l'encre de Chine ?
2. Quelles sont les utilisations de l'encre de Chine ?
3. Lors de la préparation, on utilise deux solutio... Précise pour chacune le solvant et le soluté.
4. Quelle est la couleur de l'encre de Chine ? Que... substance est responsable de cette couleur ?

Boîte à idées

- **Exercice 15**
  Recherche la masse d'un litre d'eau.
- **Exercice 21**
  2. Recherche où se trouve le fioul dans l'éprouvette après fusion des glaçons.
- **Exercice 23**
  Pour comparer le goût sucré, il faut raisonner sur un même volume de solution.

Les émulsions

Une vinaigrette et un lait démaquillant ont-ils un point commun ? Oui, ce sont des émulsions !

Qu'est-ce qu'une émulsion ?

▶ Si on verse un peu de vinaigre dans l'huile et si on agite, on observe de petites gouttes de vinaigre dans l'huile : c'est une **émulsion** (Doc. 1). Si on laisse reposer, le vinaigre et l'huile se séparent à nouveau. L'émulsion est instable.

▶ L'ajout de moutarde permet de former une émulsion consistante et stable : la **vinaigrette**.
La moutarde, qui permet de lier l'huile et le vinaigre, est appelée **émulsifiant**.

Doc 1 Gouttelettes de vinaigre en suspension dans de l'huile.

D'autres émulsions en cuisine

▶ La **mayonnaise** (Doc. 2), mélange d'huile et d'œuf (un œuf contient plus de 70 % d'eau), est une émulsion rendue stable par une protéine, la lécithine, qui se trouve dans le jaune d'œuf.
Cette protéine, que l'on trouve aussi dans le soja, est très utilisée en cuisine où la plupart des **sauces** sont des émulsions.

▶ Observe du lait au microscope : le **lait** est une émulsion (essentiellement de particules de graisse dans l'eau). C'est la caséine, une protéine que l'on trouve dans le lait, qui rend cette émulsion stable.

Doc 2 La mayonnaise est une émulsion.

Des émulsions en cosmétique

Doc 3 Produits cosmétiques.

▶ Les gels, les crèmes hydratantes, les laits corporels, les démaquillants sont des émulsions (Doc. 3).

▶ Ces produits sont constitués :
– d'une partie huileuse où l'on a dissous une substance active ;
– d'eau et d'un émulsifiant.

QUESTIONS

I. As-tu bien compris le texte ?
❶ *Cite cinq exemples d'émulsion.*

II. Sais-tu expliquer ?
❷ *Les liquides qui constituent une émulsion sont-ils miscibles ou non miscibles ? Comment nomme-t-on le produit qui rend une émulsion stable ? Donne un exemple.*

L'Arctique et sa banquise

Le pôle Nord se situe en plein océan Arctique, contrairement au pôle Sud qui se trouve sur un continent appelé l'Antarctique.

L'hiver, le pôle Nord est recouvert d'une épaisse couche de glace : la banquise. Sa superficie vaut alors environ 14 millions de kilomètres carrés. En été, cette superficie diminue de moitié.

Doc 1 L'océan Arctique et sa banquise.

À la fin de l'été, l'eau de l'océan Arctique se refroidit et la banquise se reforme. Lorsque sa température avoisine − 2 °C, les premiers cristaux de glace apparaissent. Quelquefois la banquise se disloque sous l'effet des courants marins, des marées et des vents.

L'explorateur Jean-Louis Étienne, lors d'une de ses no breuses explorations, a pu constater la fragilité de ce banquise :

« *Par moments la banquise se soulève sous mes yeux ; plaques entrent en collision, s'appuyant les unes contre autres avec d'inquiétants grincements. Il arrive même qu'el se dressent comme des murs, pour s'effondrer ensuite da un vacarme sourd qui se propage sur des kilomètres. Parf une soudaine explosion et la banquise se lézarde, plaques s'écartent laissant apparaître un sinistre zigz noir : c'est l'eau glaciale de l'océan Arctique !* »

Les pôles, Jean-Louis Étienne, Éditions Arthaud, 19

Doc 2 Des bateaux se trouvent parfois pris par les glaces. Pour se libérer de cette étreinte, on fait appel à des brise-glace.

Questions :

❶ Y a-t-il, au pôle Nord, une terre sous la glace comme en Antarctique ?

❷ Quelle est la température de début de solidification de l'eau de l'océan Arctique ? Pourquoi cette eau ne gèle-t-elle pas à 0 °C ?

❸ Quelle est la superficie de la banquise en été ?

❹ Pourquoi la superficie de la banquise change-t-elle au cours de l'année ?

❺ Quelles sont les causes de la dislocation de la banquise ?

Mobilise ton savoir-faire

ans les régions Arctique et Antarctique, arrive que l'eau des océans gèle. Des plorateurs polaires sont quelquefois stés prisonniers de la banquise et ont ors péri.

eau de l'océan Arctique contient 30 g de l par litre.

vas imaginer :
– une expérience qui te permettra d'obtenir 0,1 L d'eau salée ayant la salinité de l'eau de l'océan Arctique ;
– une expérience qui te permettra de connaître à quelle température l'eau de l'océan Arctique commence à geler.

Doc 3 Bateau pris dans les glaces.

répare de l'eau de mer

Matériel :
Écris la liste du matériel qu'il te faut pour obtenir 0,1 L d'eau salée contenant 30 g de sel par litre.

Protocole :
À l'aide de dessins, et en quelques courtes phrases, indique comment tu vas procéder.

Expérience :
Si tu le peux, réalise l'expérience sous le contrôle de ton professeur.

Mesure la température de solidification de l'eau de mer

Tu disposes d'eau salée ayant la même salinité que l'eau de l'océan Arctique.

Matériel :
Écris la liste du matériel qu'il te faut pour étudier la solidification de l'eau salée.

Protocole :
À l'aide de dessins, et en quelques courtes phrases, indique comment tu vas procéder.

Expérience :
Si tu le peux, réalise l'expérience sous le contrôle de ton professeur.

Rédige une conclusion.

Le circuit électrique

Comment réaliser et représenter un circuit électrique simple ?

▲ *Thomas veut faire fonctionner une lampe avec une pile.*

Objectifs

❱ Réaliser un circuit simple.

❱ Schématiser un circuit.

❱ Approcher la notion de court-circuit.

AU PROGRAMME DE L'ÉCOLE ÉLÉMENTAIRE :

Construire un circuit électrique simple alimenté par une pile.

Reconnaître les dangers présentés par l'électricité.

Pas besoin de pile ! Pour allumer cette lampe les fils électriques suffisent !

Moi je ne crois pas ! Je vais te montrer en faisant une expérience...

➡ Quelle expérience Maxime peut-il faire ?

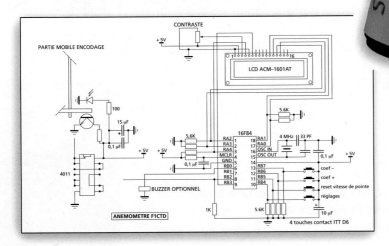

B➡ Anémomètre et son schéma électrique. Quel est l'intérêt d'un schéma électrique ?

Ouest-France

Dimanche soir, un grave incendie a ravagé un immeuble de la rue Jeanne d'Arc. Le capitaine des pompiers a déclaré que l'origine du sinistre devait être un court-circuit.

C➡ Qu'est-ce qu'un court-circuit ?

Réalisation d'un circuit électrique simple

*Pour allumer ou éteindre une lampe de bureau, on actionne un **interrupteur**.
Comment réaliser un circuit qui permet d'éteindre ou d'allumer une lampe ?*

Expérimente

• Tu **disposes** d'une pile,
d'un interrupteur, d'une lampe
et de fils de connexion.
• **Réalise** un circuit permettant
d'allumer la lampe (Doc. 1).

❶ Actionne l'interrupteur.
Que constates-tu ?

❷ La lampe peut-elle s'éclairer
sans la pile ?

Doc 1 Circuit électrique simple
comportant une pile, une lampe
et un interrupteur.

boucle

Observe

→ Lorsqu'un circuit ne comporte pas d'interrupteur, pour éteindre la
lampe, il faut débrancher un fil.

→ Un interrupteur, placé dans un circuit, permet d'allumer ou d'éteindre
la lampe, sans débrancher un fil.

→ Sans la pile, la lampe ne brille pas.

Interprète

→ Lorsque la lampe s'éclaire, le circuit est **fermé** et forme une boucle : un
courant électrique circule dans le circuit électrique.

→ Lorsque la lampe est éteinte, le circuit est **ouvert** : le courant ne circule
plus.

→ La pile est à l'origine du passage du courant : c'est un **générateur** (▸▸).
Un accumulateur de téléphone portable et une photopile (Doc. 2) sont
aussi des générateurs.

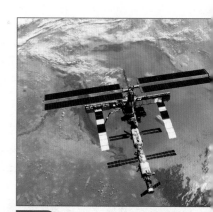

Doc 2 Panneau de photopiles alimenta
un satellite en électricité. Une photopile
est un générateur électrique qui
fonctionne grâce à la lumière solaire.

Conclusion

Un circuit électrique simple forme une **boucle** qui comporte un générateur,
un interrupteur, une lampe (ou un moteur…) et des fils de connexion.

• Un générateur est à l'origine du passage du courant.
• Un interrupteur permet d'ouvrir ou de fermer un circuit électrique.

▸▸ *Un générateur est indispensable
pour allumer une lampe (Doc A,
page 85).*

Pour s'entraîner ▸ exercices 1 et 3

Schématisation d'un circuit

Pourquoi un simple dessin ne suffit-il pas pour représenter un circuit électrique ?

Analyse des documents

Deux élèves ont réalisé le même montage comportant une pile, une lampe et un interrupteur. Ils ont ensuite dessiné leur circuit (Doc. 3).

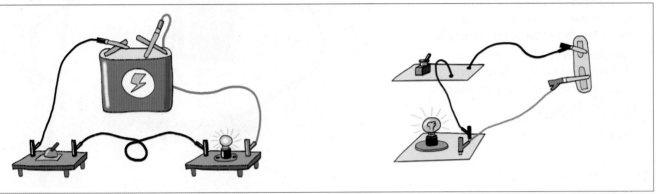

Doc 3 Dessins d'un circuit électrique simple comportant une pile, une lampe et un interrupteur.

① Ces élèves ont-ils réalisé le même dessin ?
Ces dessins sont-ils facilement compréhensibles ?

② Que faudrait-il faire pour que le même dessin soit compréhensible par tous ?

Interprète

Les appareils électriques possédant deux bornes sont appelés des **dipôles**.
On schématise un circuit électrique (Doc. 4) pour qu'il soit compréhensible par tous : on représente chaque dipôle par un **symbole normalisé** (Doc. 5) et les fils de connexion par des traits horizontaux ou verticaux (▶▶).

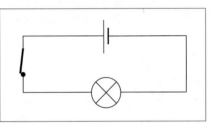

Doc 4 Schéma normalisé du circuit avec l'interrupteur fermé.

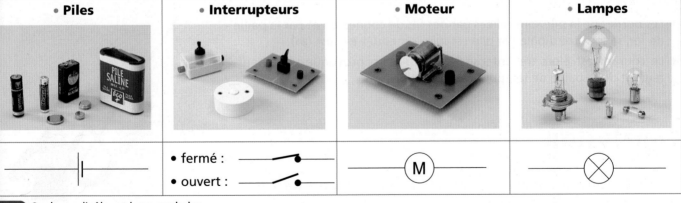

• **Piles**	• **Interrupteurs**	• **Moteur**	• **Lampes**
⊣⊢	• fermé : • ouvert :	Ⓜ	⊗

Doc 5 Quelques dipôles et leurs symboles.

Conclusion

- On représente un circuit électrique par un schéma.
- Chaque élément du circuit est représenté par son symbole normalisé.

▶▶ *On utilise le schéma du circuit électrique d'un appareil pour en comprendre le fonctionnement ou le réparer (**Doc B, page 85**).*

Pour s'entraîner ▶ exercices 5 et 7

Court-circuit du générateur

De nombreux incendies sont provoqués par des courts-circuits dans des installation
électriques. Qu'est-ce qu'un court-circuit ?

Expérimente

• Tu **disposes** d'une pile, de fils
de connexion et d'un morceau
de paille de fer dans une coupelle.

• **Réalise** le circuit ci-contre :
les extrémités A et B des fils de
connexion sont en contact avec
la paille de fer (**Doc. 6**).

Qu'observes-tu lorsque tu fermes
le circuit ?

⚠ **Ne touche pas la paille de fer**
avec tes doigts lorsque le circuit
est fermé car tu pourrais te brûler.

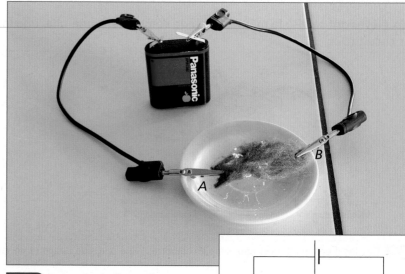

Doc 6 Court-circuit d'une pile.

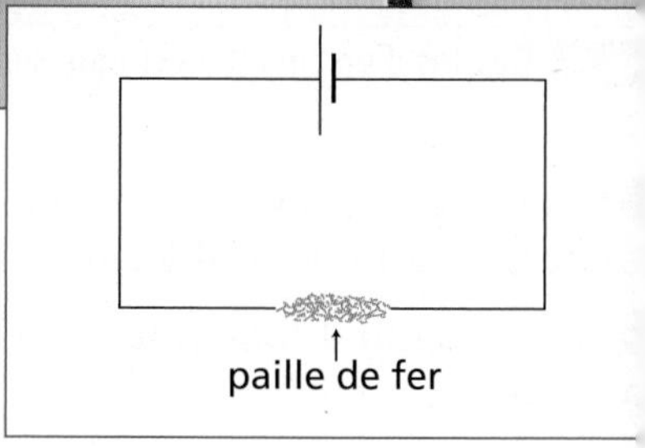

paille de fer

Observe

→ Lors de la fermeture du circuit, la paille de fer rougit, puis brûle.

→ La pile s'échauffe et risque d'être détériorée si l'expérience dure trop
longtemps.

➡ *Lorsqu'un générateur est mis*
en court-circuit, les fils de connexion
s'échauffent et peuvent provoquer
*un incendie (**Doc C, page 85**).*

Interprète

→ Les bornes de la pile sont reliées par des fils de connexion et par la paille
de fer, sans autre dipôle : la pile est mise en **court-circuit** (➡).

→ Le courant est alors très intense : sa circulation provoque un échauffement de la paille de fer, puis sa combustion.

Conclusion

• Un générateur est mis en court-circuit lorsque ses bornes sont
reliées par un fil métallique.

• Un générateur ne doit jamais être mis en court-circuit : il y a
un risque d'incendie ou de destruction du générateur.

Doc 7 Danger !

⚠ **Une prise de courant constitue un générateur.**
Ne réalise jamais une expérience
avec une prise de courant (Doc. 7).

Pour s'entraîner ▶ exercice 8

Par le texte

- Un circuit électrique comporte nécessairement un **générateur** à l'origine du passage du courant.

- Un **interrupteur** permet de fermer ou d'ouvrir un circuit : le courant circule dans un circuit fermé et ne circule pas dans un circuit ouvert.

- Un circuit peut être représenté par un schéma, avec des **symboles normalisés**.

- Un générateur ne doit jamais être mis en **court-circuit**, car l'échauffement des fils de connexion peut entraîner un incendie.

- Ne réalise jamais une expérience avec une prise de courant.

Mots nouveaux

Circuit fermé
Circuit ouvert
Court-circuit
Dipôle
Générateur
Interrupteur
Schéma normalisé

(voir le lexique, p. 204)

Par l'image

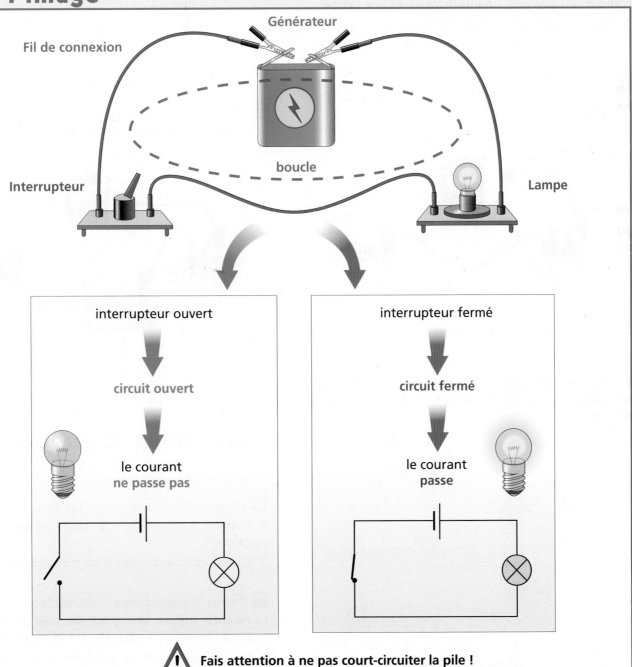

Générateur

Fil de connexion

boucle

Interrupteur

Lampe

interrupteur ouvert	interrupteur fermé
circuit ouvert	circuit fermé
le courant **ne passe pas**	le courant **passe**

⚠ **Fais attention à ne pas court-circuiter la pile !**

As-tu bien compris le cours ?

Réalisation d'un circuit électrique simple

> *voir paragraphe ❶ du cours*

1 Préciser le rôle du générateur

Pourquoi un générateur est-il toujours nécessaire dans un circuit ?

2 Réaliser un circuit

Tu veux réaliser un circuit et former une boucle comportant une pile, un interrupteur et une lampe.

1. Combien faut-il de fils de connexion ?
2. Quel est le rôle de l'interrupteur dans le circuit ?

3 Identifier les composants d'un circuit

1. Quels sont les éléments du circuit photographié ci-dessous ?

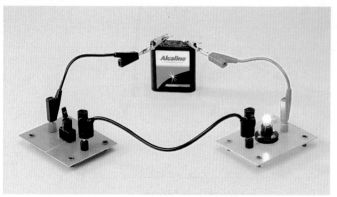

2. Le circuit est-il ouvert ou fermé ?

4 Remettre de l'ordre

Écris une phrase qui précise le rôle du générateur dans un circuit (toutes les étiquettes ne doivent pas être utilisées).

- Une pile
- du courant
- Une lampe
- dans un circuit électrique.
- de la circulation
- est à l'origine
- dans un générateur.

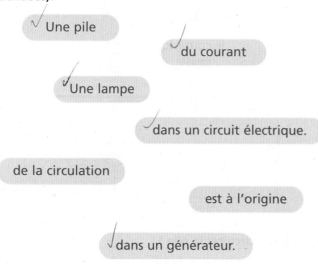

Schématisation d'un circuit

> *voir paragraphe ❷ du cours*

5 Connaître des symboles de dipôles

Dessine les symboles des dipôles suivants :

pile ; lampe ; moteur ; interrupteur ouvert ; interrupteur fermé.

6 Identifier des dipôles sur un schéma

1. Quels sont les dipôles du circuit schémati ci-dessous ?

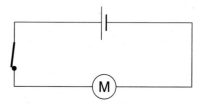

2. Le circuit est-il ouvert ou fermé ?

7 Schématiser un circuit d'après une photo

Schématise le circuit électrique fermé suivant.

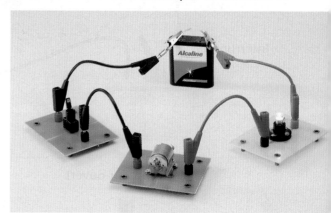

Court-circuit du générateur

> *voir paragraphe ❸ du cours*

8 Connaître les dangers d'un court-circuit

1. Comment réalise-t-on le court-circuit d'un gén rateur ?
2. Quels sont les dangers d'un court-circuit ?

9 Connaître les dangers du secteur

1. Peux-tu utiliser une prise de courant du secte pour réaliser une expérience ? Pourquoi ?
2. Que risque-t-il de se produire si on court-circui une prise de courant ?

Ce que tu dois savoir

- Réaliser un circuit électrique simple.
- Reconnaître des symboles électriques.
- Éviter de mettre un générateur en court-circuit.

Ce que tu dois savoir faire

- Mettre en œuvre du matériel pour allumer une lampe.
- Schématiser un circuit électrique.

Je vérifie que je sais
Choisis les bonnes réponses.

Énoncés	Réponse A	Réponse B	Réponse C	Aide
1. Un circuit électrique comporte nécessairement…	une lampe	un générateur	un interrupteur	p. 86
2. Pour que le courant circule dans un circuit, l'interrupteur doit être…	ouvert	fermé	aucune importance	p. 86
3. Le symbole d'une pile correspond au schéma…	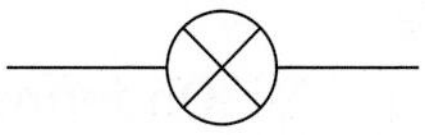 ⊗	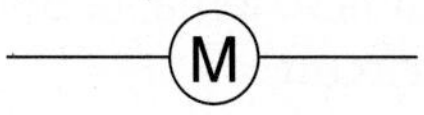 Ⓜ	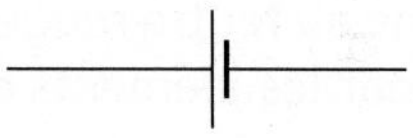 ┤├	p. 87
4. Le symbole d'une lampe correspond au schéma…	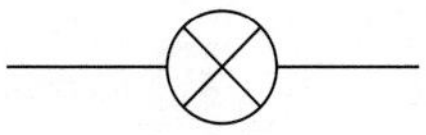 ⊗	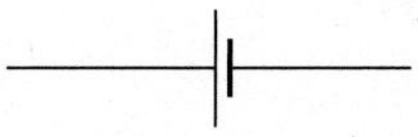 ┤├	 ⟋	p. 87
5. Les dangers liés au court-circuit d'un générateur sont…	l'incendie	l'électrocution	la destruction du générateur	p. 88

> *réponses en fin de manuel*

Je vérifie que je sais faire
Choisis les bonnes réponses.

Énoncés	Réponse A	Réponse B	Réponse C	Aide
1. Quel est le schéma du circuit ci-dessous lorsque le courant circule ? 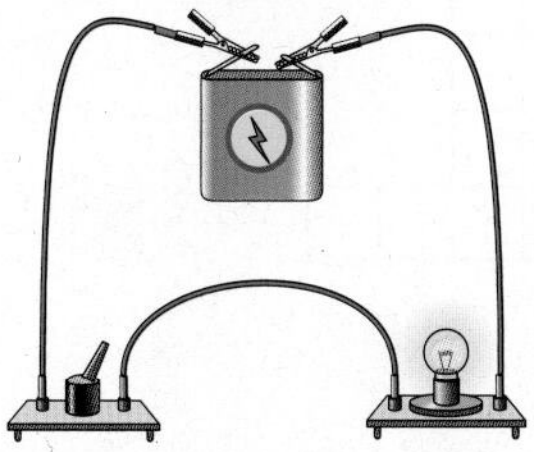	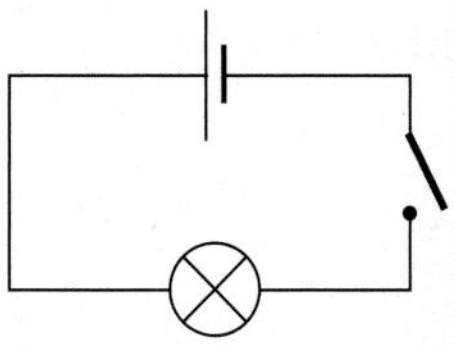	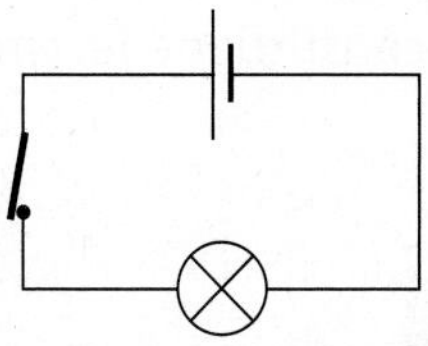	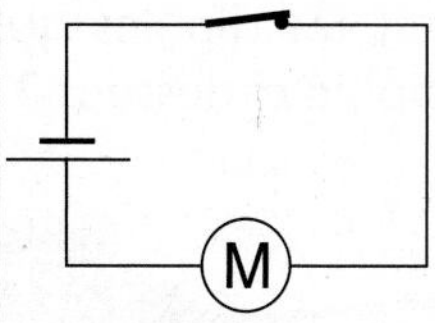	p. 87
2. Yasmina veut réaliser un circuit comportant une pile, un moteur et un interrupteur. Combien lui faut-il de fils de connexion ?	deux	trois	quatre	p. 86

> *réponses en fin de manuel*

Utilise tes connaissances

12 Apprends à résoudre

1. Quels sont les dipôles qui constituent le circuit photographié ci-dessous ? Le moteur fonctionne.

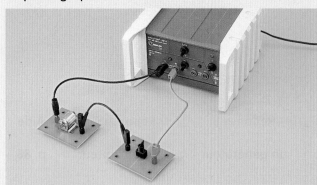

2. Le circuit est-il ouvert ou fermé ? Pourquoi ?
3. a. Schématise le circuit.
   b. Surligne au feutre rouge, sur le schéma, la boucle formée par les éléments du circuit.

SOLUTION

1. Le circuit comporte les dipôles suivants :
   un générateur, un moteur et un interrupteur.
2. Le moteur fonctionne, le circuit est donc fermé.
3. a. et b.

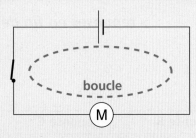

boucle

À TON TOUR

1. Quels sont les dipôles qui constituent le circuit photographié ci-dessous ?

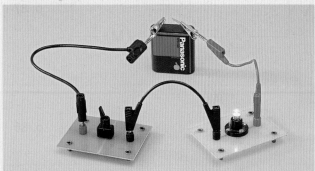

2. Le circuit est-il ouvert ou fermé ? Pourquoi ?
3. Schématise le circuit.
4. Surligne au feutre rouge, sur le schéma, la boucle formée par les éléments du circuit.

13 Vrai ou faux ?

Indique si des propositions sont correctes. Corrige-les elles sont fausses.

1. Le courant peut passer dans un circuit sans gén rateur.
2. Le courant circule dans un circuit fermé alors qu ne passe pas dans un circuit ouvert.
3. Dans ta maison, une prise de courant du secteur e dangereuse.
4. Un dipôle est un appareil qui possède trois borne

14 Va-t-elle briller ?

Considérons les deux montages ci-dessous.

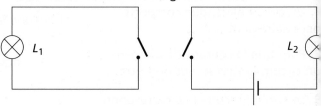

On ferme l'interrupteur. La lampe brille-t-elle dans l deux montages ? Justifie ta réponse.

15 Mots croisés

Recopie et complète la grille ci-dessous.

Horizontalement

A. Composant possédant deux bornes.
B. Il est à l'origine du passage du courant électrique.
C. Se dit d'un circuit où le courant ne passe pas.

Verticalement

1. Il permet d'ouvrir et de fermer un circuit.
2. Se dit d'un circuit où le courant passe.
3. Il permet la connexion entre deux dipôles.
4. Elle peut éclairer.
5. Il facilite la représentation des circuits.
6. Il tourne sous l'effet d'un courant.

exercices

16 Interrupteur poussoir

Une sonnette ne fonctionne que lorsque l'on appuie sur son « bouton ». La lampe du plafonnier d'une voiture s'éteint quand on ferme les portières.

Le schéma ci-dessous représente les deux sortes d'interrupteurs poussoirs :
- l'interrupteur A ferme le circuit quand on appuie dessus,
- l'interrupteur B ouvre le circuit quand on appuie dessus.

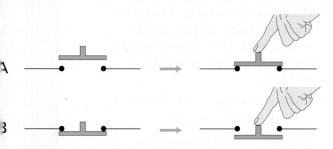

Quel type d'interrupteur utilise-t-on pour faire fonctionner une sonnette ?

Quel type d'interrupteur utilise-t-on pour éclairer le plafond d'une voiture ?

Dessine le schéma du circuit de l'éclairage du plafonnier.

17 Du dessin au schéma

Schématise ce circuit électrique sachant qu'il est ouvert.

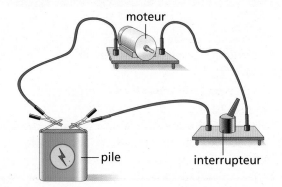

18 Différents générateurs

Recherche quel générateur fait fonctionner :

a. une lampe de poche ;

b. un caméscope ;

c. un sèche-cheveux ;

d. un téléphone mobile.

19 Le bon choix !

Il faut que je reproduise le schéma du circuit ouvert comportant une pile, une lampe et un interrupteur. Lequel choisir ?

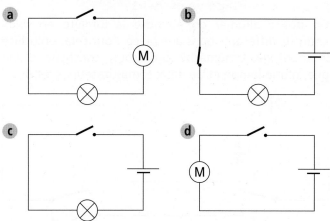

1. Écris une phrase pour justifier ton choix.
2. Reproduis le schéma correspondant.

20 Danger !

Décris une expérience qui montre qu'un court-circuit peut provoquer un incendie.

21 Énigmes

Complète les phrases suivantes.

1. Je suis à l'origine du courant dans un circuit. Je suis ....
2. Dans un circuit, je m'éclaire. Je suis ..... .
3. C'est moi qui ouvre ou ferme un circuit. Je suis ..... .

22 Physique et Français

1. Cite un verbe de la même famille que le mot *interrupteur*.
2. Utilise ce verbe dans une phrase.

exercices

23 Physique et Géographie

Maxime a réalisé le jouet suivant : on enfonce une fiche dans l'une des bornes de la colonne de gauche. On enfonce ensuite l'autre fiche dans l'une des bornes de la colonne de droite. La lampe s'allume lorsque la réponse est exacte.

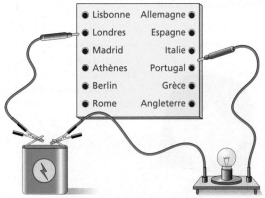

● Lisbonne	Allemagne ●
● Londres	Espagne ●
● Madrid	Italie ●
● Athènes	Portugal ●
● Berlin	Grèce ●
● Rome	Angleterre ●

Dessine les connexions qui doivent être réalisées derrière la plaquette pour que le jeu fonctionne.

24 Le montage va-et-vient

On désire allumer ou éteindre la lumière en deux endroits différents dans une pièce. Pour cela, on utilise le montage, schématisé ci-dessous, constitué d'une pile, d'une lampe et de deux commutateurs A et B.

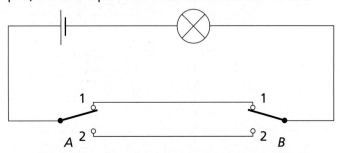

1. Reproduis le tableau ci-après et note l'état de la lampe (allumée ou éteinte) suivant les positions 1 et 2 des commutateurs.

commutateur A	commutateur B	état de la lampe
1	1	
1	2	
2	2	
2	1	

2. Peut-on commander la lampe à partir de n'importe quel commutateur ?

25 Graine de chercheur

Lorsque l'on ouvre la porte d'un réfrigérateur, la lampe intérieure s'éclaire.

1. Que doit comporter le circuit contenant la lampe ?

2. Chez toi, recherche l'interrupteur et actionne-le pour comprendre le fonctionnement du circuit électrique.

3. Imagine et dessine cet interrupteur.

26 Surfe sur le web B2i

Utilise Internet pour associer le nom d'une des personnes ci-dessous à chaque photographie :

Charles DE GAULLE ; François MITTERRAND ; Alessandro VOLTA

1. À quelle époque vivaient-ils ?
2. a. Quel est l'intrus ?
   b. Qu'a-t-il inventé en électricité ?

27 HISTOIRE DES SCIENCES

La pile a été inventée en 1800 par VOLTA, un physicien italien. En empilant plus de 60 rondelles de cuivre, de zinc et de carton très mouillé, il remarque qu'en touchant en même temps les deux extrémités de la colonne, il reçoit une décharge électrique. Il donne le nom de *pile* à son invention à cause de cet em*pile*ment. Cette expérience est présentée à Napoléon BONAPARTE en 1801.

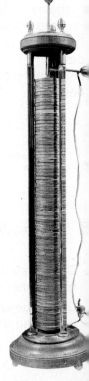

1. Qui a inventé la pile électrique ?
2. D'où vient le mot *pile* ?
3. Où se trouvent les bornes de cette pile ?
4. En électricité, quel nom général donne-t-on aux piles et aux batteries d'accumulateurs ?
5. En 1801, Napoléon BONAPARTE était-il déjà empereur des Français sous le nom de NAPOLÉON Ier ?

☀ Boîte à idées

- Exercice 16
  2. Lorsqu'on ferme la portière, on pousse sur l'interrupteur pour ouvrir le circuit.
- Exercice 22
  1. Utilise un dictionnaire.
- Exercice 24
  2. Fixe la position d'un commutateur et cherche si tu peux fermer, puis ouvrir, le circuit avec l'autre.

SCIENCE ET SOCIÉTÉ

Ne jetons pas les piles et les accumulateurs usagés

Doc 1 Ce bac de récupération permet de récolter les piles usagées.

Le 1er janvier 2001, sous l'impulsion de l'Union européenne, la France a rendu obligatoire la collecte des piles et accumulateurs usagés (Doc. 1) qui constituent des déchets dangereux.

❚ Sans cette obligation de collecte, les matériaux constituant les piles et les accumulateurs finissaient leur existence dans des décharges (Doc. 2).

❚ Certains de ces matériaux, lorsqu'ils sont enfouis, sont dissous et entraînés par les eaux de pluie dans les nappes phréatiques. C'est ainsi que l'on trouve dans l'eau des composés contenant du plomb, du cadmium, du nickel ou du lithium. Ces métaux, absorbés par l'Homme, provoquent des dérangements intestinaux, des troubles de la vue et de l'audition. Ils peuvent aussi avoir des répercutions sur le système nerveux. Certains sont même cancérigènes.

❚ Le tri sélectif des piles et accumulateurs réduit donc la pollution de l'environnement. De plus, le retraitement dans des usines spécialisées permet de réutiliser une grande partie des matériaux les constituant (Doc. 3).

Doc 3 Ces piles et acccumulateurs sont recyclés.

QUESTIONS

I. As-tu bien compris le texte ?

❶ *Qu'est-ce qui est obligatoire, en France, depuis le 1er janvier 2001 ?*

❷ *Pourquoi faut-il collecter les piles et les accumulateurs ?*

II. Sais-tu expliquer ?

❸ *Qu'est-ce que le tri sélectif ?*

Doc 2 Décharge.

Le courant électrique

Le courant électrique a-t-il un sens ?
Que se passe-t-il dans un circuit en boucle simple quand l'ordre ou le nombre des dipôles varie ?

▲ *Cette voiture télécommandée fonctionne grâce à un moteur électrique. Comment faire tourner le moteur dans un sens ou dans l'autre pour la faire avancer ou reculer ?*

Objectifs

▶ Connaître le sens conventionnel du courant électrique.

▶ Connaître l'influence de l'ordre et du nombre de dipôles dans un circuit en boucle simple.

AU PROGRAMME DE L'ÉCOLE ÉLÉMENTAIRE :

Dans un circuit électrique en boucle simple, plus il y a de lampes, moins elles brillent.

Le fonctionnement de certains dipôles est affecté par leur sens de branchement.

▶ Pourquoi les bornes d'une pile sont-elles repérées par les signes (+) et (–) ?

B▶ L'éclairage des touches de ce téléphone mobile est assuré par des diodes électroluminescentes (en abrégé : D.E.L.). Une D.E.L. se branche-t-elle dans n'importe quel sens ?

Je pense que la lampe qui plus proche de la borne (+) la pile brille toujours plus.

Propose une expérience pour vérifier.

C▶ Laura a-t-elle raison ?

Sens conventionnel du courant

La télécommande du téléviseur ne fonctionne pas : les piles ont été changées, mais placées à l'envers dans leur boîtier.

*Pourquoi les **bornes** d'une pile sont-elles différenciées par les signes (+) et (−) ?*

Expérimente

• **Réalise** le circuit du **document 1** constitué d'une seule boucle (on dit aussi en **boucle simple**).
Il comporte une pile, un moteur et un interrupteur.

• **Ferme** l'interrupteur et **repère** le sens de rotation du moteur.

• **Recommence** l'expérience en inversant les branchements aux bornes de la pile.

Que constates-tu ?

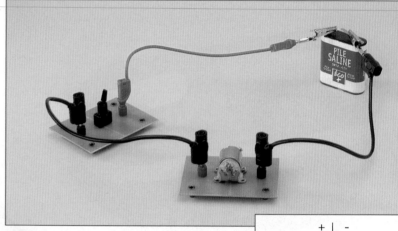

Doc 1 Circuit constitué d'une boucle simple comportant une pile, un moteur et un interrupteur.

Observe

Selon les branchements aux bornes (+) et (−) de la pile, le moteur tourne dans un sens ou dans l'autre.

Interprète

→ Le courant électrique a un sens.

→ Selon le sens du courant qui le traverse, le moteur tourne dans un sens ou dans l'autre.

→ Sur le schéma d'un montage, on indique le sens du courant par des flèches placées sur les traits représentant les fils de connexion (**Doc. 2**).

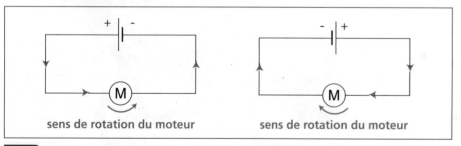

sens de rotation du moteur   sens de rotation du moteur

Doc 2 Selon le sens du courant, le moteur tourne dans un sens ou dans l'autre.

➡ *Les signes (+) et (−) des bornes d'une pile permettent de connaître le sens du courant fourni par la pile (Doc A, page 97).*

Conclusion

• Le courant électrique a un sens.

• Par **convention**, à l'extérieur d'un générateur, le courant circule de la borne (+) vers la borne (−) (➡).

Pour s'entraîner ► exercices 1 et

Utilisation d'une diode

a plupart des témoins lumineux, comme celui placé à côté de l'interrupteur de
ise en marche d'un téléviseur, sont des **diodes électroluminescentes (D.E.L.).**
ne D.E.L. se branche-t-elle comme une lampe ?

xpérimente

- **Réalise** le circuit du **document 3**
constitué d'une seule boucle :
la D.E.L. (**Doc. 5 a**) est associée
à une résistance de protection
de symbole ⊸▭⊸ .
- **Ferme** l'interrupteur.

Note tes observations.

- **Inverse** les branchements
aux bornes de la pile.

Que constates-tu ?

- **Recommence** l'expérience
en remplaçant la D.E.L.
et sa résistance de protection
par une lampe.

Compare le fonctionnement d'une
npe à celui d'une D.E.L.

Doc 3 Dispositif expérimental.

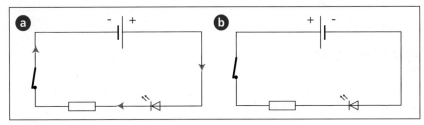

Doc 4 a) Schéma du circuit du document 3 : la D.E.L. est passsante.
b) Schéma du circuit avec la D.E.L. bloquée.

bserve

l'inverse d'une lampe, la D.E.L. ne brille que pour un seul sens de
anchement (➡).

nterprète

La D.E.L. brille lorsque le sens du courant qui la traverse correspond
au sens de la flèche de son symbole. On dit qu'elle est **passante** (Doc. 4 a).

Lorsque la D.E.L. est branchée dans l'autre sens, elle ne brille pas : elle
empêche le passage du courant électrique dans tout le circuit. On dit
qu'elle est **bloquée** (Doc. 4 b).

onclusion

- Une lampe s'éclaire quel que soit le sens du courant.
- Selon le sens de branchement, une diode est passante (courant
dans le sens de la flèche de son symbole), ou bloquée.

➡ *Les touches d'un téléphone*
portable sont éclairées par des D.E.L.,
qui doivent être correctement
*branchées (**Doc B, page 97**).*

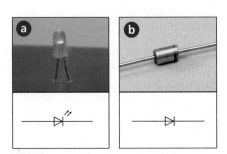

Doc 5 Une D.E.L. est une diode qui
s'éclaire (**a**) lorsqu'elle est passante.
Il existe d'autres diodes qui n'émettent pas
de lumière lorsqu'elles sont passantes (**b**).

> **Pour s'entraîner** ▸ exercices 4 et 5

Influence de la position et du nombre de dipôle

Un élève réalise un montage constitué d'une seule boucle comportant une pile, un moteur et une lampe. Il pense que s'il place le moteur près de la borne (+) de la pile, il tournera plus vite.
L'ordre des dipôles et leur nombre ont-ils une influence sur leur fonctionnement

Expérimente

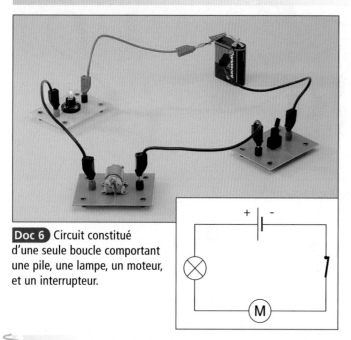

Doc 6 Circuit constitué d'une seule boucle comportant une pile, une lampe, un moteur, et un interrupteur.

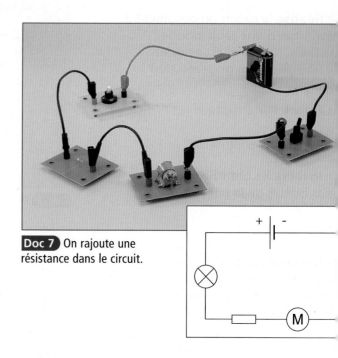

Doc 7 On rajoute une résistance dans le circuit.

- **Réalise** le circuit du **document 6**.
- **Observe** l'éclat de la lampe, ainsi que la vitesse de rotation du moteur.
- **Mets** la lampe à la place du moteur (on dit aussi que l'on permute la lampe et le moteur).
- **Ajoute** une résistance dans le circuit (**Doc. 7**).

Les fonctionnements de la lampe et du moteur sont-ils modifiés :

❶ après leur permutation ?   ❷ après l'ajout de la résistance ?

Observe

→ Si on change la lampe de position, son éclat n'est pas modifié et le moteur tourne toujours de la même façon.

→ Lorsque l'on ajoute la résistance, la lampe brille moins et le moteur tourne moins vite.

▶▶ *Si on branche deux lampes identiques dans un circuit constitué d'une seule boucle, elles brillent de la même façon (Doc C, page 97).*

Conclusion

- Dans un circuit en boucle simple, le fonctionnement des dipôles ne dépend pas de leur position dans le circuit (▶▶).

- Dans un circuit en boucle simple, le fonctionnement des dipôles dépend de leur nombre.

Pour s'entraîner ▶ exercices 6 et

RETIENS L'ESSENTIEL

Par le texte

- Le courant électrique a un **sens**.
  Par convention, à l'extérieur d'un générateur, le courant circule de la borne (+) vers la borne (–).
- Le courant ne peut traverser une diode que dans un **seul sens** de branchement : le sens passant correspond au sens de la flèche de son symbole.
- Dans un circuit en boucle simple, le fonctionnement des dipôles **ne dépend pas de leur position** dans le circuit.
- Dans un circuit en boucle simple, le fonctionnement des dipôles **dépend de leur nombre**.

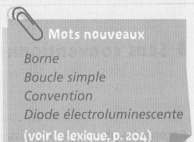

Mots nouveaux

Borne
Boucle simple
Convention
Diode électroluminescente

(voir le lexique, p. 204)

Par l'image

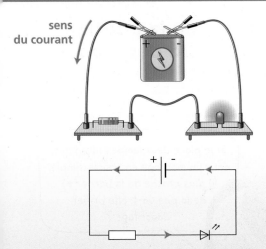

sens du courant

La D.E.L. est passante : le courant circule

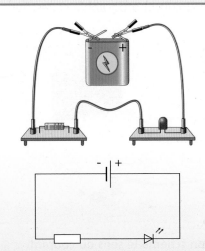

La D.E.L. est bloquée : aucun courant ne circule

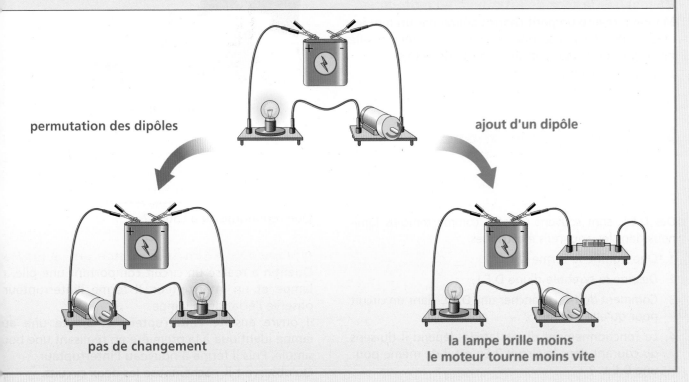

permutation des dipôles

ajout d'un dipôle

pas de changement

la lampe brille moins
le moteur tourne moins vite

> voir paragraphe ➊ du cours

As-tu bien compris le cours ?

▶ Sens conventionnel du courant
> voir paragraphe ➊ du cours

1 Connaître le sens du courant
Recopie les phrases en choisissant la bonne proposition.

1. Dans un circuit électrique, le courant *a un / n'a pas de sens*.

2. Dans un circuit électrique, à l'extérieur du géné-rateur, le courant va de la *borne (+) / borne (–)* vers la *borne (+) / borne (–)*.

2 Indiquer le sens du courant
1. Schématise le circuit photographié ci-dessous.

2. Indique sur ton schéma le sens du courant.

3 Inverser le sens de rotation d'un moteur
Manon a réalisé un petit chariot animé par un moteur électrique. Elle pense que le chariot reculera si elle inverse les branchements aux bornes de la pile.

A-t-elle raison ? Pourquoi ?

▶ Utilisation d'une diode
> voir paragraphe ➋ du cours

4 Savoir brancher une D.E.L.
Des D.E.L. sont souvent utilisées comme témoins lumi-neux dans les appareils électriques.

1. Que signifie le terme *D.E.L.* ?

2. Dessine le symbole d'une D.E.L.

3. Comment doit-on brancher une D.E.L. dans un circuit pour qu'elle s'éclaire ?

4. Le fonctionnement d'une lampe dépend-il du sens du courant dans le circuit ? En est-il de même pour une D.E.L. ?

5 Réaliser un montage avec une D.E.L.
Dans le circuit dessiné ci-dessous, la D.E.L. brille. A la borne (+) du générateur.

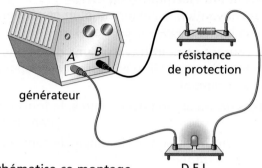

1. Schématise ce montage.

2. Les branchements aux bornes *A* et *B* du générat sont permutés. Que se passe-t-il ? Justifie ta répon

▶ Influence de la position et de l'ordre des dipôles
> voir paragraphe ➌ du cours

6 Connaître l'influence de l'ordre des dipôle

> Si je place deux lampes identiques dans un montage en boucle simple, la plus proche de la borne (+) de la pile va-t-elle briller davantage ?

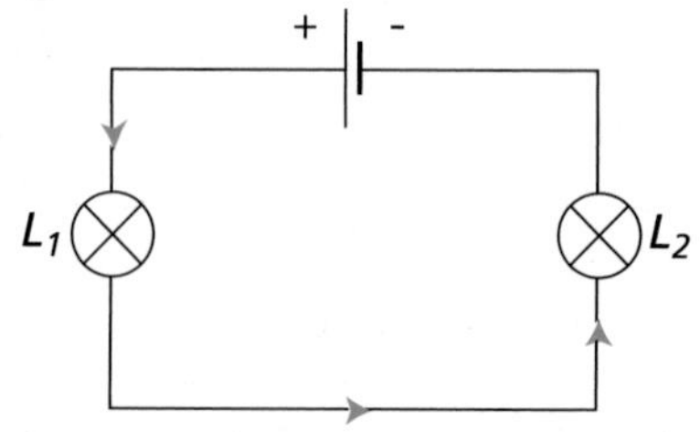

L_1 ⊗   ⊗ L_2

Que répondrais-tu à Laura ?

7 Connaître l'influence du nombre de dipôle
Quentin a réalisé un circuit comportant une pile, u lampe et un interrupteur. Il ferme l'interrupteur observe l'éclat de la lampe.

Il ouvre ensuite l'interrupteur et ajoute une au lampe identique à la première en réalisant une bou simple. Puis il ferme à nouveau l'interrupteur.

Qu'observe-t-il ? Schématise les deux circuits.

que tu dois savoir

ouver le sens conventionnel du courant.

onnaître l'influence de l'ordre et du nombre de dipôles ans un circuit en boucle simple.

Ce que tu dois savoir faire

- Brancher une diode.

Je vérifie que je sais

isis les bonnes réponses.

Énoncés	Réponse A	Réponse B	Réponse C	Aide
Quel est le sens conventionnel courant dans un circuit ?	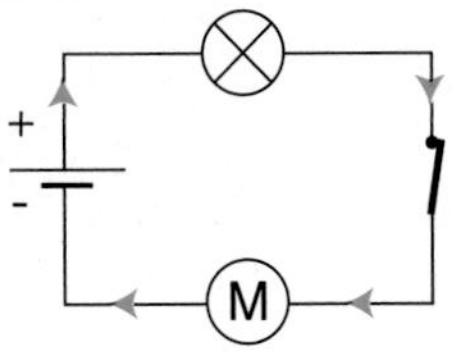	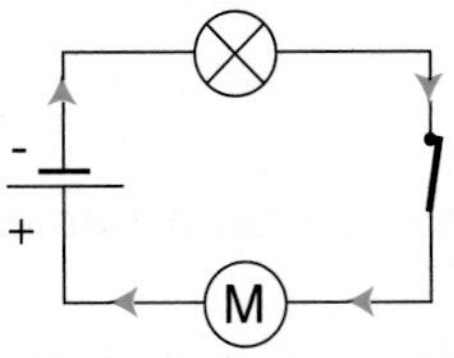	Le courant n'a pas de sens	p. 98
Les symboles d'une résistance d'une D.E.L. sont…	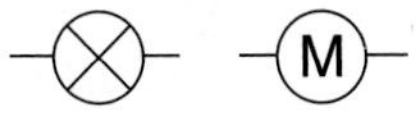	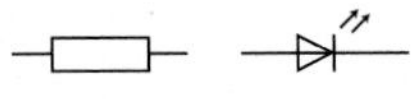	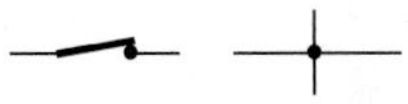	p. 99
Le sens du courant dans un circuit une influence sur le fonctionnement…	d'une lampe	d'une diode	d'un moteur	p. 99
La lampe L_1 brille us que la lampe L_2. on permute les mpes L_1 et L_2, …	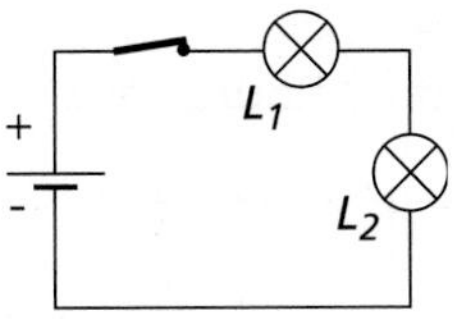 la lampe L_2 brille plus que la lampe L_1	les lampes L_1 et L_2 brillent de la même façon	la lampe L_1 brille plus que la lampe L_2	p. 100
Si on ajoute ce circuit ne résistance, …	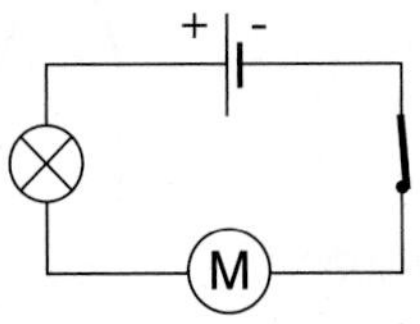 le moteur tourne plus vite	la lampe brille plus	le moteur tourne moins vite et la lampe brille moins	p. 100

> réponses en fin de manuel

Je vérifie que je sais faire

isis les bonnes réponses.

Énoncés	Réponse A	Réponse B	Réponse C	Aide
Olga veut que le moteur de son circuit e puisse tourner que dans un seul sens. uel dipôle doit-elle ajouter ?	un interrupteur	une lampe	une diode	p. 99
Dans quel circuit la lampe rille-t-elle ?	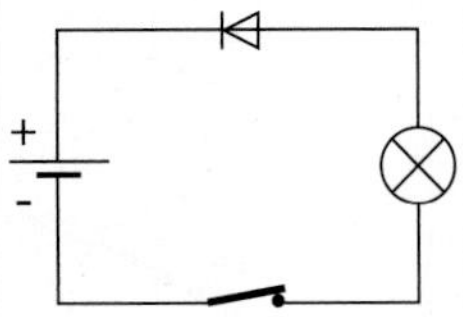	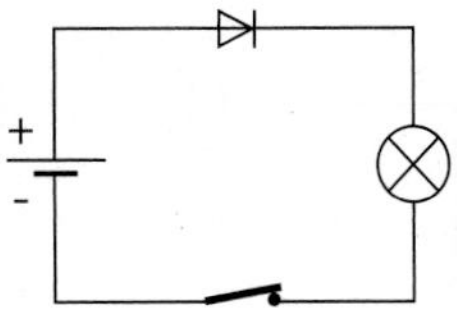	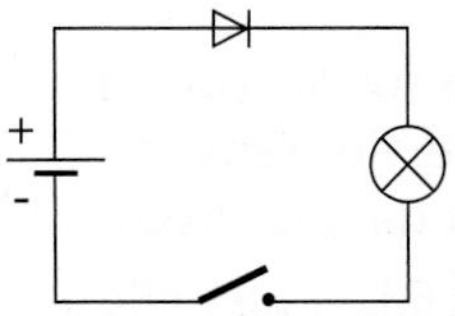	p. 99

> réponses en fin de manuel

exercices

Utilise tes connaissances

10 Apprends à résoudre

Pierre a représenté le schéma électrique d'un jouet à pile qui comporte un moteur et une diode. Il veut étudier l'utilité de la diode dans ce circuit.

1. Indique sur le schéma ci-contre le sens du courant dans le circuit pour déterminer si la diode est passante ou bloquée.
   Justifie ta réponse.

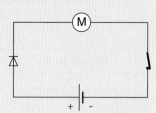

2. Que constate Pierre s'il inverse les branchements de la pile ? Pourquoi ?

3. Quelle est alors l'utilité de la diode dans ce montage ?

SOLUTION

1.

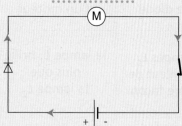

À l'extérieur du générateur, le courant électrique circule de la borne positive vers la borne négative. La pointe de la flèche du symbole de la diode est dans le même sens que le courant, donc la diode est passante.

2. Si Pierre inverse les branchements de la pile, alors la diode est bloquée : le courant ne circule plus. Il constate que le moteur ne tourne pas.

3. La diode empêche le courant de passer en cas d'un mauvais branchement de la pile. Le moteur ne peut tourner que dans un seul sens.

À TON TOUR

1. Indique sur le schéma ci-contre le sens du courant dans le circuit.

2. La D.E.L. est-elle passante ou bloquée ?
   Justifie ta réponse.

3. Que constate-t-on si on inverse les branchements de la D.E.L. ? Pourquoi ?

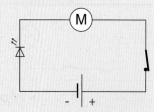

11 Schématise un circuit

Schématise le montage photographié ci-dessous indiquant les bornes (+) et (–) de la pile, puis indi⟨ le sens du courant à l'aide d'une flèche.

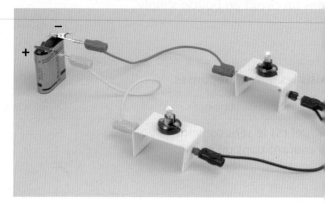

12 L'influence de l'ordre des dipôles

Arthur critique le montage 1 ci-dessous : il estime q⟨ pour éteindre la lampe, l'interrupteur doit être p⟨ entre la borne (+) de la pile et la lampe com⟨ dans le montage 2. Vanessa affirme que cela n'a ⟨ d'importance.

A-t-elle raison ? Pourquoi ?

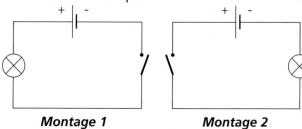

Montage 1   **Montage 2**

13 L'influence du nombre de dipôles

Florian a réalisé le montage photographié ci-dess⟨ et observe l'éclat de chacune des lampes. Il mod⟨ ensuite le montage.

Qu'observe-t-il :

a. s'il ouvre le circuit, enlève une des deux lampe⟨ referme le circuit ?

b. s'il ouvre le circuit, ajoute un moteur avec les d⟨ lampes et referme le circuit pour réaliser une bou⟨ simple ?

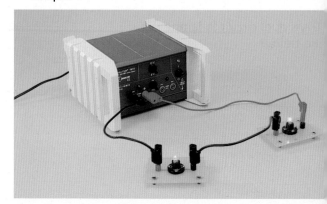

exercices

Bornes d'une pile

s signes (+) et (–) des bornes d'une pile plate sont
facés.
présente le schéma du montage comportant une
mpe, une diode et des fils de connexion qui permet
retrouver les bornes de cette pile.

15 Trouve la bonne réponse

ns le circuit suivant, la lampe L_1 brille normalement
la lampe L_2 ne brille pas.

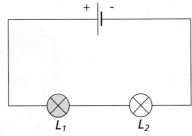

Reproduis le schéma en indiquant par des flèches
le sens de circulation du courant.

Recopie la phrase qui explique de façon correcte
la situation :

a. si la lampe L_2 était à la place de la lampe L_1, c'est
la lampe L_2 qui brillerait normalement ;

b. la lampe L_1 arrête le courant ;

c. les lampes L_1 et L_2 sont deux lampes différentes,
donc elles ne fonctionnent pas de la même façon.

Choisis la ou les bonnes propositions

ns un circuit comportant un générateur et une
mpe, on ajoute un moteur, en réalisant un circuit en
pucle simple.

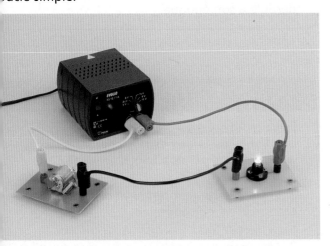

ponds par *Vrai* ou *Faux* aux deux propositions
ivantes en justifiant :

l'éclat de la lampe est plus faible qu'auparavant ;

la position du moteur a une importance sur l'éclat
de la lampe.

17 Débranche des dipôles

1. Gaëlle réalise le circuit photographié ci-dessous.

a. Nomme les différents dipôles associés dans ce
circuit en boucle simple.

b. Dessine le schéma de ce circuit.

2. Gaëlle décide de retirer successivement des dipôles
et de refermer le circuit. Que devient l'éclat de la
lampe si elle retire :

a. le moteur ?   **b.** l'interrupteur ?

18 Volets roulants

Les volets roulants électriques peuvent monter ou
descendre grâce à un moteur et un commutateur
placés dans un circuit schématisé ci-dessous. La lame,
mobile autour de O peut basculer sur les trois positions
A, B ou C.

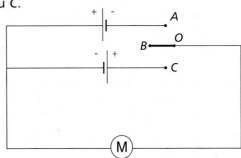

1. Reproduis le schéma avec le commutateur dans la
position A. Redessine-le pour la position C.

2. Sur chacun des schémas, indique par une flèche le
sens du courant qui circule dans le moteur.

3. Explique pourquoi le commutateur permet de
commander les volets roulants,
selon sa position.

exercices

19 Le mot caché

1. Complète les cases avec les définitions suivantes.

A. Diode qui s'éclaire.

B. Générateur électrique.

C. Parcours électrique fermé.

D. Appareil électrique possédant deux bornes.

E. Le courant en a un.

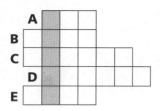

2. Quel est le mot inscrit dans la colonne orange ?

20 Un moteur et des diodes

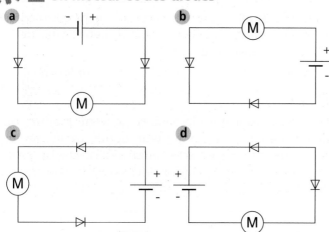

1. À partir de la borne positive de la pile, repère, sur chaque schéma, la boucle formée par les éléments du circuit pour prévoir si les diodes rencontrées sont passantes ou bloquées.

2. Déduis-en le circuit dans lequel le moteur tourne. Justifie ta réponse.

3. Recopie le schéma de ce circuit et représente le sens du courant.

21 Moteur de perceuse

Karim veut simuler le circuit électrique alimentant le moteur d'une perceuse. Pour qu'elle fonctionne normalement, son moteur doit tourner dans un sens particulier et le courant doit circuler dans le sens indiqué sur le schéma ci-dessous.

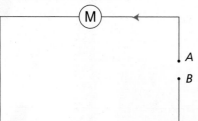

1. a. Recopie le schéma du circuit.

b. Complète-le en dessinant le symbole du gér rateur entre *A* et *B*.

2. Karim veut éviter que le moteur tourne dans mauvais sens en cas d'erreur de branchement.

a. Quel dipôle doit-il ajouter en boucle simple da le circuit ?

b. Reproduis le schéma du montage réalisé p Karim et complète-le.

22 HISTOIRE DES SCIENCES

André-Marie AMPÈRE est un scientifique français né à Lyon en 1775. Après avoir étudié et enseigné la chimie et les mathématiques, il s'est intéressé à la physique et plus particulièrement à l'électricité. AMPÈRE a fait un choix pour le sens du courant : de la borne (+) vers la borne (–) à l'extérieur du générateur. C'est pourquoi on l'appelle le sens conventionnel courant.

Il a par ailleurs mis au point des appareils comme télégraphe qui transmettait des messages à distan et le galvanomètre qui mesurait l'intensité courant.

1. Dans quel domaine de la physique s'est illust AMPÈRE ?

2. Quel choix a-t-il fait pour le sens du courant ?

3. Cite un événement historique important qui s'e déroulé à son époque.

Boîte à idées

• **Exercice 15**
Une lampe ne brille pas si le courant qui la traverse est trop faible.

• **Exercice 17**
2. b. Un interrupteur fermé se comporte comme un fil de connexion.

• **Exercice 18**
2. Attention au sens de branchement des piles.

• **Exercice 20**
1. Déplace ton doigt le long du circuit de la borne (+) vers la borne (–) du générateur en suivant le sens du courant.

Des économies d'énergie avec des D.E.L.

Il y a dix ans, les D.E.L. n'étaient utilisées que dans les voyants lumineux pour les appareils domestiques (télévisions, ordinateurs...). Actuellement, elles envahissent de nombreux secteurs. Elles sont désormais utilisées dans le cadre de la sécurité routière (feux tricolores, panneaux de signalisation...) et on les aperçoit aussi sur les automobiles (clignotants, feux arrière...), dans les commerces (pour l'éclairage d'ambiance)...

Doc 1 Les feux arrière de cette voiture sont constitués de D.E.L.

▌ Les D.E.L. possèdent des qualités intéressantes :
– solidité et très grande durée de vie ;
– intensité lumineuse de plus en plus grande ;
– faible consommation.

▌ De ce fait, elles constituent une avancée intéressante dans le domaine des économies d'énergie.

▌ Ainsi, au Népal, une petite éolienne suffit pour assurer l'éclairage, par D.E.L., d'un village de 60 habitations. Un tel village ne consomme pas plus d'énergie qu'une seule et unique ampoule à incandescence classique !

Les D.E.L. dans une automobile

▌ À l'intérieur : éclairages d'ambiance (tableaux de bord, voyants aux portières...).

▌ À l'extérieur :
– clignotants (feux orange) ;
– feu de recul (feu blanc) ;
– feux de freinage et de position (feux rouges).

QUESTIONS

I. As-tu bien compris le texte ?

❶ *Cite deux secteurs où les D.E.L. prennent de plus en plus d'importance.*

❷ *Quelles sont les qualités d'une D.E.L. ?*

❸ **B2i** *Recherche, sur Internet, la situation géographique du Népal.*

II. Sais-tu expliquer ?

❹ *Comment brancher une D.E.L. pour qu'elle s'éclaire ?*

9 Conducteurs et isolants

*L*e courant électrique peut-il circuler dans n'importe quel matériau ?

▲ *Construction d'une ligne haute tension, les isolants en verre isolent électriquement les câbles électriques des pylônes en fer.*

Objectifs

◗ Citer des conducteurs et des isolants usuels.

◗ Savoir qu'un interrupteur peut se comporter comme un conducteur ou un isolant.

◗ Savoir que le comportement d'une diode ressemble à celui d'un interrupteur.

◗ Connaître le caractère conducteur du corps humain.

AU PROGRAMME DE L'ÉCOLE ÉLÉMENTAIRE :

Citer quelques conducteurs et quelques isolants.

Énoncer quelques principes élémentaires de sécurité électrique.

J'ai deux règles : je sais qu'il y en a une qui laisse passer le courant, mais je ne sais plus laquelle.

Il faudrait inventer un montage permettant de le savoir.

➔ Quel montage peux-tu réaliser pour savoir quelle règle conduit le courant ?

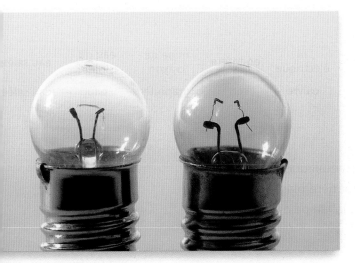

➔➔ L'une des lampes est grillée. Laquelle et pourquoi ?

➔ Il ne faut surtout pas forcer la porte d'un transformateur de l'E.D.F., pour l'ouvrir ! Tu cours un danger mortel. Pourquoi ?

Distinguer les conducteurs et les isolants

Les fils électriques conducteurs sont entourés d'une gaine isolante.
Comment pouvons-nous distinguer les conducteurs des isolants ?

Expérimente

- **Réalise** les deux circuits des documents 1 et 2. (Attention, respecte bien le sens de branchement de la D.E.L.)
- **Intercale** différents objets entre les pinces crocodile.
- Pour étudier le cas de l'eau du robinet ou de l'eau salée, **remplace** les deux pinces crocodile par deux électrodes placées dans un bécher.

❶ Note l'éclat de la lampe ou de la D.E.L.

❷ Regroupe tes résultats dans un tableau.

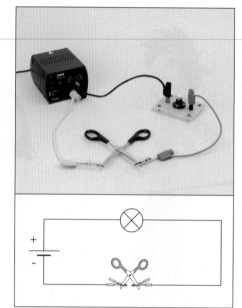

Doc 1 Le détecteur de courant est une lampe.

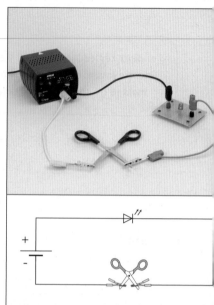

Doc 2 Le détecteur de courant est une D. branchée dans le sens passant.

Observe

Objet	rien	ciseaux	règle	allumette	fil électrique	agitateur	mine de crayon	eau du robinet	eau salée
Substance	air	acier	matière plastique	bois	cuivre	verre	graphite	eau	eau salée
Lampe	éteinte	allumée	éteinte	éteinte	allumée	éteinte	allumée	éteinte	allumée
D.E.L.	éteinte	allumée	éteinte	éteinte	allumée	éteinte	allumée	allumée	allumée

→ La lampe et la D.E.L. sont allumées si les objets sont métalliques ou en graphite.

→ Elles sont éteintes s'ils sont en bois, en verre ou en matière plastique.

→ La D.E.L. est allumée avec l'eau du robinet alors que la lampe est éteinte.

Interprète

→ Les métaux, le graphite et l'eau salée laissent passer le courant électrique : ce sont des **bons conducteurs**.

→ Le bois, le verre, les matières plastiques et l'air ne laissent pas passer le courant : ce sont des **isolants** (▶▶).

→ La D.E.L. est un détecteur de courant plus sensible qu'une lampe : elle s'éclaire avec l'eau du robinet. L'eau du robinet et le corps humain, constitués essentiellement d'eau, sont **faiblement conducteurs**.

▶▶ *Une règle métallique est conductrice ; une règle en matière plastique est isolante (Doc. A, page 109).*

Conclusion

- Un conducteur laisse passer le courant électrique.
- Un isolant ne laisse pas passer le courant électrique.

Pour s'entraîner ▶ exercices 1 et 2

Chaîne de conducteurs

n élève a réalisé un circuit comportant une lampe qui ne brille pas.
pense qu'elle est grillée. A-t-il forcément raison ?
quelle condition un circuit peut-il laisser passer le courant ?

xpérimente

• **Réalise** le montage du **document 3** en respectant le sens de branchement de la D.E.L.

• **Note** tes observations pour chacune des manipulations suivantes :
– **Dévisse** la lampe.
– **Revisse** la lampe et **permute** les branchements aux bornes de la D.E.L.
– **Rebranche** la D.E.L. dans le sens passant et **ouvre** l'interrupteur.

uelles sont les conditions pour
e le courant circule dans le circuit ?

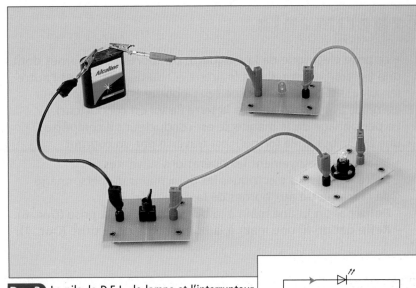

Doc 3 La pile, la D.E.L., la lampe et l'interrupteur sont branchés en boucle simple.

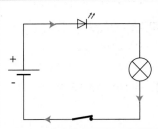

bserve

lampe et la D.E.L. ne brillent que si :
a lampe est correctement vissée ;
a D.E.L. est branchée dans le sens passant ;
l'interrupteur est fermé.

nterprète

Lorsque la lampe est mal vissée, les parties conductrices du circuit ne sont plus en contact ; elles sont séparées par de l'air isolant : le circuit est alors ouvert.

De la même manière, l'interrupteur ouvert se comporte comme un isolant.

Branchée dans le sens passant, une D.E.L. (ou une autre diode) est conductrice (comme un interrupteur fermé) ; branchée dans l'autre sens, la diode est isolante (comme un interrupteur ouvert).

Dans une lampe à incandescence en bon état, le filament appartient à une chaîne ininterrompue de conducteurs : plot central-filament-culot (Doc. 4) (➡).

Doc 4 L'anneau en verre noir isole le plot central et le culot, extrémités de la chaîne conductrice (en rouge).

➡ *Si le filament de la lampe est coupé, la lampe est grillée : le courant électrique ne peut plus passer (Doc. B, page 109).*

onclusion

Un circuit électrique fermé comporte une suite ininterrompue de conducteurs.

Pour s'entraîner ▸ exercices 5 et 6

3 Les dangers de l'électrisation

On déplore, chaque année, plusieurs milliers d'accidents corporels par électrisati
En France, une centaine de personnes meurent électrocutées par an.
Comment identifier les situations d'électrisation du corps humain ?

Expérimente

- La prise électrique de la maquette comporte deux bornes dont une (en rouge) est reliée à la borne (+) du générateur et l'autre (en bleu) est reliée à la borne (–). La borne (–) du générateur est reliée avant l'immeuble à la terre (le sol est conducteur). Le personnage de la maquette est conducteur : il comporte une D.E.L. qui brille lorsqu'il est traversé par un courant.
- **Réalise** successivement les opérations suivantes :
  – **Relie** par des fils électriques les deux mains du personnage de la maquette aux bornes de la prise (**Doc. 5**).
  – **Relie** par un fil une main à la borne rouge de la prise (**Doc. 6**).
  – **Relie** par un fil une main à la borne bleue de la prise (**Doc. 7**).

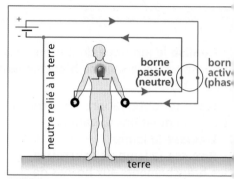

Doc 5 La personne touche deux bornes de la prise, le courant passe dans son corps.

Observe

→ Si le personnage touche les deux bornes de la prise, la D.E.L. brille.

→ Si le personnage touche seulement la borne rouge, la D.E.L. s'allume encore.

→ Si le personnage touche seulement la borne bleue, la D.E.L. ne s'allume pas.

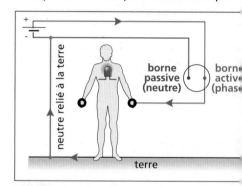

Doc 6 La personne touche la borne rouge, le courant passe dans son corps.

Interprète

→ La D.E.L. brille si le circuit est fermé. Cela se produit lorsque :
  – le personnage touche les deux bornes de la prise (**Doc. 5**) ;
  – le personnage touche seulement la borne rouge (**Doc. 6**).

→ Lorsque le personnage ne touche que la borne bleue (**Doc. 7**), il n'est pas traversé par le courant : le circuit est ouvert.

→ **Le personnage est donc traversé par le courant chaque fois qu'il touche la borne rouge (borne « active »).**

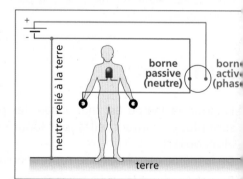

Doc 7 La personne touche la borne bleue, le circuit reste ouvert : le courant ne passe pas dans son corps.

Conclusion

- Le corps humain est conducteur.
- Une prise du secteur comporte deux bornes dont l'une est « active » (la phase), et l'autre (le neutre) est reliée à la terre sur le réseau E.D.F. Une personne qui touche la borne « active » est traversée par le courant.
- Le passage du courant dans le corps humain, appelé **électrisation**, peut entraîner des brûlures, l'asphyxie, etc. Un courant encore plus intense peut entraîner la mort : c'est l'**électrocution** (➡➡).

➡➡ *On ne doit pas entrer dans un transformateur de l'E.D.F., car on prend le risque mortel d'une électrocution (**Doc C, page 109**).*

Pour s'entraîner ▸ exercice 7

RETIENS L'ESSENTIEL

Par le texte

- Un **conducteur** laisse passer le courant électrique.
  Un **isolant** ne laisse pas passer le courant.
  Les métaux, l'eau et le corps humain sont des conducteurs.
  L'air, le verre et les matières plastiques sont des isolants.

- Un interrupteur ouvert se comporte comme un isolant ;
  un interrupteur fermé se comporte comme un conducteur.

- Selon son sens de branchement, une diode se comporte comme
  un interrupteur ouvert ou fermé.

- Le circuit électrique est ouvert lorsqu'une lampe est dévissée
  ou hors d'usage.

- Le passage du courant électrique dans le corps humain, appelé
  électrisation, peut entraîner la mort par **électrocution**.

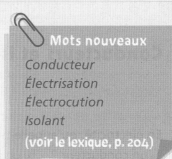

Mots nouveaux

Conducteur
Électrisation
Électrocution
Isolant

(voir le lexique, p. 204)

Par l'image

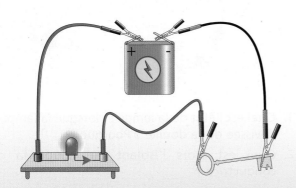

Conducteur : le courant circule

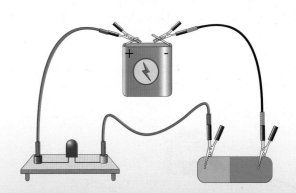

Isolant : le courant ne circule pas

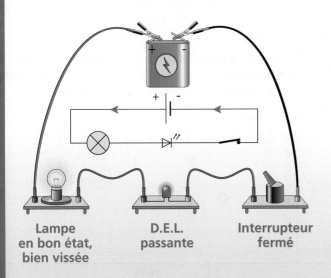

Lampe en bon état, bien vissée — D.E.L. passante — Interrupteur fermé

La chaîne de conducteurs est ininterrompue.

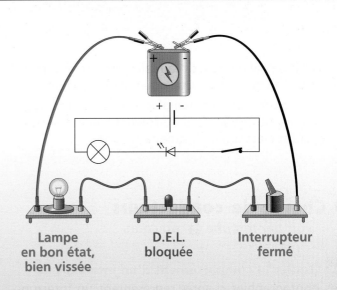

Lampe en bon état, bien vissée — D.E.L. bloquée — Interrupteur fermé

La chaîne de conducteurs est interrompue par la diode.

▶ Conducteurs et isolants

> *voir paragraphe* ❶ *du cours*

1 **Connaître des définitions**

1. En électricité, qu'appelle-t-on :

   a. un conducteur ?   b. un isolant ?

2. Cite deux conducteurs et deux isolants.

2 **Schématiser un montage**

1. Schématise un montage permettant de distinguer les conducteurs et les isolants.

2. Quelle conclusion peut-on faire si la lampe s'allume ?

3 **Classer des matériaux**

Parmi les substances suivantes, indique celles qui sont conductrices de l'électricité et celles qui sont isolantes :

   verre ; cuivre ; matière plastique ; bois ; graphite.

Donne tes résultats sous la forme d'un tableau.

4 **Tester des liquides**

On réalise le montage photographié ci-dessous pour tester des liquides conducteurs de l'électricité.

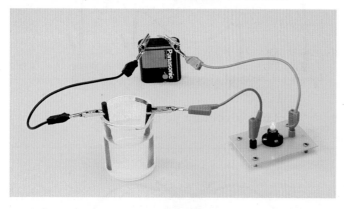

1. La lampe s'allume avec l'eau salée, mais reste éteinte avec l'eau du robinet. Que pourrait-on conclure ?

2. Quel dipôle doit-on remplacer dans ce montage pour montrer que l'eau du robinet conduit aussi le courant électrique ? Justifie ta réponse.

▶ Chaîne de conducteurs

> *voir paragraphe* ❷ *du cours*

5 **Étudier le comportement d'un interrupteur**

Les photographies ci-après représentent un interrupteur à lame en position ouverte **(a)** et en position fermée **(b)**. La lame de l'interrupteur est en acier.

a    b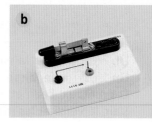

1. L'interrupteur ouvert se comporte-t-il comme un conducteur ou un isolant ?

2. L'interrupteur fermé se comporte-t-il comme un conducteur ou un isolant ?

6 **Étudier un circuit en boucle simple**

Dans le circuit photographié ci-dessous, la lampe L_1 qui sert de détecteur de courant, est montée en boucle simple avec une deuxième lampe L_2.

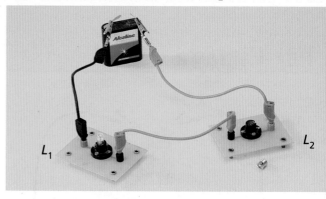

1. Quel est l'état de la lampe L_1 lorsque la lampe L_2 est dévissée de sa douille ? Pourquoi ?

2. Quel est alors l'isolant qui coupe la chaîne conductrice ?

▶ Les dangers de l'électrisation

> *voir paragraphe* ❸ *du cours*

7 **Prévoir une situation d'électrisation**

1. Recopie le dessin ci-après sur ton cahier et dessine la boucle électrique qui s'établit lorsque la personne touche seulement la borne active avec la main.

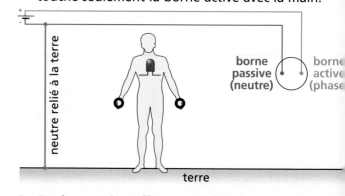

2. Quels sont les effets possibles de cette situation d'électrisation ?

Ce que tu dois savoir

Différencier conducteurs et isolants.

Identifier les situations d'électrisation.

Ce que tu dois savoir faire

• Tester un matériau pour savoir si c'est un isolant ou un conducteur.

8 Je vérifie que je sais

Choisis les bonnes réponses.

Énoncés	Réponse A	Réponse B	Réponse C	Aide
1. Un conducteur électrique...	pilote le courant	ne conduit pas le courant électrique	laisse passer le courant électrique	p. 110
2. Une D.E.L. peut se comporter...	comme un interrupteur ouvert	comme un interrupteur fermé	comme une pile	p. 111
3. Un circuit électrique fermé comporte...	toujours au moins une lampe	une suite ininterrompue de conducteurs et d'isolant	une suite ininterrompue de conducteurs	p. 111
4. Quels dessins représentent une situation d'électrisation avec une prise de courant ?	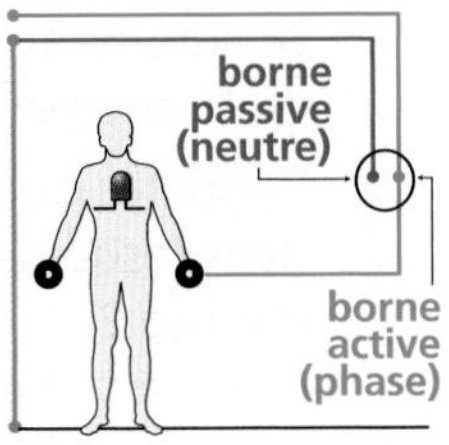	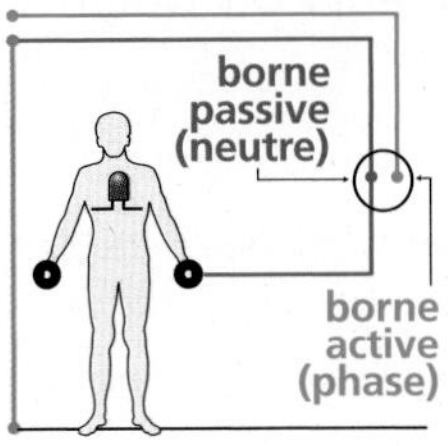	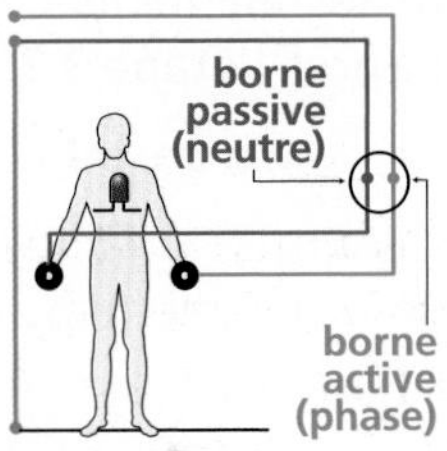	p. 112

> *réponses en fin de manuel*

9 Je vérifie que je sais faire

Choisis les bonnes réponses.

Énoncés	Réponse A	Réponse B	Réponse C	Aide
1. Le schéma représentant le bon circuit pour vérifier si une lampe est en bon état, est...	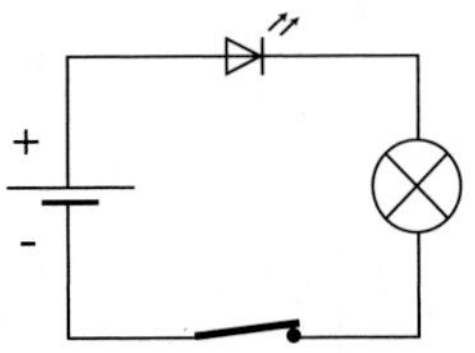	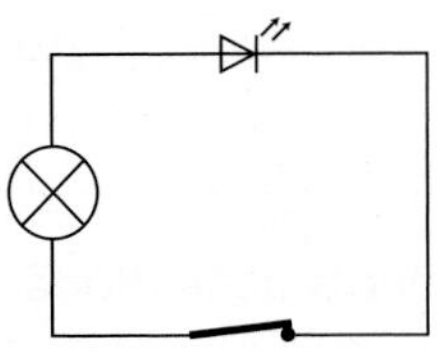	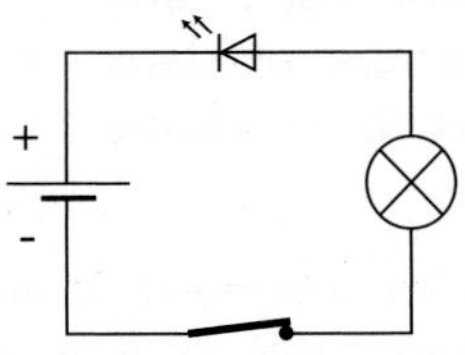	p. 111
2. Le schéma représentant le bon circuit pour savoir si une substance est isolante ou conductrice est...	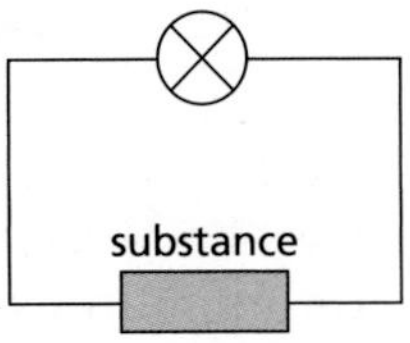	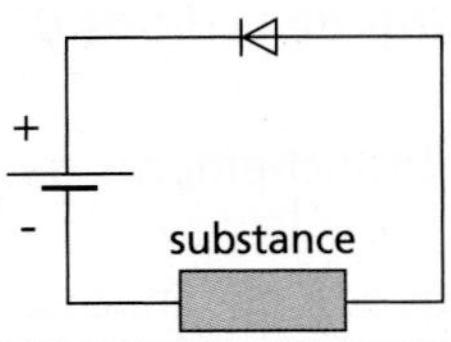	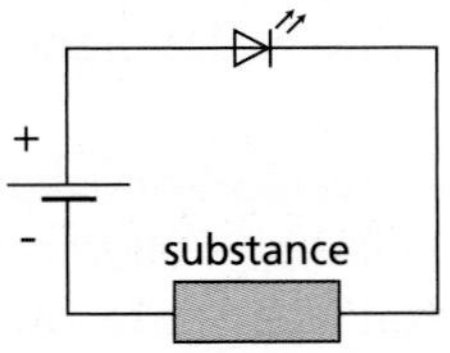	p. 110

> *réponses en fin de manuel*

Utilise tes connaissances

10 Apprends à résoudre

Le montage, schématisé ci-contre, comporte une pile, une lampe et deux interrupteurs A et B. La lampe ne brille pas.

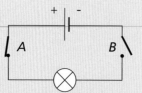

Étape 1 : Julien actionne une seule fois l'interrupteur A, la lampe ne brille pas.

Étape 2 : Il actionne une fois l'interrupteur B sans succès.

Étape 3 : Il actionne encore une fois l'interrupteur A et la lampe s'allume.

1. Quel est l'état (ouvert ou fermé) de chaque interrupteur :
   a. après l'étape 3 ?　　b. après l'étape 2 ?
   c. après l'étape 1 ?　　d. avant l'étape 1 ?
   Explique ton raisonnement.
2. Quels sont les éléments conducteurs ou isolants du circuit après l'étape 3 ?

SOLUTION

1. **a.** Après l'étape 3, la lampe brille : les deux interrupteurs sont donc fermés.
   b. On a actionné B ; donc A est fermé et B ouvert.
   c. On a actionné A ; donc A est ouvert et B fermé.
   d. On a actionné A ; donc A est fermé et B ouvert.
2. Après l'étape 3, le circuit est fermé, donc il est constitué d'une suite ininterrompue d'éléments conducteurs qui sont les fils, la lampe et les deux interrupteurs fermés.

À TON TOUR

Le montage, schématisé ci-contre, comporte une pile, une lampe et deux diodes (A et B). La lampe ne brille pas.

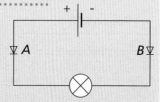

Étape 1 : Chloé inverse les branchements de la diode A, la lampe ne brille toujours pas.

Étape 2 : Elle inverse les branchements de la diode B, sans succès.

Étape 3 : Elle inverse à nouveau les branchements de la diode A, la lampe s'allume.

Quel est l'état (passante ou bloquée) de chaque diode :

1. après l'étape 3 ?
2. avant l'étape 1 ?

Explique ton raisonnement.

11 La chaîne conductrice de la lampe

1. Recopie le dessin de la lampe sur ton cahier e complétant les légendes à partir de la liste suivante
   anneau ; filament ; culot ; soudure ; plot ;
   tige ; ampoule.

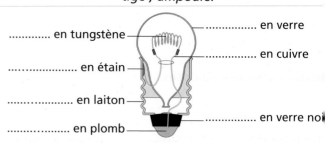

2. Sur ton dessin, souligne en rouge les isolants et e vert les conducteurs.

12 Comportement d'un interrupteur et d'une diode

1. Dans un circuit électrique :
   a. quel est le rôle d'un interrupteur ?
   b. comment se comporte une diode selon son ser de branchement ?
2. Parmi les quatre schémas ci-dessous, quels sont ceu dans lesquels la lampe L est allumée ? la lampe L e éteinte ?
   Quel est alors l'état de l'interrupteur (ouvert o fermé) ou de la diode (passante ou bloquée) ?

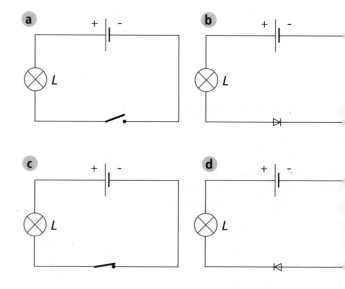

13 Des isolants différents

De nombreux isolants électriques sont aussi de isolants thermiques.

1. **B2i** Recherche sur Internet ce qu'est un isolan thermique.
2. Trouve deux matériaux qui sont à la fois isolan électrique et isolant thermique.

Mots croisés

copie et complète la grille ci-dessous.

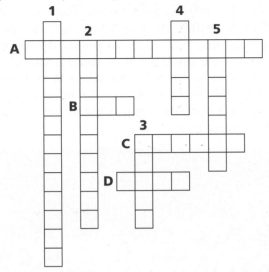

Verticalement

1. Mot qui désigne la mort par le passage du courant électrique dans le corps humain.
2. Laisse passer le courant.
3. Nom d'une des bornes de la lampe.
4. Dipôle moins sensible que la D.E.L. qui permet de savoir si une substance est conductrice.
5. Ne laisse pas passer le courant.

Horizontalement

A. Se dit lorsque le corps humain est traversé par un courant (sans décès).
B. Plus sensible que la lampe pour tester les matières faiblement conductrices.
C. La suite ininterrompue de conducteurs de la lampe en forme une.
D. Nom d'une des bornes de la lampe.

15 Le jeu du serpentin électrique

Tu as sûrement vu ce jeu où il faut déplacer un anneau dans un serpentin sans le toucher. Si l'anneau touche le serpentin, un buzzer sonne ou une lampe s'allume.

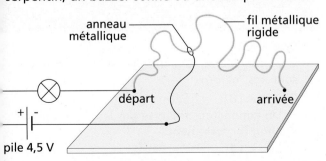

1. Pourquoi la lampe s'allume-t-elle lorsque l'anneau touche le fil métallique rigide ?
2. Pourquoi l'anneau et le fil rigide sont-ils en métal ?
3. Pourrait-on les remplacer par un fil de laine ou de coton ? Pourquoi ?

16 Conducteurs et isolants

On réalise les expériences suivantes avec une pile comme générateur.

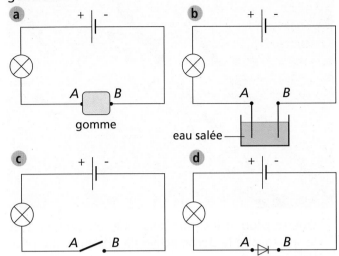

1. Dans quels cas, la lampe s'allume-t-elle ? Pourquoi ?
2. Lorsque la lampe ne s'allume pas, quelle est la substance isolante entre les points A et B ?

17 Maîtrise le français

Hugo a réalisé le montage permettant de distinguer les conducteurs des isolants. Il place un fil de cuivre entre les pinces crocodile. Recopie et complète les phrases suivantes en utilisant les conjonctions *car* et *donc* ainsi que le conditionnel *si … alors*.

1. ..... la lampe s'allume, ... le fil de cuivre est conducteur.
2. La lampe s'allume, ... le fil est en cuivre.
3. Le matériau constituant le fil est du cuivre, ... la lampe s'allume.

18 Le fusible

Les appareils électroniques de mesure sont protégés par des coupe-circuits couramment appelés *fusibles*. Ils sont utilisés pour éviter que des courants trop intenses endommagent les appareils.

1. Recherche la définition de l'adjectif *fusible*.
2. Que se passe-t-il si un courant trop intense traverse un fusible ?
3. Quel est le fusible de la photographie qui a été traversé par un courant trop fort ? Pourquoi ?

exercices

19 Les oiseaux

1. Que se produit-il si une personne, en contact avec le sol, touche la borne active (la phase) d'une prise de courant ?

2. Pourquoi les oiseaux peuvent-ils, sans danger, se poser sur un seul câble électrique ?

20 Des situations d'électrisation

Les dessins ci-dessous représentent des situations d'électrisation dangereuses.

1. Décris, en quelques mots, les dangers présentés dans chaque situation.

2. Indique, dans chaque cas, une règle de sécurité permettant d'éviter tout risque d'électrisation.

21 HISTOIRE DES SCIENCES

Au XVIIIᵉ siècle, l'électricité intéressa de nombre savants. Un physiologiste italien, Luigi GALVANI, étudiait les effets de l'électricité sur les anima remarqua vers 1790 que les cuisses de grenoui suspendues par des crochets de cuivre à son balcon, contractaient lorsqu'elles touchaient la rambarde fer. Cette réaction, en l'absence de source de coura l'amena à la conclusion que la grenouille était à l'o gine de l'électricité.

Son compatriote Alessandro VOLTA s'opposa à ce thèse. Il s'ensuivit une controverse qui prit fin en 18 lorsque VOLTA, montra que c'était le contact de de métaux différents, en présence de liquide, qui étai l'origine de l'électricité. Mais GALVANI était mort, da l'ignorance, deux ans auparavant.

1. Recherche, à l'aide d'un dictionnaire, ce qu'étud un physiologiste.

2. Quels sont les deux métaux différents à l'origine l'électricité dans l'expérience de GALVANI ?

3. D'après VOLTA, avec quoi les deux métaux devaier ils être en contact pour que le phénomène produise ?

☀ Boîte à idées

- Exercice 11
  2. Le tungstène, le plomb, le cuivre et le laiton sont des métaux.
- Exercice 18
  2. Un conducteur traversé par le courant peut s'échauffer fortement.
- Exercice 19
  1. et 2. Le sol est conducteur, ce n'est pas le cas de l'air.
- Exercice 20
  2. Un disjoncteur permet d'ouvrir le circuit électrique de la maison.

Le bistouri électrique

Actuellement, lors des interventions chirurgicales, les chirurgiens utilisent de plus en plus des bistouris électriques (Doc. 1) pour sectionner la peau et les différents organes. Comment fonctionne cet appareil ?

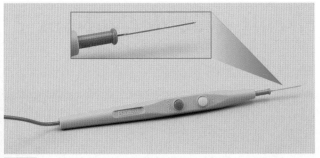

Doc 1 La lame du bistouri électrique n'est pas tranchante.

▶ Contrairement au bistouri classique, dont la lame très aiguisée permet d'inciser facilement la peau, la lame du bistouri électrique n'est pas tranchante : c'est le courant électrique qui va permettre d'inciser la peau.

▶ La lame du bistouri électrique est reliée à une borne d'un générateur (Doc. 2). Pour qu'un courant électrique circule lorsque la lame touche la peau, il faut que le circuit électrique soit fermé : l'autre borne du générateur est donc reliée à une partie du corps humain (le corps humain est conducteur !).

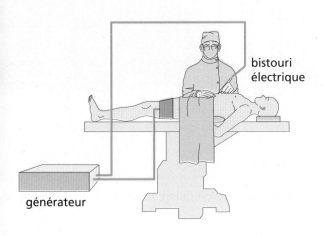

Doc 2 Principe de fonctionnement du bistouri électrique.

▶ Lorsque le bistouri électrique touche la peau, la chaleur dégagée, au niveau de la lame, permet de sectionner les tissus de l'organisme. Il en résulte une coagulation des vaisseaux sanguins au fur et à mesure que le chirurgien pratique l'incision ; cela évite les saignements et facilite son travail.

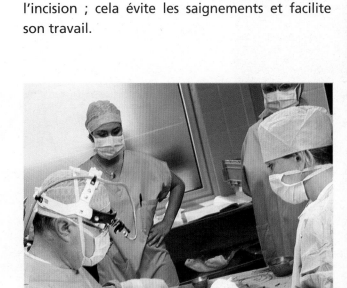

Doc 3 Opération chirurgicale.

QUESTIONS

I. As-tu bien compris le texte ?

1 *Décris, en une phrase, comment fonctionne le bistouri électrique.*

2 *Recherche, à l'aide d'un dictionnaire, ce que veut dire le mot coagulation.*

II. Sais-tu expliquer ?

3 *Pourquoi faut-il une seconde borne collée sur une partie du corps humain ?*

4 *Pourquoi n'est-il pas nécessaire que la lame du bistouri électrique soit tranchante ?*

Qu'est-ce qu'un circuit avec dérivations ?

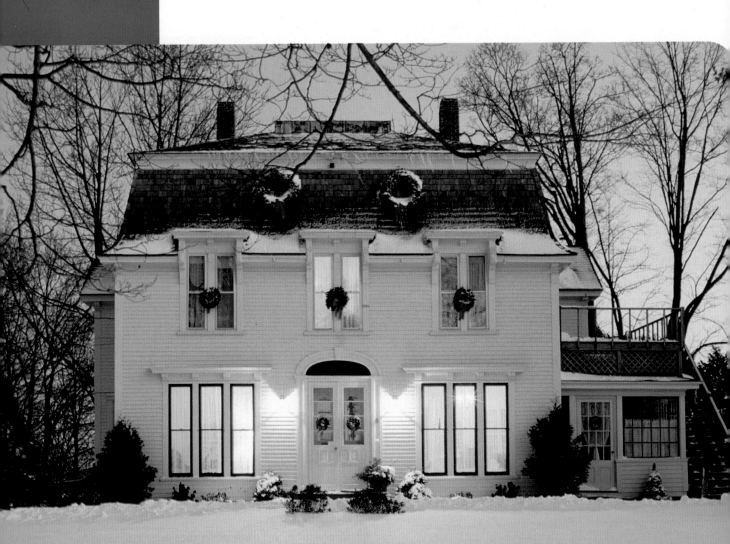

▲ *Dans une habitation, les lampes sont branchées en dérivation pour qu'on puisse les allumer indépendamme*

Objectifs

▶ Identifier les différentes boucles d'un circuit en dérivation.

▶ Prévoir que la boucle contenant une lampe dévissée, est ouverte.

▶ Identifier des situations de court-circuit et en prévoir les conséquences.

AU PROGRAMME DE L'ÉCOLE ÉLÉMENTAIRE :

Distinguer les montages en série et en dérivation.

Identifier des pannes dans un circuit simple.

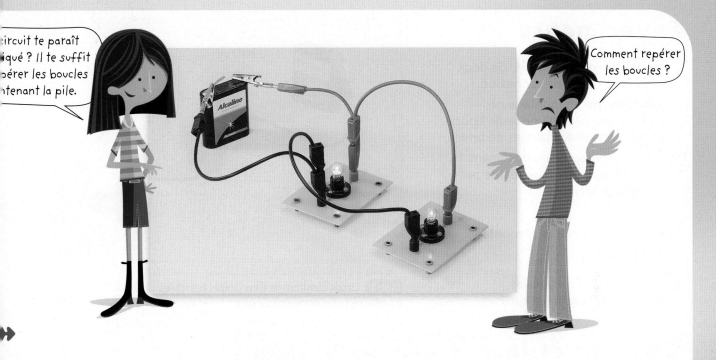

Circuit te paraît ...iqué ? Il te suffit ...érer les boucles ...tenant la pile.

Comment repérer les boucles ?

C▶ Le lève-vitre électrique de cette automobile ne fonctionne plus ; il faut changer un fusible.
À quoi sert un fusible ?

▶ Pourquoi l'un des phares d'une automobile peut-il fonctionner alors que l'autre est éteint ?

1 Réalisation d'un circuit avec dérivations

Tu sais brancher plusieurs dipôles pour réaliser une boucle simple.
Existe-t-il d'autres modes de branchements ?

Expérimente

- Tu **disposes** d'une pile, de deux lampes et de fils de connexion.
- **Recherche** un montage ne comportant pas qu'une seule boucle et permettant aux lampes de briller.
- La photographie du **document 1** est celle d'un montage réalisé par un groupe d'élèves.

❶ Combien de boucles ce montage comporte-t-il ?

❷ Dans combien de boucles trouve-t-on le générateur ?

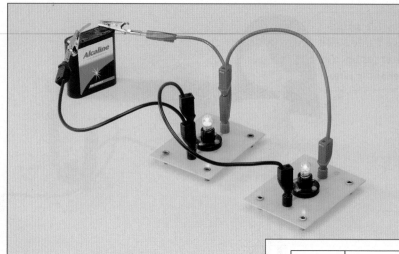

Doc 1 Circuit constitué de deux lampes branchées en dérivation aux bornes d'une pile.

Observe et interprète

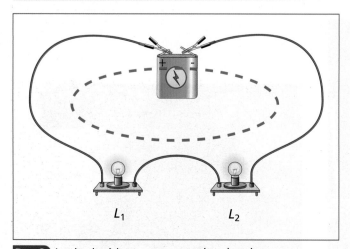

Doc 2 Le circuit série ne comporte qu'une boucle.

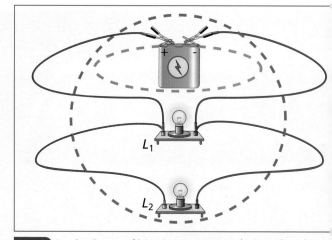

Doc 3 Le circuit avec dérivations comporte plusieurs boucles.

→ Un montage constitué d'une boucle simple contenant le générateur et un ou plusieurs dipôles, est appelé circuit en **série** (Doc. 2).

→ Le montage avec deux boucles contenant l'une et l'autre le générateur, est appelé circuit avec **dérivations** (Doc. 3) (▶▶). On dit que les lampes L_1 et L_2 sont branchées en dérivation aux bornes du générateur.

▶▶ *Pour reconnaître un circuit avec dérivations, il faut compter les boucles qui contiennent le générateur : ce nombre doit être a moins égal à deux (Doc A, page 12*

Conclusion

- Un circuit en série est constitué d'une seule boucle contenant le générateur.
- Un circuit avec dérivations comporte plusieurs boucles.

Pour s'entraîner ▶ exercices 2 et

Comportement des dipôles

...hez toi, tu peux allumer ou éteindre la lampe de ta chambre alors que celle ...u salon reste éclairée. Comment ces lampes sont-elles branchées ?

...xpérimente

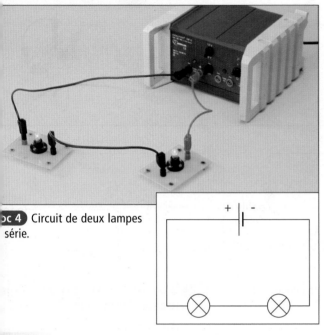

Doc 4 Circuit de deux lampes ...série.

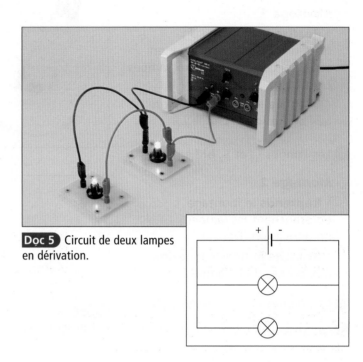

Doc 5 Circuit de deux lampes en dérivation.

- **Réalise** les montages des **documents 4 et 5**.
- Dans chaque montage, **dévisse**, puis **revisse** l'une des lampes.

...ue constates-tu ?

...bserve

Dans le circuit en série (**Doc. 4**), lorsqu'une lampe est dévissée, les deux lampes sont éteintes.

Dans le circuit avec dérivations (**Doc. 5**), lorsqu'une lampe est dévissée, l'autre brille encore, avec le même éclat (**Doc. 6**).

...nterprète

Le circuit en série ne comporte qu'une seule boucle : si on dévisse une lampe, on ouvre le circuit. Le courant électrique ne circule plus.

Le circuit avec dérivations comporte plusieurs boucles. Si on dévisse l'une des lampes, seule la boucle contenant cette lampe est ouverte. La boucle contenant l'autre lampe reste fermée et le courant peut circuler (➔➔).

...onclusion

- **Les dipôles d'un circuit en série fonctionnent en même temps.**
- **Dans un circuit avec des dérivations, les dipôles en dérivation peuvent fonctionner indépendamment les uns des autres.**

Doc 6 Dans une habitation, les lampes sont branchées en dérivation. On peut les allumer indépendamment les unes des autres.

➔➔ *Les lampes des phares d'une voiture sont branchées en dérivation. Si l'une est grillée, l'autre continue à fonctionner (Doc B, page 121).*

Pour s'entraîner ▸ exercices 4 et 5

Court-circuit

Que se passe-t-il si on court-circuite un dipôle dans un circuit ?

Expérimente

Montage 1

• **Réalise** le montage du document 7 qui comprend, en série, un générateur, deux lampes L_1 et L_2, et de la paille de fer.
• **Branche** le fil de connexion aux bornes de la lampe L_1.

❶ Les lampes L_1 et L_2 brillent-elles ?

Montage 2

• **Reprends** le montage en branchant les lampes en dérivation (Doc. 8).
• **Branche** le fil de connexion aux bornes de la lampe L_1.

❷ Les lampes L_1 et L_2 brillent-elles ?

❸ Qu'arrive-t-il à la paille de fer ?

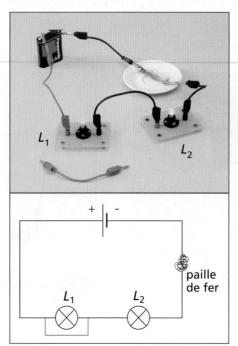

Doc 7 On court-circuite la lampe L_1 dans le montage en série.

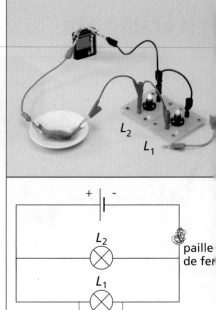

Doc 8 On court-circuite la lampe L_1 dans le montage avec dérivations.

Observe

→ Dans le montage en série, si on relie les bornes d'une lampe par un fil de connexion, elle s'éteint et l'autre lampe brille davantage. La paille de fer ne brûle pas.

→ Dans le montage en dérivation, si on relie les bornes d'une lampe par un fil de connexion, les deux lampes s'éteignent et la paille de fer brûle.

Interprète

→ On court-circuite une lampe quand on relie ses bornes par un fil de connexion. Le courant ne passe plus dans la lampe mais passe par le fil de connexion.

→ Si les deux lampes sont branchées en dérivation, l'autre s'éteindra aussi car on met **le générateur en court-circuit** (Doc. 9) (➡). La paille de fer sert de **fusible** ; un fusible permet de couper le courant quand ce dernier devient trop intense.

Doc 9 La ligne en pointillés figure la circulation du courant. Le courant ne pas plus par les lampes mais seulement par la paille de fer. En court-circuitant la lampe L_1, on court-circuite la lampe L_2 et le générateur.

Conclusion

• Un fil de connexion, branché aux bornes d'un dipôle, met ce dipôle en court-circuit.

• Dans un circuit ne comportant que des dipôles en dérivation, la mise en court-circuit de l'un des dipôles met aussi le générateur en court-circuit.

➡ *Les fusibles protègent la batterie d'accumulateurs d'une voiture contre un éventuel court-circuit (Doc C, page 121).*

Pour s'entraîner ▶ exercice 6

Par le texte

- Un circuit **en série** est constitué d'une seule boucle contenant le générateur.
- Un circuit avec plusieurs boucles contenant le générateur est appelé **circuit avec dérivations**.
- Dans un circuit avec dérivations, les dipôles en dérivation peuvent fonctionner **indépendamment** les uns des autres.
- Un fil de connexion branché aux bornes d'un dipôle met ce dipôle en **court-circuit**.

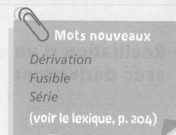

Mots nouveaux

Dérivation
Fusible
Série

(voir le lexique, p. 204)

Par l'image

Pour distinguer un circuit en série d'un circuit avec dérivations, on compte les boucles contenant le générateur.

une seule boucle → **circuit en série**

deux boucles ou plus → **circuit avec dérivations**

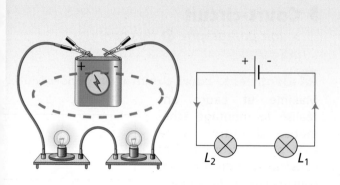

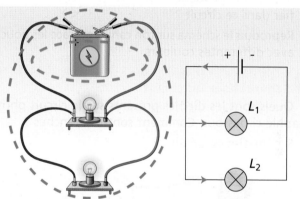

Court-circuit d'un dipôle

circuit en série

circuit avec dérivations

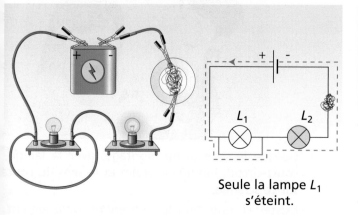

Seule la lampe L_1 s'éteint.

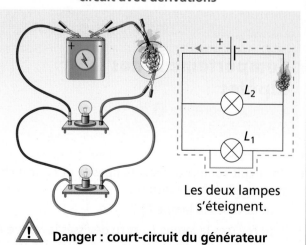

Les deux lampes s'éteignent.

⚠ **Danger : court-circuit du générateur**

▶ Réalisation d'un circuit avec dérivations

> *voir paragraphe ❶ du cours*

1 Identifier un circuit

Un circuit comporte une pile et une lampe. On branche une seconde lampe aux bornes de la première.

1. Quel nom porte ce nouveau circuit ?

2. Schématise-le.

2 Identifier des boucles

Le schéma ci-contre représente un circuit comportant des dérivations.

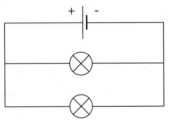

1. Combien de boucles contenant le générateur peut-on identifier dans ce circuit ?

2. Reproduis le schéma sur ton cahier et trace les boucles avec différentes couleurs.

3 Schématiser un circuit

1. Quels sont les dipôles présents sur le circuit photographié ci-dessous. Comment sont-ils branchés ?

2. Schématise ce circuit.

▶ Comportement des dipôles

> *voir paragraphe ❷ du cours*

4 Différencier le comportement des lampes

1. Un circuit comporte deux lampes L_1 et L_2 branchées en série. Qu'observes-tu si :

   a. tu dévisses la lampe L_1 ?

   b. tu revisses la lampe L_1 et tu dévisses la lampe L_2 ?

   Justifie tes réponses.

2. Un circuit comporte deux lampes L_1 et L_2 branché en dérivation. Qu'observes-tu si :

   a. tu dévisses la lampe L_1 ?

   b. tu revisses la lampe L_1 et tu dévisses la lampe L_2

   Justifie tes réponses.

5 Comparer deux circuits

1. Comment reconnaît-on un circuit en série ? un circuit avec dérivations ?

2. Parmi les montages (a) et (b) ci-dessous, quel est circuit avec dérivations ?

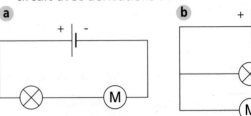

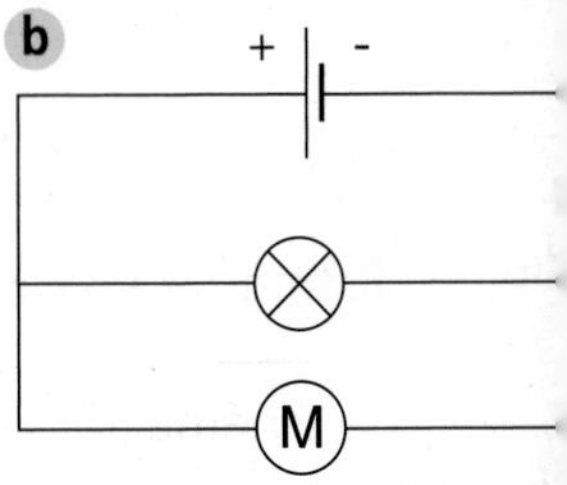

3. Pour chacun des montages, indique comment fonctionne le moteur si la lampe est grillée.

▶ Court-circuit

> *voir paragraphe ❸ du cours*

6 Identifier le court-circuit d'un générateur

Maxime et Laura ont réalisé le montage schématisé ci-contre. Ils ne sont pas d'accord sur les conséquences de la mise en court-circuit de la lampe.

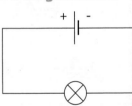

Si je mets la lampe en court-circuit, je mets aussi la pile en court-circuit.

Mais non, si tu m... la lampe en court-... la pile ne risque ri...

1. Dessine le schéma du montage, avec la lampe court-circuit. Indique le trajet et le sens du coura... sur ce schéma.

2. Existe-t-il une boucle contenant uniquement générateur ?

3. Qui a raison : Maxime ou Laura ?

exercices

e que tu dois savoir

Identifier les différentes boucles d'un circuit comportant des dérivations.

Prévoir que la boucle contenant une lampe dévissée est ouverte.

Identifier la situation de court-circuit d'un générateur ou d'un autre dipôle.

Ce que tu dois savoir faire

• Réaliser des montages :
– en série ;
– en dérivation.

Je vérifie que je sais

Choisis les bonnes réponses.

Énoncés	Réponse A	Réponse B	Réponse C	Aide
Un circuit électrique comportant deux lampes en dérivation, forme…	une boucle contenant le générateur	deux boucles contenant le générateur	trois boucles contenant le générateur	p. 122
Dans le schéma ci-contre, les lampes sont montées en… 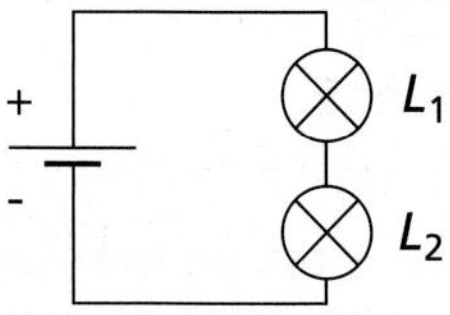	dérivation	boucle simple	série	p. 122
Dans le schéma ci-contre, les lampes sont montées en… 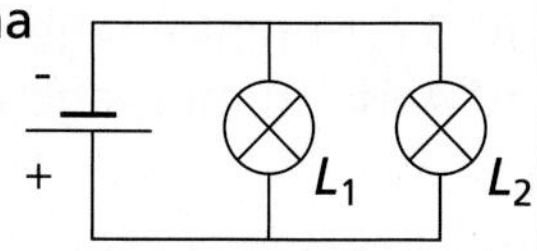	série	boucle simple	dérivation	p. 122
La lampe L_2 est en court-circuit dans le montage…	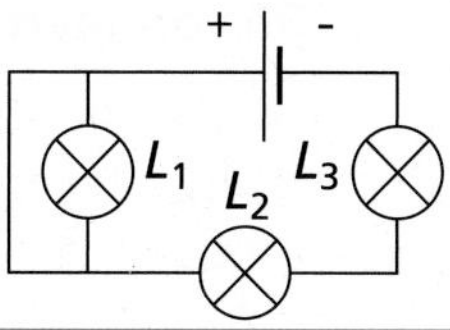	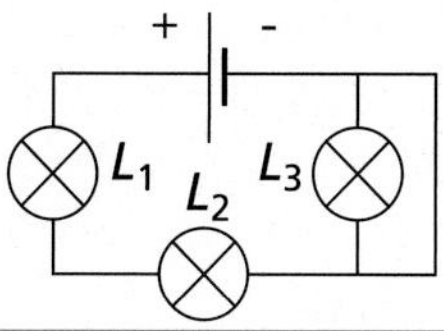	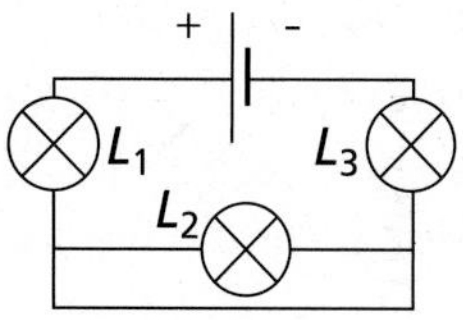	p. 124
Le générateur est en court-circuit dans les montages…	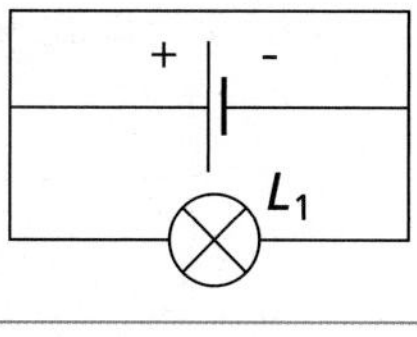	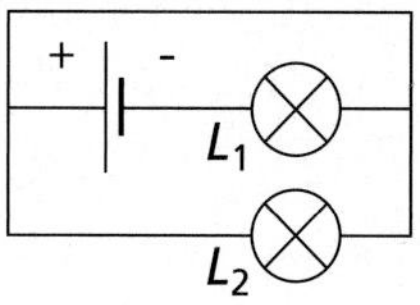	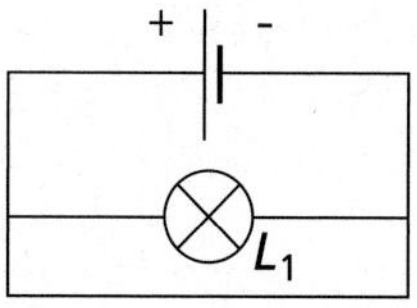	p. 124

> réponses en fin de manuel

Je vérifie que je sais faire

Choisis les bonnes réponses.

Énoncés	Réponse A	Réponse B	Réponse C	Aide
Pour réaliser le montage de deux lampes en série, je dois suivre le schéma…	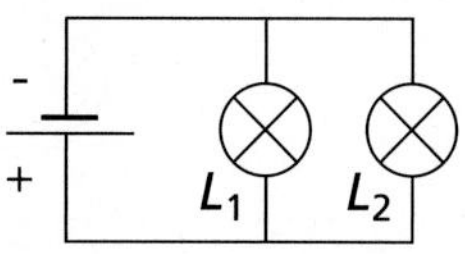	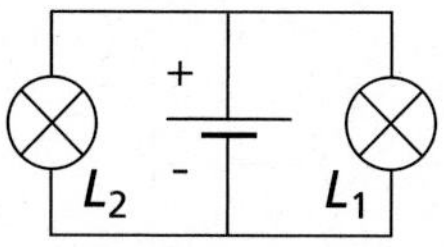	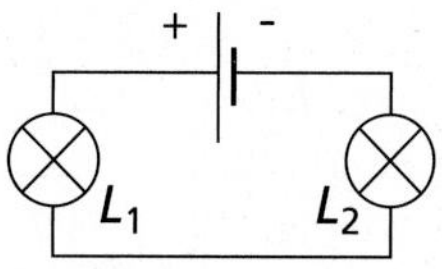	p. 122
Pour réaliser le montage de deux lampes en dérivation, je dois suivre le schéma…	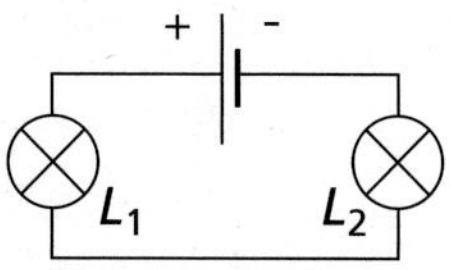	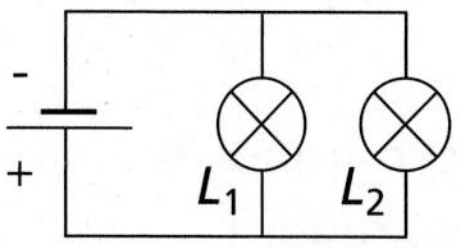	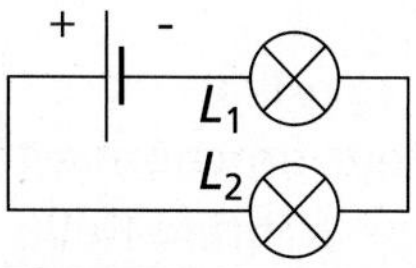	p. 122

> réponses en fin de manuel

exercices

Utilise tes connaissances

9 Apprends à résoudre

Le circuit du schéma ci-dessous comporte une pile et trois lampes.

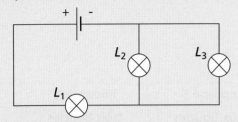

1. Si on dévisse la lampe L_1, les lampes L_2 et L_3 fonctionnent-elles ?
2. Si on dévisse la lampe L_2, les lampes L_1 et L_3 restent-elles allumées ?
3. Si on dévisse les lampes L_2 et L_3, la lampe L_1 brille-t-elle ?

SOLUTION

1. Quand la lampe L_1 est dévissée, la boucle contenant le générateur et les lampes L_1 et L_2 est interrompue, donc la lampe L_2 ne brille pas. La boucle contenant le générateur et les lampes L_1 et L_3 est interrompue, donc la lampe L_3 ne brille pas.
2. Quand la lampe L_2 est dévissée, la boucle contenant le générateur et les lampes L_1 et L_3 n'est pas interrompue, donc les lampes L_1 et L_3 restent allumées.
3. Lorsque les lampes L_2 et L_3 sont dévissées, la lampe L_1 n'appartient à aucune boucle fermée contenant le générateur, donc elle ne peut pas briller.

À TON TOUR

Le circuit électrique ci-dessous comporte deux lampes identiques, L_1 et L_2, et un moteur électrique.

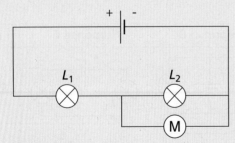

1. La lampe L_2 grille.
   a. Le moteur fonctionne-t-il ? Pourquoi ?
   b. La lampe L_1 brille-t-elle ? Pourquoi ?
2. La lampe L_1 grille.
   a. Le moteur fonctionne-t-il ? Pourquoi ?
   b. La lampe L_2 brille-t-elle ? Pourquoi ?

10 Série ou avec dérivations ?

On considère les montages représentés ci-dessous.

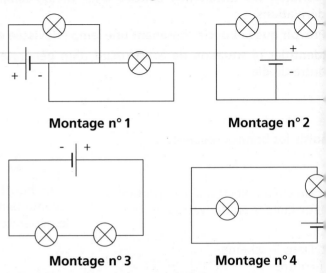

Montage n° 1   **Montage n° 2**

Montage n° 3   **Montage n° 4**

Recopie les affirmations exactes.

1. Le montage n° 1 est un montage en série.
2. Le montage n° 2 est un montage en série.
3. Le montage n° 3 est un montage en série.
4. Le montage n° 4 est un montage avec dérivations.

11 Quel est le bon schéma ?

On considère le montage dessiné ci-dessous.

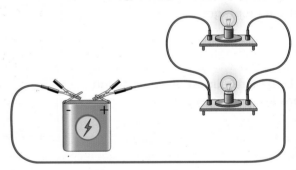

Parmi les schémas suivants, lequel correspond au montage ci-dessus ?

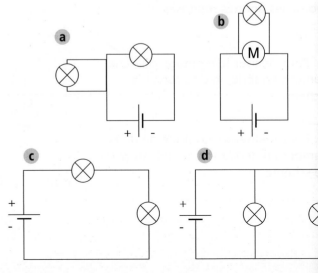

a

b

c

d

12 Un moteur supplémentaire

Un circuit électrique est formé d'un générateur, d'un interrupteur et d'une lampe. L'ordre de ces dipôles est donné en partant de la borne positive.

1. Schématise le montage.

2. On veut insérer un moteur dans ce circuit. Comment brancher le moteur pour que la lampe garde le même éclat ? Schématise le nouveau montage comportant le moteur.

3. Le moteur fonctionne-t-il encore si la lampe est grillée ? Pourquoi ?

13 Schématise un circuit

1. Schématise le montage photographié ci-dessus.

2. Comment sont associées la D.E.L. et sa résistance de protection ?

3. Comment sont branchés le moteur et l'ensemble (D.E.L. + résistance) : en série ou en dérivation ?

14 Les lampes d'un lustre

Pour allumer le lustre du salon, on dispose de deux interrupteurs. Le premier permet d'allumer trois lampes ensemble, le second permet d'allumer simultanément les trois autres. Lorsqu'une lampe est grillée, les autres fonctionnent correctement.

1. Les lampes du lustre sont-elles branchées en série ou en dérivation ?

2. Représente le schéma du circuit comportant les six lampes et les deux interrupteurs. (Pour le générateur, tu peux utiliser le symbole de la pile.)

15 Un dipôle en court-circuit

Anaïs a réalisé le montage ci-dessous :

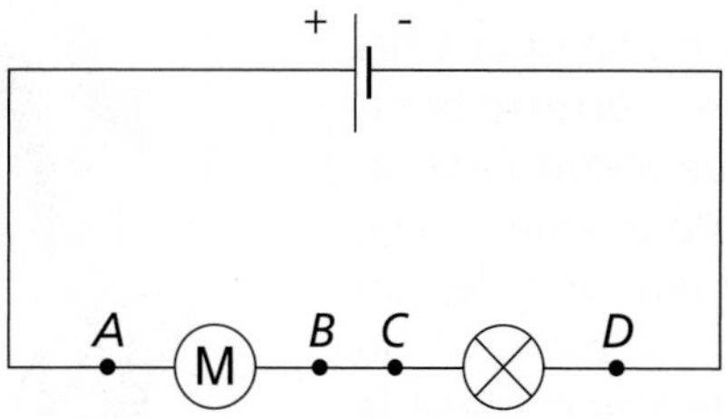

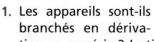

1. Entre quelles bornes doit-elle brancher un fil de connexion pour mettre le moteur en court-circuit ?

2. Schématise le circuit correspondant. Indique le trajet et le sens du courant sur ce schéma.

3. Le moteur fonctionne-t-il ? Pourquoi ?

4. La lampe brille-t-elle davantage ? Pourquoi ?

16 Attention : multiprise

Yoann utilise une multiprise pour brancher une lampe de chevet, un téléviseur et un ordinateur.

1. Les appareils sont-ils branchés en dérivation ou en série ? Justifie ta réponse.

2. Schématise le circuit lorsque trois lampes sont branchées à la multiprise. (Tu dessineras le symbole de la pile pour représenter le générateur.)

3. Que se produirait-il si une lampe était mise en court-circuit ? Pourquoi cela serait-il dangereux ?

17 Rébus

18 Sarah veut installer une sonnette

Sarah veut installer une sonnette commandée par deux interrupteurs, l'un au portail, l'autre à la porte d'entrée.

1. Les interrupteurs doivent-ils être branchés en série ou en dérivation ?

2. Recopie et complète le schéma du montage ci-dessous en rajoutant les deux interrupteurs.

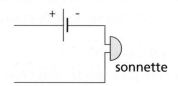

19 Chirurgie cardiaque

Il arrive qu'une artère du cœur se bouche partiellement. Le sang ne peut alors plus circuler correctement, ce qui risque d'entraîner un infarctus. Pour éviter cela, le chirurgien réalise un pontage : il prélève un segment de veine (dans la jambe par exemple) qu'il relie à l'artère du cœur mais en contournant la partie obstruée.

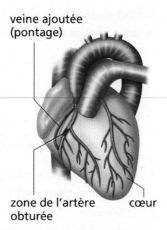

veine ajoutée (pontage)

zone de l'artère obturée   cœur

Quel est le terme, en électricité, qui correspond à cette opération ?

20 Quelles lampes brillent ?

Laëtitia a réalisé le montage ci-dessous avec des lampes identiques.

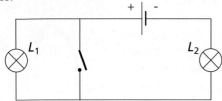

1. Lorsque l'interrupteur est ouvert :

  a. les deux lampes éclairent-elles ?

  b. l'une des lampes éclaire-t-elle plus que l'autre ?

2. Lorsque l'interrupteur est fermé :

  a. une lampe est-elle en court-circuit ?

  b. la lampe L_1 éclaire-t-elle comme précédemment ? Pourquoi ?

  c. la lampe L_2 éclaire-t-elle comme précédemment ? Pourquoi ?

3. Reproduis le schéma, lorsque l'interrupteur est fermé. Surligne la boucle parcourue par le courant et indique le sens de ce courant.

21 Où est la panne ?

Clément a réalisé le circuit ci-dessous. Mais les lampes n'éclairent pas.

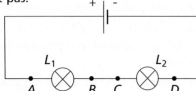

S'il relie par un fil les bornes A et B, la lampe L_2 éclaire.

S'il relie par un fil les bornes C et D, la lampe L_1 reste éteinte.

1. Où est située la panne ?

2. Que faut-il faire pour que le circuit fonctionne ?

22 HISTOIRE DES SCIENCES

Entre le XVIIIe et le début du XXe siècle, le gaz est utilisé pour l'éclairage des rues. Une première tentative d'éclairage électrique est réalisée, place de la Concorde à Paris, en 1846, à l'aide d'une lampe à arc : un arc lumineux jaillit entre deux électrodes métalliques reliées aux bornes d'un générateur. Mais ce procédé se révèle peu fiable et dangereux.

C'est l'invention de la lampe sous vide avec filament qui révolutionne l'éclairage à la fin du XIXe siècle. La technique est améliorée par la suite pour augmenter les performances : la lampe à filament de tungstène baignant dans une atmosphère gazeuse (1913), la lampe à vapeur de sodium à basse pression (1930), la lampe fluorescente (1939).

Le Conseil général des Bouches-du-Rhône finance en 1931 l'éclairage de 18 km sur la Nationale 8 entre Marseille et Aix-en-Provence, avec 400 lampes à filament de tungstène, installées à 9 m de hauteur tous les 45 m. En octobre 1933, le premier tronçon de route (4,750 km), éclairé à l'aide de lampes à sodium, est inauguré entre Paris et Versailles.

1. Comment est réalisé l'éclairage en ville au XIXe siècle ?

2. Quelle invention a révolutionné l'éclairage ?

3. Quand est apparu l'éclairage des routes tel que nous le connaissons ? Où ?

4. Les lampes de la voie publique sont-elles branchées en série ou en dérivation ? Justifie ta réponse.

Boîte à idées

• Exercice 18

  1. Remarquer qu'il n'est pas nécessaire de fermer les deux interrupteurs la fois pour déclencher la sonnette ; il suffit de fermer l'un ou l'autre.

• Exercice 21

  1. La panne peut avoir deux origines : soit des lampes sont grillées, soit la pile est usée.

L'acheminement de l'électricité

L'électricité produite dans les centrales est acheminée vers les lieux de consommation par un réseau de lignes très haute tension (T.H.T.) de plusieurs milliers de kilomètres (Doc. 1).

▶ La consommation d'électricité est liée aux saisons et à l'activité humaine. La production doit s'adapter à la demande, car l'électricité n'est pas stockable. Un des pics journalier a lieu vers 13 h 00.

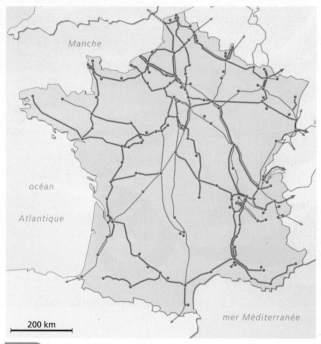

Doc 1 Le réseau THT.

▶ La répartition de cette énergie est gérée par des postes de *dispatching*. Ils existent au niveau national et régional. C'est dans ces lieux stratégiques que l'électricité est répartie en fonction des besoins (Doc. 2).

Doc 2 Un centre de dispatching.

Doc 3 Une ligne T.H.T. endommagée lors de la tempête de 1999.

▶ Au niveau local, l'énergie est distribuée à partir de transformateurs d'où partent des lignes, en dérivation, alimentant les différents quartiers.
La tempête de décembre 1999 a montré la fragilité des installations aériennes. La destruction des lignes a privé d'électricité un grand nombre de foyers (Doc. 3).

▶ Aujourd'hui, on réalise des lignes souterraines pour la T.H.T. Leur coût de construction reste très important et cela freine leur développement.

QUESTIONS

I. As-tu bien compris le texte ?

1 *Comment l'électricité, produite par les centrales, est-elle acheminée vers les lieux de consommation ?*

2 *Que signifie le sigle T.H.T. ? Pourquoi cherche-t-on à enfouir les lignes T.H.T. ?*

II. Sais-tu expliquer ?

3 *Quel est l'intérêt de construire des lignes en dérivation ?*

Le circuit électrique d'un scooter

Doc 1 De nombreux dispositifs de ce scooter fonctionnent grâce à l'électricité.

Le circuit électrique d'un scooter comprend de nombreux dipôles.

Parmi les dipôles alimentés par la batterie, on trouve :
– le démarreur ;
– différentes lampes (éclairage avant, feu arrière, clignotants, feu de stop...).

Pour employer moins de fils, la carrosserie métallique du scooter est utilisée comme conducteur : on l'appelle la masse. Pour cela, la borne négative de la batterie, ainsi qu'une borne de chaque lampe, sont reliées à la carrosserie. Le courant qui sort par la borne positive de la batterie alimente chaque récepteur et revient à la borne négative par la carrosserie : on parle de retour par la masse.

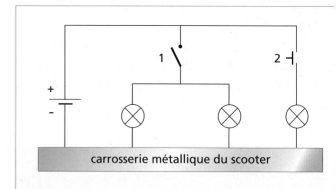

Doc 2 Schéma d'une partie du circuit électrique d'un scooter. Sont représentées : la batterie, les lampes du phare et du feu roug arrière, la lampe du feu de stop.

Questions :

1 Lequel des interrupteurs (1 ou 2) permet d'allumer ensemble le phare et le feu rouge ?

2 a. Lequel des interrupteurs est un interrupteur poussoir ?

b. Cet interrupteur commande le feu de stop. Comment cet interrupteur est-il actionné par le conducteur ?

c. Pourquoi avoir choisi un tel interrupteur ?

3 Si l'une de ces lampes grille, les autres peuvent-elles encore fonctionner ?

Mobilise ton savoir-faire

ns une voiture les phares peuvent être allumés même si
moteur ne tourne pas. Si un phare ne fonctionne plus,
utre doit continuer à briller.

disposes de deux lampes, d'un moteur, de deux inter-
pteurs, d'une pile et de fils de connexion.

vas imaginer un montage électrique remplissant les
ois conditions suivantes :

les deux phares s'éteignent et s'allument en même temps ;

la panne d'un phare n'entraîne pas l'extinction de
utre ;

le démarreur (moteur électrique) peut être mis en route
arrêté indépendamment des phares.

Doc 3 Comment schématiser le circuit électrique des phares
d'une voiture ?

éalise un montage qui remplit les deux premières conditions

Schéma :

Première étape : les deux phares s'allument et s'éteignent en même temps.
Schématise deux montages différents qui permettent d'allumer et d'éteindre deux lampes en même temps.
Vérifie que tes montages conviennent et qu'ils ne comportent aucun court-circuit.

Seconde étape : la panne d'un phare n'entraîne pas l'extinction de l'autre.
Choisis parmi les montages précédents celui qui permet à une lampe de rester allumée, même si l'autre ne
fonctionne pas.
Fais vérifier le schéma de ton projet par le professeur.
Comment sont branchées les lampes dans ce montage ? dans le montage éliminé ?

Montage :

Réalise le montage à partir du schéma.
Fais vérifier ton montage par le professeur avant de fermer l'interrupteur.

éalise un montage qui remplit les trois conditions

Comment brancher un interrupteur et un moteur, sur le montage précédent, pour que l'on puisse mettre
en route ou arrêter le moteur indépendamment des lampes ?

Schéma :

Complète le schéma précédent, en ajoutant un interrupteur et un moteur.

Montage :

Réalise le montage correspondant à ton schéma.
Fais vérifier ton montage par le professeur avant de fermer les interrupteurs.
Actionne les interrupteurs.
Peux-tu commander le moteur indépendamment des deux lampes comme tu l'as prévu ?

À quelles conditions peut-on voir un objet ?

▲ *Un faisceau lumineux suit les déplacements de l'artiste.*

Objectifs

▸ Être capable de citer des sources de lumière.

▸ Connaître les conditions de visibilité d'un objet.

▸ Savoir éclairer des objets avec un écran diffusant.

Débat... pour préparer la leçon

AU PROGRAMME DE L'ÉCOLE ÉLÉMENTAIRE :

our qu'un objet soit vu, il est nécessaire que de la lumière, issue de cet objet, entre dans l'œil
e l'observateur.

B▶ Dans quelles conditions les spectateurs peuvent-ils admirer ce magnifique feu d'artifice ? Pourquoi les jeunes enfants ont-ils souvent du mal à voir un feu d'artifice ?

▶ Pourquoi la tour Eiffel est-elle visible nuit ? Par quoi est-elle éclairée ?

▶

> **Je vais utiliser ce parapluie blanc pour mieux éclairer ton visage.**

> **Comment va-t-il m'éclairer avec un parapluie ?**

135.

Sources de lumière

Dans une pièce obscure tu ne vois rien. Si tu allumes la lampe, les objets qui t'entourent deviennent visibles. Quel rôle joue la lampe ?

Analyse des documents

Doc 1 Éclairage d'un arbre.

Doc 2 Feu de camp.

Doc 3 Coulée de lave en fus

Observe les documents 1, 2 et 3. Quels sont, sur ces documents :

❶ les objets qui produisent de la lumière ?

❷ les objets qui sont éclairés par une source de lumière ?

Interprète

→ La lampe du spot lumineux, la flamme du feu de camp, la coulée de lave incandescente et les étoiles (Doc. 4) produisent leur propre lumière : ce sont des **sources primaires de lumière** (⇒).

→ L'arbre, les personnes autour du feu de camp et la Lune (Doc. 4) sont visibles s'ils sont éclairés par une source primaire de lumière. Ils ne produisent pas leur propre lumière ; ils diffusent la lumière qu'ils reçoivent : ce sont des **objets diffusants**.

Doc 4 Les étoiles produisent leur pro lumière. La Lune est un objet diffusant éclairé par le Soleil.

Conclusion

Il existe deux types de sources de lumière :
– les sources primaires qui produisent leur propre lumière ;
– les objets diffusants qui doivent être éclairés pour être vus.

Le Soleil, les lasers, l'écran d'un téléviseur en fonctionnement, un éclair, les étoiles sont des sources primaires de lumière. La plupart des objets (crayons, livres…), les planètes, la Lune sont des objets diffusants.

⇒ *La tour Eiffel est visible la nuit,
elle est éclairée par des projecteurs
sources primaires de lumière
(Doc A, page 135).*

Pour s'entraîner ▶ exercices 1 à

Condition de visibilité d'une source primaire

Un spectateur mal placé n'a pas bien vu un feu d'artifice.
Quelle est la condition pour voir une source primaire de lumière ?

Expérimente

- Tu **disposes** d'une boîte, peinte intérieurement en noir, représentée sur le document 5, et d'une lampe.

- **Place** ton œil devant le trou A puis devant le trou B (Doc. 5 a).

- **Place** une feuille de papier devant chacun des trous A et B et **regarde** si la feuille est éclairée.

- **Glisse**, successivement dans la fente de la boîte, un écran en carton (Doc. 5 b), une plaque de plexiglas, et **regarde** par le trou A.

Dans quelles conditions vois-tu la lampe ?

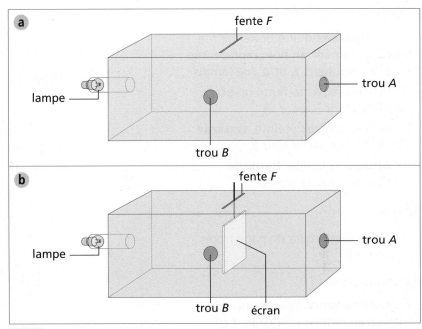

Doc 5 Une boîte noire **(a)**. Un écran y est introduit **(b)**.

Observe

- La lampe n'est visible que par le trou A.
- La feuille de papier n'est éclairée que devant ce trou.
- Lorsque l'on interpose un écran en carton, on ne voit plus la lampe par le trou A. On la distingue nettement avec la plaque de plexiglas.

Interprète

- Grâce à la feuille de papier, on a montré que de la lumière issue de la lampe sort par le trou A. D'autre part, l'observateur ne voit la lampe que si son œil est placé devant ce trou : pour voir la lampe, il faut que de la lumière issue de celle-ci arrive dans l'œil.

- L'écran en carton arrête la lumière : il est **opaque** (▶▶).

- La plaque de plexiglas laisse passer la lumière : elle est **transparente**.

Doc 6 Les enfants portent des lunettes spéciales pour observer une éclipse de Soleil.

Conclusion

- **Pour voir une source primaire, il faut que de la lumière issue de la source pénètre dans l'œil de l'observateur.**

- **La lumière peut traverser un objet transparent, mais pas un objet opaque.**

▶▶ *Les spectateurs peuvent observer le feu d'artifice s'ils n'ont pas d'objets opaques devant les yeux (Doc B, page 135).*

Pour s'entraîner ▶ exercices 4 et 5

 Ne regarde jamais des sources lumineuses très intenses : le Soleil (Doc. 6), un laser, un poste de soudure à l'arc. Cela pourrait te rendre aveugle !

Conditions de visibilité d'objets diffusants

Tu vois ton livre, les murs de ta classe, ton camarade assis à coté de toi. Pourtant, ce ne sont pas des sources primaires. Pourquoi voit-on les objets qui nous entourent ?

Expérimente

- Tu **disposes** d'une boîte, peinte intérieurement en noir, représentée sur le document 7, et d'une lampe.
- **Introduis** par la fente un écran mobile blanc (Doc. 7 a).
- La lampe étant éteinte, **regarde** à l'intérieur par le trou *B*.
- **Allume** la lampe. **Regarde** à nouveau par le trou *B*.

❶ Que vois-tu ?

- **Place** une feuille de papier près du trou *B*.

❷ Qu'observes-tu ?

- **Recommence** l'expérience avec un écran mobile noir (Doc. 7 b).

❸ Observes-tu une différence ?

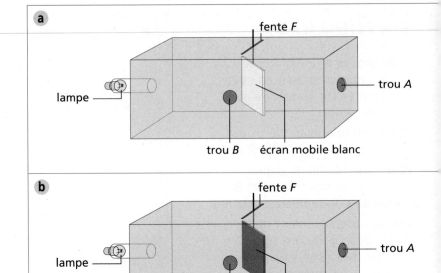

a

fente *F* — lampe — trou *A* — trou *B* — écran mobile blanc

b

fente *F* — lampe — trou *A* — trou *B* — écran mobile noir

Doc 7 Un écran mobile blanc **(a)**, puis noir **(b)**, est introduit dans la boîte.

Observe

→ Lorsque la lampe est éteinte, on ne voit rien par le trou *B*.

→ Lorsque la lampe est allumée et l'écran blanc convenablement orienté :
  – on voit, par le trou *B*, une partie de l'écran ;
  – on observe une tache lumineuse sur la feuille de papier placée devant ce trou.

→ Avec l'écran noir et la lampe allumée, on ne voit pas l'écran et la feuille de papier n'est pas éclairée.

Interprète

→ On voit l'écran blanc lorsqu'il est éclairé. Dans ce cas, il diffuse de la lumière vers nos yeux ; cette lumière diffusée peut éclairer tout autre objet correctement placé (▶▶).

→ L'écran noir est éclairé, mais on ne le voit pas. Il ne diffuse pas de lumière.

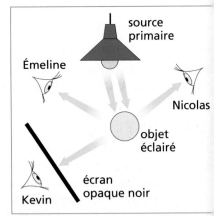

source primaire — Émeline — Nicolas — objet éclairé — écran opaque noir — Kevin

Doc 8 Émeline et Nicolas voient l'objet éclairé qui diffuse de la lumière vers leurs yeux. La lumière diffusée ne parvient pas dans les yeux de Kevin.

Conclusion

- Un objet diffusant est un objet qui renvoie, dans toutes les directions, une partie de la lumière qu'il reçoit. Il peut ainsi éclairer d'autres objets.

- Pour voir un objet, il faut qu'il soit éclairé et que de la lumière qu'il diffuse pénètre dans nos yeux.

▶▶ *L'intérieur d'un parapluie blanc, un drap blanc, éclairés par un projecteur diffusent la lumière vers le sujet à photographier (Doc C, page 135).*

Pour s'entraîner ▶ exercices 6 à 8

Par le texte

- Il existe deux types de sources de lumière :
  – les sources primaires, qui produisent leur propre lumière ;
  – les objets diffusants, qui, lorsqu'ils sont éclairés, renvoient dans toutes les directions une partie de la lumière qu'ils reçoivent ; ils peuvent ainsi éclairer d'autres objets.

- Pour voir une source primaire de lumière, nos yeux doivent recevoir de la lumière, issue de cette source.

- Pour voir un objet diffusant, il doit être éclairé et nos yeux doivent recevoir de la lumière diffusée par cet objet.

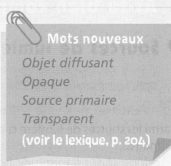

Mots nouveaux

Objet diffusant
Opaque
Source primaire
Transparent
(voir le lexique, p. 204)

Par l'image

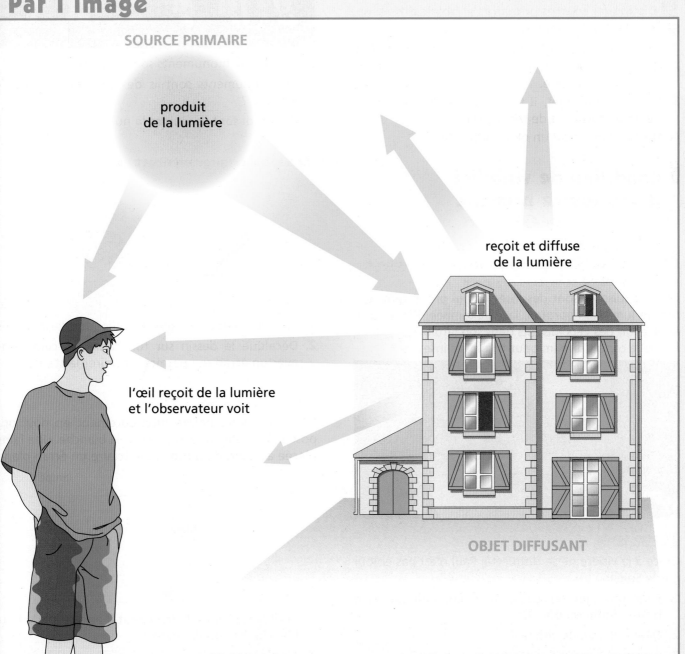

SOURCE PRIMAIRE

produit de la lumière

reçoit et diffuse de la lumière

l'œil reçoit de la lumière et l'observateur voit

OBJET DIFFUSANT

exercices

As-tu bien compris le cours ?

▸ Sources de lumière

> *voir paragraphe ❶ du cours*

1 Identifier des sources primaires de lumière

Parmi les sources de lumière ci-dessous, indique les sources primaires :

œil de chat ; flamme de bougie ; lave en fusion ; écran de téléviseur allumé ; gomme ; poisson rouge.

2 Reconnaître une source primaire de lumière

Dans l'obscurité, Lucie peut lire l'heure sur son radio-réveil, alors qu'elle ne peut pas lire son livre. Pourquoi ?

3 Distinguer sources primaires et objets diffusants

Recopie les bonnes réponses.

1. Un objet éclairé est une source primaire de lumière.
2. On ne peut voir un objet que s'il est une source primaire de lumière.
3. Pour voir un objet, il faut que l'œil reçoive de la lumière provenant de cet objet.
4. Un objet blanc est un objet diffusant.

▸ Condition de visibilité d'une source primaire

> *voir paragraphe ❷ du cours*

4 Connaître la condition pour voir une source primaire

Les vers luisants sont des insectes qui produisent leur propre lumière. Pourquoi, la nuit tombée, Kim peut-il apercevoir des vers luisants dans son jardin ?
À quelle condition Kim peut-il voir ces insectes ?

5 Connaître le rôle d'un écran

Grâce à la visière de sa casquette, Paul n'est pas ébloui par le Soleil.

1. Pour protéger ses yeux, la visière doit-elle être transparente ou opaque ?
2. Quel rôle joue la visière ?
3. Pourquoi ne faut-il pas regarder le Soleil ?

▸ Conditions de visibilité d'objets diffusants

> *voir paragraphe ❸ du cours*

6 Indiquer pourquoi un objet est visible

De nombreux monuments sont illuminés le soir.

1. Ces monuments sont-ils des sources primaires d[e] lumière ?
2. Pourquoi sont-ils visibles la nuit ?

7 Savoir éclairer un objet avec un écran

1. La lampe peut-elle éclairer la statue ? Justifie ta répons[e]
2. Décalque le dessin sur ton cahier et complète-l[e] avec un écran qui permet d'éclairer la statue.

8 Éclairer un objet avec un écran

Dans une boîte peinte intérieurement en noir, on [a] posé une boule noire et une boule blanche. Une lamp[e] placée au fond d'un tube noir éclaire un écran blanc.

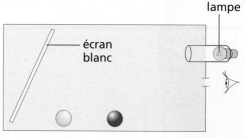

1. L'œil placé contre le trou peut-il apercevoir la boul[e] blanche ? la boule noire ?
2. Justifie ta réponse.

e que tu dois savoir

Citer des sources de lumière.

Je vérifie que je sais
hoisis les bonnes réponses.

Énoncés	Réponse A	Réponse B	Réponse C	Aide
. Un objet qui produit de la lumière est…	un objet diffusant	une source première	une source primaire	p. 136
. Le Soleil est…	un objet diffusant	une source primaire	un objet éclairé par une étoile	p. 136
. La Lune est…	un objet diffusant	une source primaire	un objet éclairé par le Soleil	p. 136
. Pour voir une source de lumière, il faut…	que la lumière provenant de la source pénètre dans l'œil	que la lumière parte de l'œil et éclaire la source	que la source soit primaire	p. 137
. Un objet diffusant éclairé…	est une source primaire	renvoie de la lumière uniquement dans nos yeux	renvoie une partie de la lumière reçue dans toutes les directions	p. 138
. Pour voir un objet diffusant éclairé, il faut…	que la lumière qu'il diffuse pénètre dans nos yeux	que nos yeux envoient de la lumière sur l'objet pour l'éclairer	qu'il soit blanc	p. 138

> réponses en fin de manuel

Ce que tu dois savoir faire

• Éclairer des objets avec un écran.

Je vérifie que je sais faire
hoisis les bonnes réponses.

Énoncés	Réponse A	Réponse B	Réponse C	Aide
. Dans quel cas le vase est-il éclairé par l'écran diffusant ?	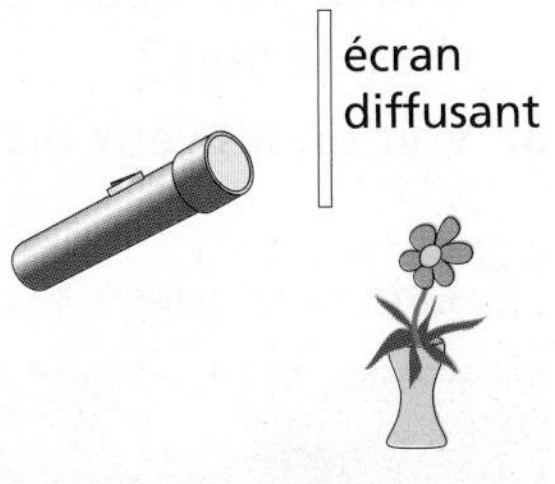	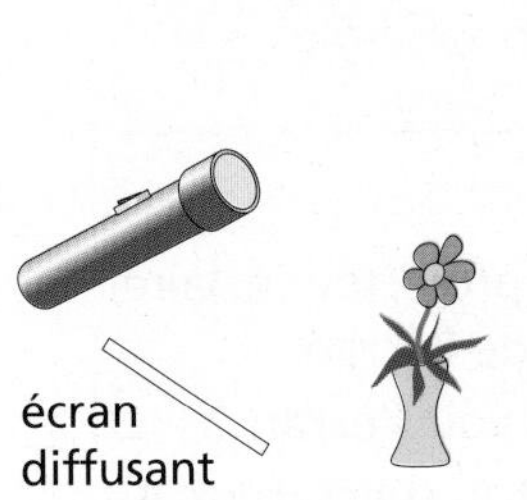	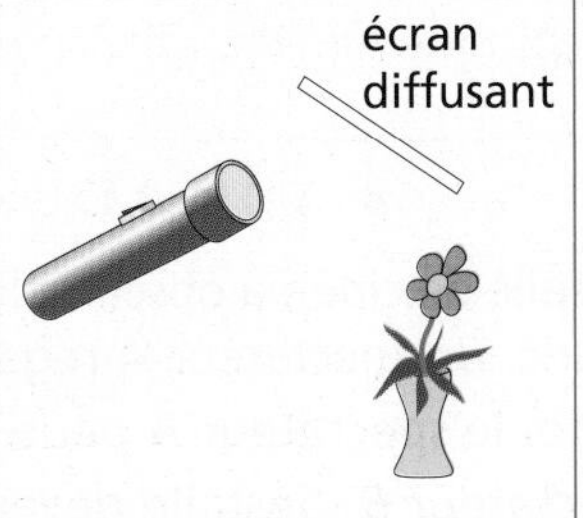	p. 138
. Dans quel cas Karim et Julie ne voient, ni l'un ni l'autre, la statue éclairée par la lampe ?	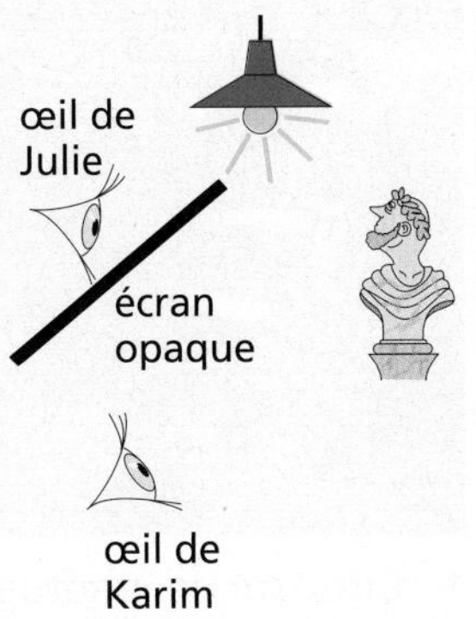	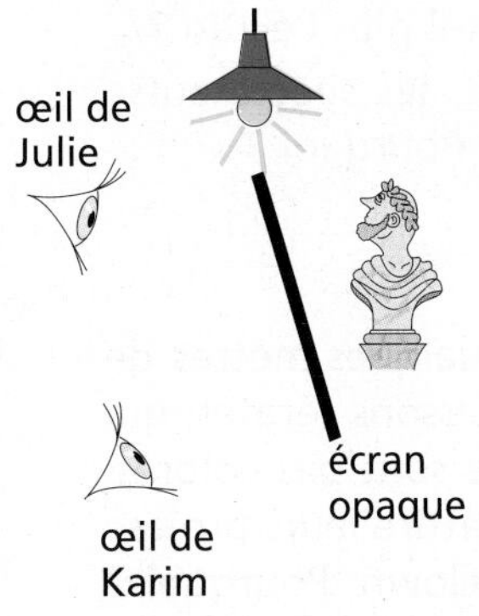	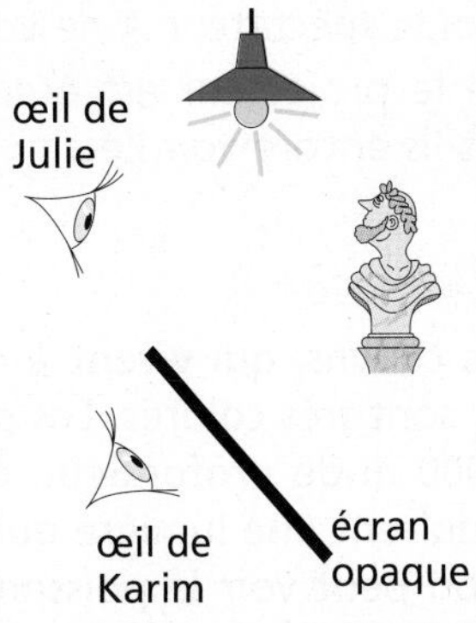	p. 138

> réponses en fin de manuel

exercices

Utilise tes connaissances

11 Apprends à résoudre

Thomas   Sophie

Sophie et Thomas se trouvent dans une pièce aux volets fermés. La lumière est allumée.

1. Pourquoi Thomas et Sophie peuvent-ils voir, tous les deux, le pot de fleurs ?
2. On place un écran opaque entre le pot de fleurs et Thomas. Thomas et Sophie voient-ils toujours le pot de fleurs ? Justifie ta réponse.
3. Pourraient-ils voir encore le pot de fleurs si la lampe était éteinte ?

SOLUTION

1. La lumière reçue par le pot de fleurs est diffusée en partie vers les yeux de Sophie et de Thomas.
2. Thomas ne voit plus le pot de fleurs, car la lumière diffusée par le pot de fleurs est arrêtée par l'écran opaque. Sophie continue à le voir.
3. S'ils se retrouvent dans l'obscurité, Sophie et Thomas ne pourront pas voir le pot de fleurs, car celui-ci ne recevra plus de lumière et n'en diffusera plus.

À TON TOUR

Dans une salle de cinéma obscure, le projecteur éclaire l'écran blanc. Un spectateur A regarde l'écran.

1. Pourquoi le spectateur A peut-il voir l'écran ?
2. Un spectateur B s'installe devant le spectateur A. Pourquoi le spectateur A ne voit-il plus l'écran ?
3. Lorsque le projecteur est éteint, les spectateurs peuvent-ils encore voir l'écran ? Pourquoi ?

12 Physique et SVT

Les poissons clowns, qui vivent à quelques mètres de profondeur, sont très colorés. Les poissons cérates, qui vivent à 4 000 m de profondeur, ne sont pas colorés, mais ils produisent une lumière qui attire leurs proies.

1. Le jour, on peut voir le poisson clown. Pourquoi ? Le voit-on la nuit ?
2. De ces poissons, lesquels sont des sources primaires de lumière ? des objets diffusants ?

13 Discussion animée

Qui a raison, Maxime ou Laura ?

Les objets blancs sont plus visibles que les objets noirs, car ils diffusent plus de lumière.

C'est faux, car on voit m un merle noir qu'un lapin blanc dans la nei

14 Grand écran et petit écran

Un écran de télévision en fonctionnement est-il u source primaire ou un objet diffusant ?
En est-il de même pour un écran de cinéma ?

15 Les yeux du chat

La nuit, Lino éclaire son chat avec sa lampe de poche. Il voit ses yeux briller.

1. Les yeux du chat produisent-ils de la lumière ?
2. Quelles sont les deux conditions pour voir-briller les yeux des chats la nuit ?
3. Voit-on les yeux du chat dans une pièce obscure ?

16 Des pompiers en mission

1. Cite, sur la photographie, deux sources primair de lumière.
2. Pourquoi les pompiers portent-ils des vêtem avec des bandes diffusantes claires ?

exercices

7 Salles obscures

Pourquoi les murs des salles de cinéma sont-ils de couleur sombre ?

B2i Recherche, à l'aide d'Internet, ce qu'est une « boîte noire » en optique. Justifie l'adjectif *noire*.

8 Science et santé

Quand on fait du ski, pourquoi faut-il porter des lunettes de soleil alors qu'on ne regarde pas directement le Soleil ?

9 Un parasol pour voir

La nuit, Jérôme dirige le projecteur de son jardin vers le haut. Toute la table est éclairée lorsque le parasol blanc est déployé.

Lorsque Jérôme ferme le parasol, on ne voit plus la table. Explique pourquoi.

Pourrait-on utiliser un parasol noir ?

10 Physique et Arts plastiques

Le tableau ci-dessous, appelé *Les Mangeurs de pommes de terre*, a été peint en 1885 par Vincent Van Gogh.

La lampe du tableau produit-elle réellement de la lumière ?

D'où vient la lumière qui te permet de voir les personnages du tableau ?

Quelle couleur a utilisé le peintre pour représenter les zones non éclairées par la lampe ?

21 La couleur des plafonds

De quelle couleur sont généralement peints les plafonds ? Pourquoi ?

22 La lumière du jour

Pendant la journée, avec les éclairages éteints, explique pourquoi tu vois les objets qui sont dans ta maison.

 **23 Sécurité**

1. Pourquoi ce soudeur porte-t-il un masque ?
2. Pourquoi ne faut-il jamais regarder le Soleil ?

24 Chemin suivi par la lumière

Cédric lit son livre. Quel est le dessin représentant le chemin suivi par la lumière ?

Justifie ta réponse.

25 Physique et français : des expressions scientifiquement impropres

Critique les expressions « foudroyer du regard un camarade » et « jeter un coup d'œil sur la copie du voisin ».

26 Mots croisés

Recopie et complète la grille ci-dessous.

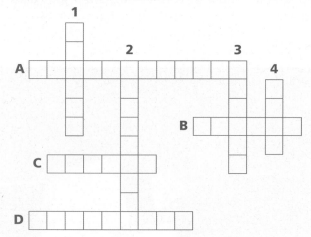

Horizontalement

A. Se dit des objets qui laissent passer la lumière.

B. Permettent de cacher un objet. S'ils sont blancs, ils diffusent bien la lumière.

C. Notre principale source primaire de lumière.

D. Qualificatif d'un objet devenant source de lumière lorsqu'il est éclairé.

Verticalement

1. Se dit d'un objet qui ne laisse pas passer la lumière.

2. Se dit de sources qui produisent leur propre lumière.

3. C'est d'elle que provient la lumière, c'est d'elle que provient l'eau des ruisseaux.

4. Voisine de la Terre et souvent visible la nuit.

27 Physique et français : trouve une définition

À partir des trois phrases suivantes, donne une définition du verbe *diffuser*.

1. Le journaliste diffuse les informations à tous les auditeurs.

2. Ce parfum diffuse une odeur agréable.

3. La lumière que diffuse l'abat-jour donne un doux éclairage à toute la pièce.

28 Rébus

Mon tout se dit d'un objet devenant source de lumière lorsqu'il est éclairé.

29 Chez le photographe

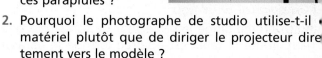

Les photographes utilisent souvent des parapluies spéciaux dans leur studio. L'intérieur de ces parapluies est blanc et le projecteur utilisé par le photographe est dirigé vers le parapluie.

1. Quel est le rôle de ces parapluies ?

2. Pourquoi le photographe de studio utilise-t-il ⬧ matériel plutôt que de diriger le projecteur directement vers le modèle ?

30 HISTOIRE DES SCIENCES

Dans l'Antiquité, la plupart des savants, comme Pythagore, pensaient que la lumière était émise par l'œil et qu'elle venait frapper les objets, les rendant ainsi visibles.

Vers l'an mil, un savant arabe, Alhazen, fut le premier à comprendre que la vision était due à de la lumière partant des objets et rentrant dans l'œil. Sa théorie permettait d'expliquer pou⬧ quoi la vision du Soleil était douloureuse et pourqu⬧ l'œil ne pouvait pas voir dans l'obscurité.

Triplicis uisus, directi, reflexi & refracti, d⬧ quo optica disputat, ar- gumenta.

Les travaux d'optique d'Alhazen firent référen⬧ jusqu'au XVIIᵉ siècle.

1. À quelle période de l'Histoire correspond l'an mil⬧

2. Pourquoi la théorie de Pythagore sur la vision n⬧ permet-elle pas d'expliquer que l'œil ne voit p⬧ dans l'obscurité ?

3. Pourquoi la théorie d'Alhazen permet-elle d'exp⬧ quer le danger de regarder le Soleil ?

Boîte à idées

- Exercice 23
  La lumière qui jaillit d'un poste de soudure est très intense.

- Exercice 29
  2. Un projecteur éclaire certaines parties du modèle et laisse le reste dans l'obscurité.

L'éclairage nocturne dans le monde

Les cartes, obtenues à partir d'images fournies par des satellites, permettent de reconstituer la surface de la Terre, la nuit. Les points lumineux correspondent aux différentes sources de lumière.

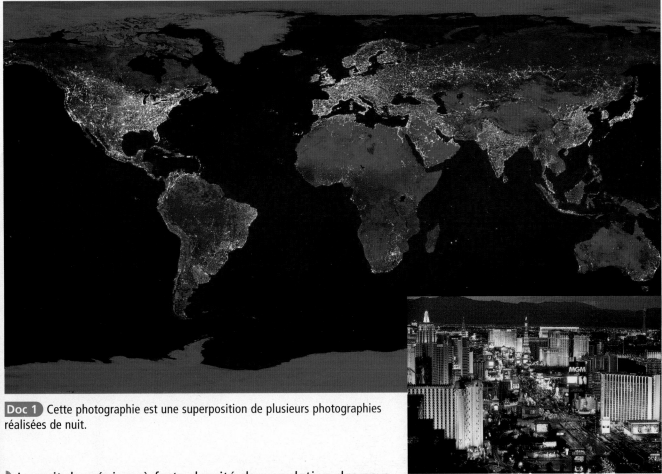

Doc 1 Cette photographie est une superposition de plusieurs photographies réalisées de nuit.

▶ La nuit, les régions à forte densité de population des pays riches utilisent largement l'éclairage électrique (Doc. 1).

Doc 2 Las Vegas, la nuit : c'est la ville qui, dans le monde, consomme, par habitant, le plus pour l'éclairage.

▶ Une ville comme Las Vegas (1,6 million d'habitants, Doc. 2) située aux États-Unis consomme, pour l'éclairage, beaucoup plus qu'une ville comme Lyon et son agglomération (1,7 million d'habitants) située en Europe et encore bien plus que la ville de La Paz (1,6 million d'habitants) située en Bolivie (Amérique du Sud). L'éclairage nocturne donne une idée du niveau de vie des habitants et, parfois, de leur tendance au gaspillage.

QUESTIONS

I. As-tu bien compris le document ?

1 *Quels sont les pays du monde qui utilisent le plus l'éclairage ?*

II. Sais-tu expliquer ?

2 *Compare l'usage de l'éclairage au Japon et sur l'île de Madagascar. Donne une explication à la différence observée.*

3 *Pourquoi ne détecte-t-on pas d'éclairage dans la région centrale de l'Afrique ? au Nord de l'Inde ? au centre de l'Amérique du Sud ?*

Propagation de la lumière

Comment la lumière se propage-t-elle ?

▲ *Un faisceau de lumière solaire pénétrant dans une grotte sous-marine.*

Objectifs

▶ Savoir représenter le trajet de la lumière.

▶ Prévoir la position et la forme des ombres produites par des sources lumineuses ponctuelles.

AU PROGRAMME DE L'ÉCOLE ÉLÉMENTAIRE :

voir qu'un objet opaque éclairé par une source de lumière présente une partie lumineuse
une partie sombre.

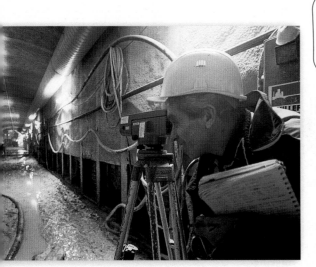

→ Les lasers sont très utilisés
ns les travaux publics. Pourquoi ?

C'est la lumière du Soleil qui éclaire la Lune. Mais alors pourquoi n'éclaire-t-elle pas le ciel ?

Peut-être que la lumière n'est pas visible... Comment le montrer ?

B ➤

C ➤ Dans ce théâtre d'ombres, comment sont obtenues des ombres chinoises ?

147.

Propagation de la lumière

Les maçons utilisent parfois des faisceaux laser pour s'assurer que les briques soient bien alignées.

Quel chemin suit la lumière pour aller d'un point à un autre ?

Expérimente

- Tu **disposes** d'une lampe électrique et de trois écrans munis de plusieurs trous.
- **Allume** la lampe.
- **Place** sur la table les trois écrans (Doc. 1).
- **Déplace** les écrans pour voir la lampe à travers trois trous.

❶ Peux-tu faire passer une tige droite et rigide par l'un des trous de chaque écran ?

❷ Comment la lampe et ces trois trous sont-ils disposés ?

❸ Que peut-on dire du trajet de la lumière ?

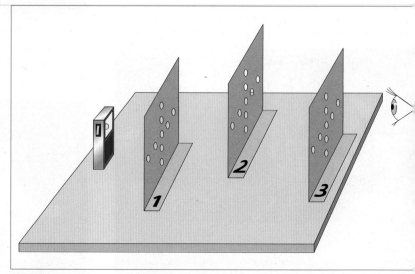

Doc 1 Dispositif expérimental.

Observe

Lorsque la lampe est visible, la position des écrans est telle qu'on peut introduire la tige droite par les trois trous jusqu'à la lampe.

▶▶ *Un rayon laser se propage en ligne droite. Il est ainsi possible de guider des engins, de vérifier des alignements...* **(Doc A, page 147**

Interprète

Les trois trous et un point de la lampe sont alignés : la lumière se propage en ligne droite, de la lampe jusqu'à l'œil. Le trajet de la lumière est donc **rectiligne (▶▶)**.

Conclusion

- La lumière se propage en ligne droite : la propagation de la lumière est rectiligne.
- Le trajet suivi par la lumière est un rayon de lumière. On le schématise par une demi-droite qui part de la source. Le sens de propagation de la lumière est indiqué par une flèche **(Doc. 2)**.

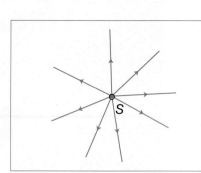

Doc 2 Schématisation de rayons de lumière qui partent de la source S.

Pour s'entraîner ▶ exercice 2

Faisceaux de lumière

On peut voir, parfois, des rais de lumière provenant des interstices de volets fermés.
Comment peut-on visualiser le trajet de la lumière ?

Expérimente

Doc 3 Dispositif expérimental.

Doc 4 On enflamme le papier d'Arménie.

- Tu **disposes** d'une lampe et de papier d'Arménie que tu déposes, sur une coupelle, devant la lampe (**Doc. 3**).
- **Allume** la lampe.
- **Enflamme** le papier d'Arménie (**Doc. 4**).

Qu'observes-tu lorsque le papier d'Arménie brûle ?

Observe

- Avant d'enflammer le papier, on ne voit pas le trajet de la lumière.
- On ne voit le trajet de la lumière que lorsque celle-ci traverse la fumée du papier d'Arménie qui brûle.

➡ *Il n'y a pas d'objet diffusant entre le Soleil et la Lune : la nuit, la lumière qui passe dans le ciel et qui éclaire la Lune est invisible (Doc B, page 147).*

Interprète

- La lumière est invisible dans un milieu transparent comme l'air.
- Lorsque le papier brûle, on voit les particules de fumées éclairées, car celles-ci diffusent la lumière. Elles permettent de visualiser le **faisceau de lumière** émis par la lampe (➡).

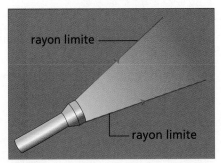

rayon limite

rayon limite

Doc 5 Un faisceau de lumière visualisé par des poussières.

Conclusion

L'ensemble des rayons de lumière émis par une source forme un faisceau de lumière. On représente un faisceau de lumière en dessinant ses rayons limites (**Doc. 5**).

Un faisceau de lumière est invisible, mais on peut le visualiser à l'aide de petites particules (poussières, gouttelettes) qui diffusent la lumière.

Pour s'entraîner ▶ exercices 3 et 4

Plus le Soleil est bas sur l'horizon, plus ton ombre s'allonge.
Peut-on prévoir la forme et la position de l'ombre d'un objet ?

Expérimente

- **Éclaire**, avec une source lumineuse de petite dimension (source ponctuelle), un écran percé de deux trous.
- **Dispose** une balle entre la source et l'écran (**Doc. 6**).

1 L'écran est-il éclairé en totalité ?

2 Quelle partie de la balle n'est pas éclairée ?

- **Regarde** au travers de chacun des trous de l'écran en direction de la source de lumière.

3 Par quel trou peux-tu voir la source de lumière ?

- **Place** une bille entre la balle et l'écran (**Doc. 6**).

4 Où doit se trouver la bille pour qu'elle ne soit pas éclairée ?

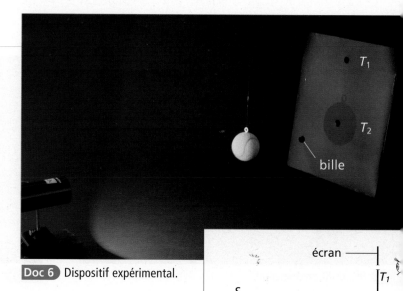

Doc 6 Dispositif expérimental.

Observe

→ L'écran n'est pas totalement éclairé. On observe une tache sombre et circulaire appelée **ombre portée** de la balle (**▶▶**).

→ Sur la face de la balle placée du côté de l'écran apparaît une zone sombre appelée l'**ombre propre** de la balle.

→ On voit la source de lumière par le trou T_1 mais pas par le trou T_2.

→ Entre la balle et l'écran, il existe une zone d'ombre où la bille n'est pas éclairée ; cette zone est appelée **cône d'ombre** de la balle.

Interprète

→ La balle arrête une partie de la lumière issue de la source de lumière (**Doc. 7**).

→ L'ombre portée reste noire, même dans le cas d'une source colorée.

Conclusion

Lorsqu'un objet, placé devant un écran, est éclairé par une source de lumière de petite dimension (source ponctuelle), on observe :

– une zone non éclairée sur l'objet : l'ombre propre de l'objet ;

– une zone non éclairée sur l'écran : l'ombre portée de l'objet ;

– une région sans lumière entre l'objet et l'écran : le cône d'ombre.

▶▶ *Les ombres chinoises sont les ombres portées des figurines, sur un écran (Doc C, page 147).*

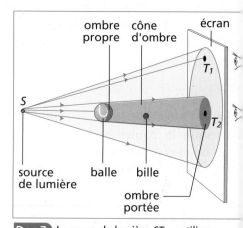

Doc 7 Le rayon de lumière ST_1, rectiligne, n'est pas arrêté par la balle et peut pénétrer dans l'œil de l'observateur placé derrière T_1 : l'observateur voit la source.
La balle arrête le rayon qui pourrait passer par T_2 : l'observateur placé derrière T_2 ne voit pas la source de lumière.

Pour s'entraîner ▶ exercices 5 et 6

Par le texte

- La lumière se propage en **ligne droite** : la propagation de la lumière est **rectiligne**.
- L'ensemble des rayons de lumière émis par une source forme un **faisceau de lumière**.
- Un faisceau de lumière est **invisible** dans un milieu transparent.
- Lorsqu'un objet, placé devant un écran, est éclairé par une source ponctuelle, on observe :
  - une zone non éclairée sur l'objet : l'**ombre propre** ;
  - une zone non éclairée sur l'écran : l'**ombre portée** ;
  - une région sans lumière entre l'objet et l'écran : le **cône d'ombre**.

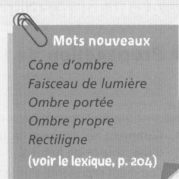

Mots nouveaux

Cône d'ombre
Faisceau de lumière
Ombre portée
Ombre propre
Rectiligne
(voir le lexique, p. 204)

Par l'image

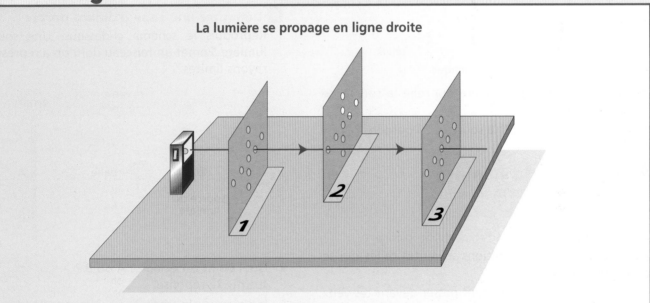

La lumière se propage en ligne droite

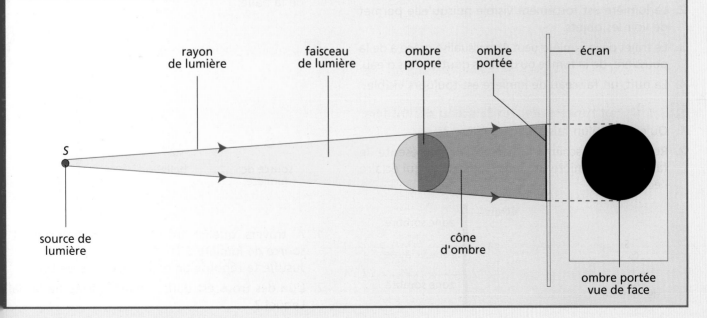

source de lumière — S

rayon de lumière

faisceau de lumière

ombre propre

ombre portée

écran

cône d'ombre

ombre portée vue de face

exercices

As-tu bien compris le cours ?

▌ Propagation de la lumière
> *voir paragraphe ❶ du cours*

1 Indiquer comment se propage la lumière

1. Comment se propage la lumière issue d'un point d'une source de lumière ?

2. Comment représente-t-on le trajet suivi par la lumière ? Comment précise-t-on le sens de propagation ?

2 Représenter le trajet de la lumière

1. Décalque le schéma ci-dessous.

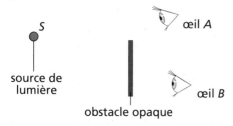

2. Dessine le rayon de lumière qui relie la source de lumière *S* à l'œil *A*.

3. L'observateur *B* voit-il la source *S* ? Pourquoi ?

▌ Faisceaux de lumière
> *voir paragraphe ❷ du cours*

3 Savoir visualiser un faisceau de lumière

Recopie parmi les propositions suivantes celles qui te paraissent exactes.

1. Un faisceau de lumière peut passer devant tes yeux sans que tu le voies.

2. La lumière est forcément visible puisqu'elle permet de voir les objets.

3. Le trajet de la lumière peut être visualisé grâce à de la poussière, de la fumée ou de fines gouttelettes d'eau.

4. La nuit, un faisceau de lumière est toujours visible.

4 Définir et représenter un faisceau de lumière

1. Qu'est-ce qu'un faisceau de lumière ?

2. Reproduis le schéma ci-dessous et représente le faisceau de lumière issu de la source *S* et qui éclaire l'écran.

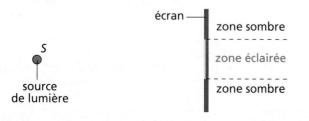

▌ Ombres
> *voir paragraphe ❸ du cours*

5 Connaître le vocabulaire

À chaque chiffre, associe l'une des légendes suivantes *cône d'ombre ; ombre propre ; ombre portée ; source de lumière.*

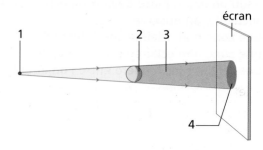

6 Délimiter une zone d'ombre portée

1. Reproduis le schéma ci-dessous. Une source de lumière *S* émet un faisceau dont on a représenté l[e] rayons limites.

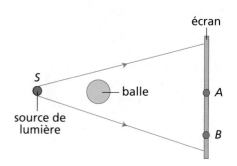

2. Quel point est éclairé : *A* ou *B* ? Justifie ta réponse.

3. Indique, sur le schéma, où se trouve l'ombre port[ée] de la balle.

7 Délimiter une zone d'ombre

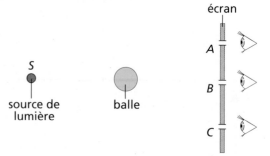

1. À travers quel(s) trou(s) l'observateur voit-il [la] source de lumière *S* ? Justifie ta réponse en reproduisant le dessin.

2. L'un des trous est dans l'ombre portée de la ball[e]. Lequel ?

e que tu dois savoir

Reconnaître le trajet suivi par la lumière.

Situer l'ombre propre, l'ombre portée et le cône ombre.

Ce que tu dois savoir faire

- Visualiser le trajet d'un faisceau de lumière.
- Tracer le trajet suivi par la lumière.

Je vérifie que je sais

hoisis les bonnes réponses.

Énoncés	Réponse A	Réponse B	Réponse C	Aide
1. La lumière issue d'une source ponctuelle S et éclairant un point A d'un objet se propage...	en ligne droite	de A vers S	de S vers A	p. 148
2. L'ombre propre de la balle est représentée par...	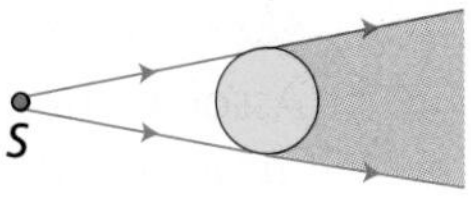	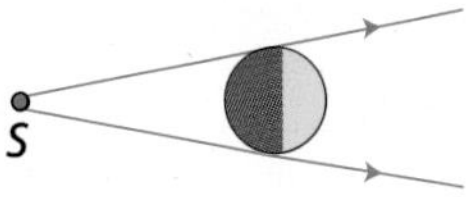	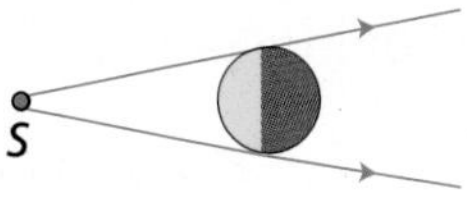	p. 150
3. Sur la photographie ci-contre, on observe... 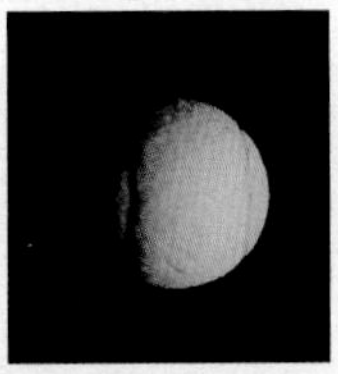	l'ombre propre de la balle	l'ombre portée de la balle	le cône d'ombre de la balle	p. 150
4. Pour un objet éclairé par une source lumineuse et placé devant un écran, le cône d'ombre est...	la zone non éclairée de l'objet	la zone sans lumière entre l'objet et l'écran	la zone non éclairée sur l'écran	p. 150

> *réponses en fin de manuel*

Je vérifie que je sais faire

hoisis les bonnes réponses.

Énoncés	Réponse A	Réponse B	Réponse C	Aide
1. Lorsqu'un faisceau de lumière passe devant nos yeux, ...	nous le voyons toujours	nous ne le voyons que la nuit	nous le voyons s'il y a des poussières	p. 149
2. Les bonnes légendes du schéma ci-dessous sont... 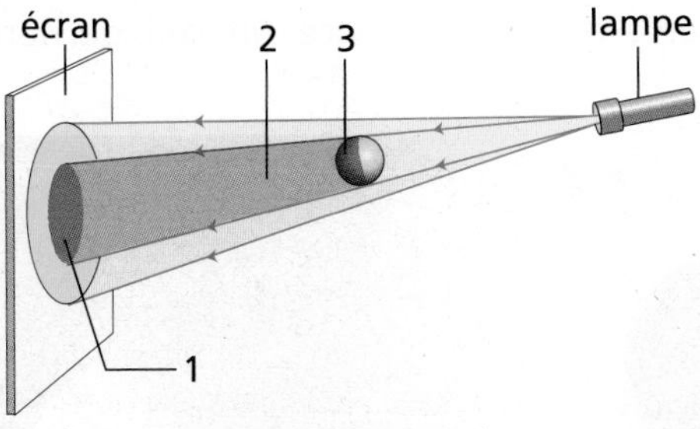	1. ombre propre 2. cône d'ombre 3. ombre portée	1. cône d'ombre 2. ombre propre 3. ombre portée	1. ombre portée 2. cône d'ombre 3. ombre propre	p. 150

> *réponses en fin de manuel*

Utilise tes connaissances

10 Apprends à résoudre

La balle photographiée ci-contre est éclairée par une source ponctuelle de lumière.

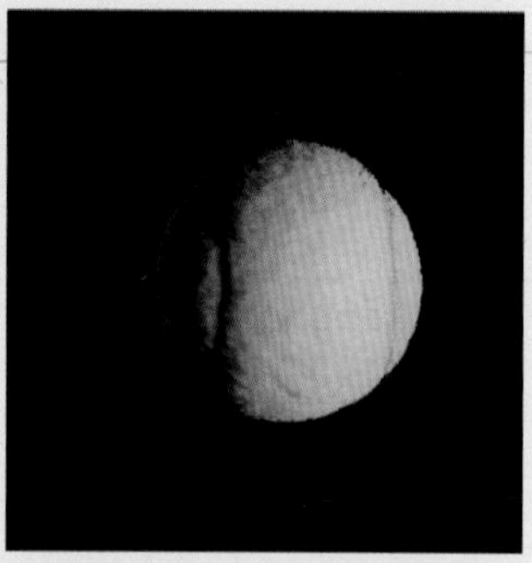

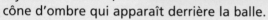

1. Schématise l'expérience en montrant la balle et la source de lumière.
2. Délimite, par des rayons de lumière, le cône d'ombre qui apparaît derrière la balle.
3. Indique l'ombre propre.

SOLUTION

1. La source de lumière est du côté éclairé de la balle.

$\overset{\bullet}{S}$

2. On trace des rayons qui effleurent la balle. Le cône d'ombre est derrière la balle.

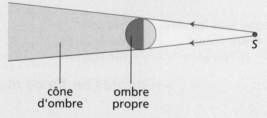

cône d'ombre   ombre propre

3. L'ombre propre est sur la balle, à l'opposé de la partie éclairée.

À TON TOUR

1. Où se trouve la source ponctuelle de lumière éclairant la balle photographiée ci-contre ?
2. Comment se nomme l'ombre qui apparaît sur la balle ?
3. Schématise cette expérience.

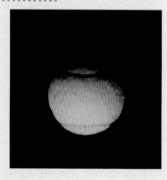

11 Que voit-on ?

Parmi toutes les billes ci-contre, lesquelles sont vues par Léa ? par Benjamin ?

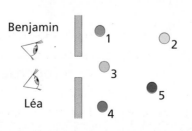

Benjamin

Léa

12 Qu'y a-t-il dans la boîte ?

On peut observer l'intérieur d'une boîte noire par tr[ois] trous A, B et C.

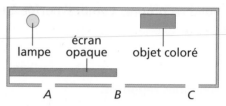

lampe   écran opaque   objet coloré

A   B   C

Recopie les bonnes propositions.

1. Par A, on voit la lampe.
2. Par B, on voit la lamp[e]
3. Par C, on voit la lampe.
4. Par A, on voit l'objet.
5. Par B, on voit l'objet.
6. Par C, on voit l'objet.

13 Légendes dans le désordre

Associe chaque légende à la lettre qui convient :
ombre portée sur l'écran ; ombre propre de la balle zone éclairée de la balle ; cône d'ombre ; zone éclairée de l'écran.

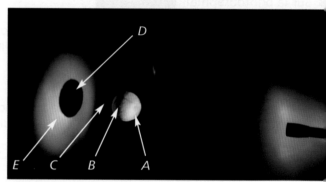

E   C   B   A

14 Observe par un trou

Les points A et B se situent sur l'écran d'observation et le point C sur la balle.

1. Lequel des points A, B ou C, se trouve :
   a. dans l'ombre propre de la balle ?
   b. dans l'ombre portée ?
2. On perce l'écran en A et en B.
   a. Qu'observe-t-on si on place un œil derrière trou A ?
   b. Qu'observe-t-on si on place un œil derrière trou B ?

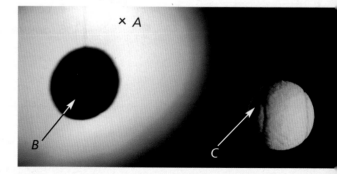

× A

B   C

5 L'ombre d'un cube

Une source ponctuelle éclaire un cube placé devant un écran.

Reproduis le schéma **a**, puis dessine l'ombre portée.

Reproduis le schéma **b**, puis dessine l'ombre portée.

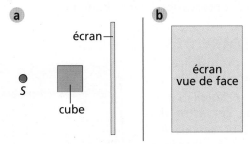

6 Deux ombres pour un seul objet

Dans quelle condition un objet peut-il avoir deux ombres portées ?

7 Le vase de Nathalie

Nathalie pose un vase sur le rebord de la fenêtre ensoleillée. Elle observe l'ombre portée du vase.

Cette ombre est-elle à l'extérieur ou à l'intérieur de l'appartement ?

Elle pose le vase sur la table, non éclairée par le Soleil. À sa grande surprise, elle observe encore une ombre du vase. Pourquoi ?

8 Théâtre d'ombres

Fais, à l'aide du document C page 147, un schéma en coupe d'un théâtre d'ombres montrant une toile blanche, un spectateur, une lampe et une figurine.

Trace un faisceau de lumière arrivant sur la figurine afin de déterminer l'ombre sur la toile.

Refais le schéma, la figurine étant plus proche de la lampe. L'ombre de la figurine est-elle plus grande, plus petite ou bien la même ?

9 Formes changeantes

Un observateur regarde la zone éclairée de la balle depuis trois positions (1, 2 et 3). Sous quelle forme voit-on la zone éclairée dans chacune des positions ?

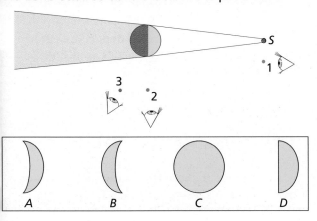

20 Énigme

L'ombre d'un poteau est dirigée vers l'Est. Est-ce le matin, le midi ou le soir ?

21 Des chiffres et des lettres

Sur le schéma est représentée l'ombre portée d'un bâton à différentes heures de la journée.

Choisis pour chaque ombre la position correspondante du Soleil.

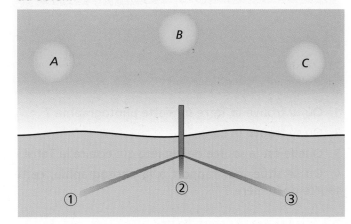

22 Des ombres trompeuses

Une ombre permet-elle d'identifier un objet ?
Justifie ta réponse.

23 Le mouvement d'Hélios

Il ne faut jamais regarder le Soleil. Comment pourrais-tu étudier le mouvement du Soleil dans le ciel, sans le regarder ?

Propose une expérience par le dessin.

24 La couleur d'une ombre

Quentin éclaire son ballon avec une lampe qui émet de la lumière rouge.

1. De quelle couleur est l'ombre propre du ballon ?

2. De quelle couleur est l'ombre portée sur le sol ?

exercices

25 Un clair de Terre

Cette photographie représente un clair de Terre observé depuis le sol lunaire.

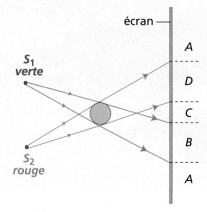

1. Où se trouve la Terre sur cette photographie ?

2. Où se trouve la Lune ?

3. Quelle est la source de lumière qui éclaire la Terre ?

4. Où se situe, par rapport à la photographie, cette source de lumière ?

26 Graine de chercheur :
des ombres avec des lumières colorées

Partie A : Formule des hypothèses

On utilise deux sources ponctuelles de lumière : l'une de lumière verte (S_1), l'autre de lumière rouge (S_2). On s'intéresse à l'ombre portée de la balle sur un écran blanc.

Quelles sont les couleurs des différentes zones A, B, C et D de l'écran lorsque :

a. seule la source S_1 est allumée ?

b. seule la source S_2 est allumée ?

c. les sources S_1 et S_2 sont allumées ensemble (dans ce cas, la zone A est jaune) ?

Partie B : Vérifie expérimentalement

Matériel :

Pour cette expérience, tu disposes de deux lampes, de deux filtres colorés (rouge et vert), d'une balle et d'un écran blanc.

Protocole :

1. Réalise le montage de la partie A. Chaque lampe munie d'un filtre coloré.

2. Fais briller successivement les deux lampes.

3. Fais briller les deux lampes en même temps.

4. Note tes observations dans chaque cas.

27 HISTOIRE DES SCIENCES

Dès la préhistoire, les hommes ont réglé leur vie sur le Soleil. La position de cet astre dans le ciel leur servait à se repérer dans le temps. Pour connaître cette position avec précision sans regarder le Soleil, ils inventèrent le gnomon,

piquet en bois planté verticalement, dont ils obse vaient l'ombre portée sur le sol. On a retrouvé d fragments de gnomon vieux de 3 500 ans.

Dans un cadran solaire (*voir photo*), le gnomon remplacé par une tige métallique, appelée style, do l'une des extrémités est dirigée vers l'étoile Polai L'ombre du style se déplace sur une pierre portant d graduations.

Ces cadrans furent largement utilisés jusqu'au XVIIIe siè

1. Pourquoi doit-on éviter de regarder le Soleil ?

2. Pourquoi l'ombre portée du gnomon renseigne elle sur la position du Soleil et sur l'heure de journée ?

3. Les archéologues retrouvent, plus souvent, des obj préhistoriques en pierre, qu'en bois. Pourquoi ?

4. **B2i** Recherche la particularité de la position l'étoile Polaire dans le ciel.

5. **B2i** Quel grand événement historique s' déroulé en France au XVIIIe siècle ?

Boîte à idées

• **Exercice 12**
Trace des rayons de lumière depuis la source jusqu'à l'observateur et vois s'ils sont arrêtés par un obstacle ou pas.

• **Exercice 14**
2. Regarde le document 7 du cours.

• **Exercice 24**
1. L'ombre est une absence de lumière.

• **Exercice 26**
c. Commence à chercher la zone qui n'est pas éclairée par les deux sources.

Des progrès grâce au laser

Le laser, inventé en 1960, est aujourd'hui très utilisé dans notre société. C'est une source primaire de lumière qui émet un faisceau très fin, de grande puissance.

La lumière qui lit

▶ Les faisceaux laser sont utilisés aussi bien dans les lecteurs que dans les graveurs de CD ou DVD. Ils permettent de lire ou d'écrire des données sur ces supports.

▶ Les imprimantes laser ont de meilleures performances que les imprimantes classiques.

Doc 1 Un lecteur DVD.

La lumière qui perce, qui guide

Dans l'industrie, les lasers permettent :
– d'usiner des pièces métalliques ;
– de découper des tissus ;
– de guider de nombreuses machines (engins de travaux publics, machines-outils…).

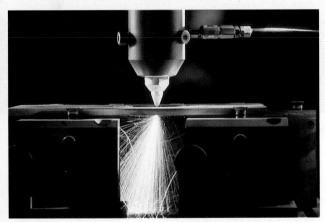

Doc 2 Découpe d'une plaque de métal au laser.

La lumière qui soigne

Les lasers sont utilisés en microchirurgie pour remodeler la cornée de l'œil, recoller la rétine, déboucher les artères, détruire les cellules cancéreuses.

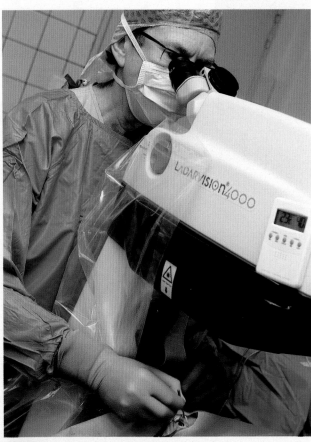

Doc 3 Opération de l'œil à l'aide d'un laser.

QUESTIONS

I. As-tu bien compris le texte ?

1 *Quels sont les avantages d'un faisceau laser par rapport au faisceau d'une lumière ordinaire ?*

2 *Cite trois domaines d'utilisation du laser.*

II. Sais-tu expliquer ?

3 *Quelle propriété de la lumière est utilisée dans le guidage par laser ?*

4 *Pourquoi un faisceau laser peut-il être dangereux ?*

III. Recherche une information

5 *Le laser a-t-il été inventé avant ou après la Seconde Guerre mondiale ?*

13

Le système
Soleil-Terre-Lun

Quels sont les mouvements de la Terre et d
la Lune ?

Comment interpréter les phases de la Lune
ainsi que les éclipses ?

▲ *La fin d'un dernier quartier de Lune que l'on peut observer au lever du jour.*

Objectifs

▶ Savoir décrire les mouvements pour le système Soleil-Terre-Lune.

▶ Savoir interpréter les phases de la Lune.

▶ Savoir interpréter les éclipses.

AU PROGRAMME DE L'ÉCOLE ÉLÉMENTAIRE :

Savoir que la Terre, vue du Soleil, décrit une trajectoire qui est pratiquement un cercle.

Savoir que la Terre tourne sur elle-même.

Savoir que la Lune tourne autour de la Terre.

Qui a raison ?

Déplace le parasol, le Soleil a tourné

C'est la Terre qui a tourné, pas le Soleil.

Pourquoi la Lune n'apparaît-elle pas toujours ronde ?

C'était dans la nuit brune
Sur le clocher jauni
La Lune,
Comme un point sur un « i ».

Lune, quel esprit sombre
Promène au bout du fil,
Dans l'ombre,
Ta face et ton profil ? [...]

N'es-tu rien qu'une boule ?
Qu'un grand faucheux bien gras
Qui roule
Sans pattes et sans bras ?

Est-ce un ver qui te ronge,
Quand ton disque noirci
S'allonge
En croissant rétréci ? [...]

Alfred de Musset, « Ballade à la Lune »,
Premières Poésies (1852).

Pourquoi une éclipse totale de Soleil n'est-elle pas visible par tous les habitants de la Terre ?

Les mouvements de la Terre et de la Lune

Comment se déplace la Terre autour du Soleil et comment se déplace la Lune autour de la Terre ?

Analyse des documents

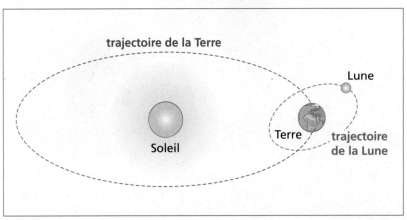

Doc 1 Trajectoire de la Terre autour du Soleil et trajectoire de la Lune autour de la Terre. La Terre tourne sur elle-même. La distance Terre-Soleil est de 150 millions de kilomètres.

Doc 2 Image du système Terre-Lune, prise par la sonde spatiale Mariner 10. La distance Terre-Lune est de 380 000 km.

❶ Pourquoi les deux trajectoires ne sont-elles pas représentées à la même échelle ?

❷ Recherche dans un dictionnaire la définition du mot *satellite*. Pourquoi la Lune est-elle appelée *satellite naturel* de la Terre ?

Interprète

→ La Terre tourne autour du Soleil, à une distance d'environ 150 millions de kilomètres. Le plan de sa trajectoire est le **plan de l'écliptique**. **Elle effectue le tour du Soleil en une année.**

→ La Terre tourne également sur elle-même. **Elle effectue un tour sur elle-même en 24 heures.**

→ La Lune tourne autour de la Terre à une distance d'environ 380 000 km : c'est le satellite naturel de la Terre. **Elle effectue le tour de la Terre en 4 semaines environ (▶▶).**

→ Le plan de la trajectoire de la Lune, dans son mouvement autour de la Terre, est incliné de 5° environ par rapport au plan de l'écliptique (**Doc. 3**).

Doc 3 Le plan de la trajectoire de la Lune est incliné de 5° environ par rappor au plan de la trajectoire de la Terre.

Conclusion

- La Terre tourne autour du Soleil et en effectue le tour en une année.
- La Lune tourne autour de la Terre et en effectue le tour en 4 semaines environ.
- Le plan de la trajectoire de la Lune est incliné par rapport au plan de la trajectoire de la Terre.

▶▶ *La Terre tourne autour du Soleil la Lune tourne autour de la Terre (Doc A, page 159).*

Pour s'entraîner ▶ exercice 1

Les phases de la Lune

*a Lune change d'aspect au cours d'un mois : ces différents aspects constituent
s **phases de la Lune**. Comment les interpréter ?*

xpérimente

- Tu **disposes** d'une lampe représentant le Soleil et d'une balle de tennis figurant la Lune. Ta tête représente la Terre.
- **Déplace** la balle autour de toi comme le montre le **document 4**.
- **Observe** la forme de la zone éclairée de la balle.

*uel est l'aspect de la balle dans
s positions ①, ②, ③ et ④ ?*

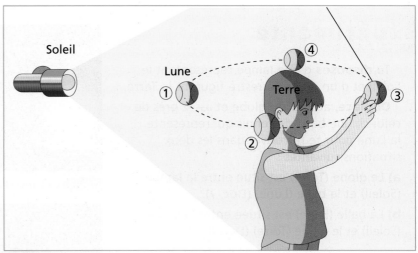

Doc 4 Simulation, par un élève, du mouvement de la Lune autour de la Terre.

Observe

oc 5 Différents aspects de la balle, vus par l'élève,
ans les positions ①, ②, ③ et ④.

nterprète

- Le Soleil éclaire toujours une moitié de Lune, mais l'observateur terrestre voit totalement (position ③), partiellement (positions ② ou ④) ou pas du tout (position ①) cette partie éclairée.
- La **position** ① correspond à la **nouvelle lune**. La Lune est alors située entre le Soleil et la Terre et on ne la voit pas. Les nuits sont très noires.
- La **position** ② correspond au **premier quartier** (Doc. 6 a).
- La **position** ③ correspond à la **pleine lune**. La Lune est alors située à l'opposé du Soleil et brille toute la nuit.
- La **position** ④ correspond au **dernier quartier** (Doc. 6 b).
- Ces différents aspects sont appelés les **phases** de la Lune (➡). Chacune de ces phases a une durée d'environ une semaine.

Doc 6 Pour retenir :
a) p : premier quartier ;
b) d : dernier quartier.

onclusion

- La Lune tournant autour de la Terre, chaque jour ou chaque nuit sa partie visible, éclairée par le Soleil, présente une forme différente : la Lune présente différentes phases.
- Toutes ces phases se succèdent dans le même ordre et reviennent régulièrement toutes les 4 semaines environ.

➡ *La Lune est ronde, mais son aspect dépend de sa position*
(Doc B, page 159).

Pour s'entraîner ▶ exercices 3 et 4

Les éclipses

Lors d'une éclipse de Soleil, en pleine journée le Soleil disparaît : il fait nuit pendant quelques minutes. Lors d'une éclipse de Lune, en pleine nuit, la Lune disparaît pendant plusieurs minutes. Comment interpréter les éclipses ?

Expérimente

• Tu **disposes** d'une lampe représentant le Soleil et d'un globe terrestre figurant la Terre.

• **Déplace**, autour du globe et assez près de celui-ci, une balle de tennis qui représente la Lune pour te retrouver dans les deux situations suivantes :

a) Le globe (Terre) est situé entre la lampe (Soleil) et la balle (Lune) (Doc. 7).

b) La balle (Lune) est située entre la lampe (Soleil) et le globe (Terre) (Doc. 8).

Doc 7 La Terre est entre le Soleil et la Lune.

❶ Laquelle de ces deux expériences modélise une éclipse de Soleil ? une éclipse de Lune ?

❷ Dans quelle phase se trouve la Lune dans une éclipse de Soleil ? dans une éclipse de Lune ?

❸ Une éclipse de Soleil est-elle visible en tout point de la Terre ? Et une éclipse de Lune ?

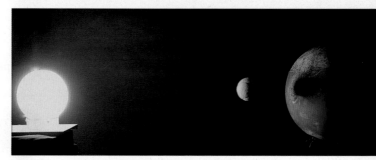
Doc 8 La Lune est entre le Soleil et la Terre.

Observe

Sur le document 7, la balle (Lune) n'est plus visible. Sur le document 8, on observe une ombre portée de la balle (Lune) sur le globe terrestre.

Interprète

→ Sur le document 7, la Lune se trouve dans le cône d'ombre de la Terre. Elle n'est plus visible. Il s'agit d'une **éclipse de Lune** observable lors d'une phase de pleine lune, par tous les habitants se trouvant dans la nuit (Doc. 9).

→ Sur le document 8, la zone de la Terre qui se trouve dans l'ombre de la Lune ne reçoit aucun rayon du Soleil. Il fait subitement nuit en plein jour. Il s'agit d'une **éclipse de Soleil** observée lors d'une phase de nouvelle lune. Cette éclipse n'est visible que par les habitants situés dans l'ombre portée de la Lune (⯈⯈).

Doc 9 Fin d'une éclipse de Lune.

Conclusion

• Lors d'une éclipse de Lune, la Lune pénètre dans le cône d'ombre de la Terre.

• Lors d'une éclipse de Soleil, une partie de la surface terrestre se trouve dans l'ombre portée de la Lune.

• Lors d'une éclipse, le Soleil, la Terre et la Lune sont alignés.

⯈⯈ *Une éclipse de Soleil n'est visible que pour les habitants situés dans l'ombre portée de la Lune sur la Terre (Doc C, page 159).*

Pour s'entraîner ▶ exercices 6 et 7

Par le texte

- La Terre effectue le tour du Soleil en **une année**.
- La Lune effectue le tour de la Terre en **4 semaines environ**.
- La Lune, éclairée par le Soleil et vue depuis la Terre, change d'aspect chaque jour : ces différents aspects sont appelés **phases de la Lune**.
- Lors d'une **éclipse de Lune**, la Lune pénètre dans le cône d'ombre de la Terre. Lors d'une **éclipse de Soleil**, une partie de la surface terrestre se trouve dans l'ombre portée de la Lune.
- Lors d'une éclipse, le Soleil, la Terre et la Lune sont **alignés**.

Mots nouveaux

Éclipse de Lune
Éclipse de Soleil
Écliptique
Phases de la Lune
(voir le lexique, p. 204)

Par l'image

Phases de la Lune

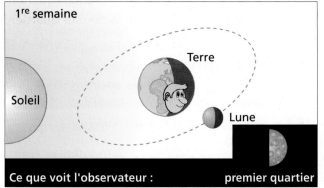

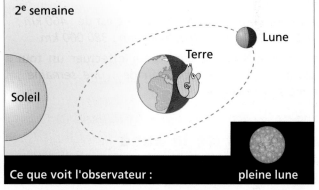

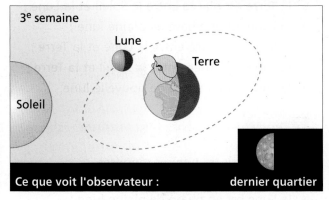

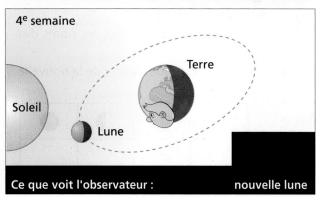

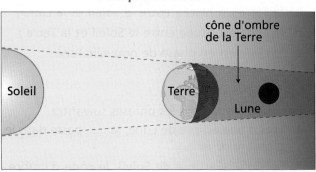

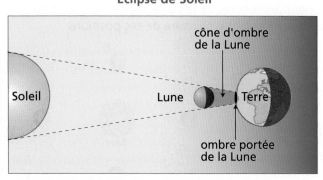

As-tu bien compris le cours ?

▶ **Les mouvements de la Terre et de la Lune**

> *voir paragraphe* ❶ *du cours*

1 **Étudier le mouvement de la Terre autour du Soleil**

1. Quelle est la distance entre la Terre et le Soleil ?
2. Quelle est la durée de rotation de la Terre sur elle-même ?
3. Combien de temps met la Terre pour effectuer un tour autour du Soleil ?

2 **Caractériser le mouvement de la Lune autour de la Terre**

Recopie la bonne proposition.

1. La distance entre la Terre et la Lune est de : *460 km ; 3 000 000 000 km ; 150 000 000 km ; 380 000 km.*
2. Le temps mis par la Lune pour effectuer un tour autour de la Terre est voisin de : *une semaine ; un mois ; une année.*

▶ **Les phases de la Lune**

> *voir paragraphe* ❷ *du cours*

3 **Identifier les phases de la Lune**

1. Recopie et complète le tableau avec les noms des phases de la Lune.
2. Indique l'ordre chronologique à partir de la nouvelle lune.

Aspect	◯	◗	◖	●
Nom de la phase				

4 **Reconnaître les positions de la Lune**

Le schéma suivant représente le Soleil, la Terre et quatre positions particulières de la Lune. Indique la phase de la Lune correspondant à chacune de ces positions.

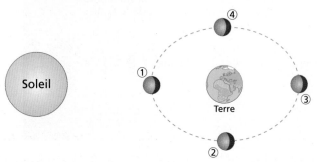

5 **Repère les phases de la Lune**

Phases de la Lune – Février 2006						
dimanche	lundi	mardi	mercredi	jeudi	vendredi	samed
			1	2	3	4
5	6	7	8	9	10	11
12	13	14	15	16	17	18
19	20	21	22	23	24	25
26	27	28				

À quelles dates a-t-on observé :

a. la nouvelle lune ?   c. le premier quartier ?
b. la pleine lune ?   d. le dernier quartier ?

▶ **Les éclipses**

> *voir paragraphe* ❸ *du cours*

6 **Préciser les circonstances d'une éclipse de Soleil**

Choisis et écris les bonnes réponses.
Au cours d'une éclipse de Soleil :

a. la Terre est placée entre le Soleil et la Lune ;
b. la Lune est en phase de pleine lune ;
c. le Soleil est placé entre la Lune et la Terre ;
d. la Lune est située entre le Soleil et la Terre ;
e. la Lune est en phase de nouvelle lune.

7 **Préciser les circonstances d'une éclipse de Lune**

Choisis et écris les bonnes réponses.
Au cours d'une éclipse de Lune :

a. la Lune est en phase de pleine lune ;
b. le Soleil est placé entre la Lune et la Terre ;
c. la Terre est placée entre le Soleil et la Lune ;
d. la Lune est située entre le Soleil et la Terre ;
e. la Lune est en phase de nouvelle lune.

8 **Reconnaître une éclipse**

Recopie et complète les phrases suivantes.

1. Lors d'une éclipse de Lune, la ...... passe dans le côr d'ombre de la ....
2. Lors d'une éclipse de Soleil, le cône d'ombre de ...... arrive sur la ....

Ce que tu dois savoir

Connaître les mouvements de la Terre et de la Lune.
Interpréter les phases de la Lune.
Interpréter les éclipses.

Ce que tu dois savoir faire

• Représenter le système Soleil-Terre-Lune.

9 Je vérifie que je sais

Choisis les bonnes réponses.

Énoncés	Réponse A	Réponse B	Réponse C	Aide
1. La distance Terre-Soleil est de…	150 000 000 km	380 000 km	3 000 000 km	p. 160
2. La distance Terre-Lune est de…	80 000 km	380 000 km	152 000 000 km	p. 160
3. La Terre fait le tour du Soleil en…	1 jour	1 mois	1 an	p. 160
4. La Terre fait un tour sur elle-même en…	1 jour	1 mois	1 an	p. 160
5. Lorsque le disque lunaire est entièrement visible, on est en phase de…	premier quartier	nouvelle lune	pleine lune	p. 161
6. Lorsque seule la moitié droite du disque lunaire est visible, on est en phase de…	premier quartier	pleine lune	dernier quartier	p. 161
7. Lors d'une éclipse de Soleil, les 3 astres sont alignés, dans l'ordre…	Soleil-Terre-Lune	Soleil-Lune-Terre	Terre-Soleil-Lune	p. 162
8. Lors d'une éclipse de Lune, les 3 astres sont alignés, dans l'ordre…	Soleil-Terre-Lune	Soleil-Lune-Terre	Terre-Soleil-Lune	p. 162

> *réponses en fin de manuel*

10 Je vérifie que je sais faire

Choisis les bonnes réponses.

Énoncés	Réponse A	Réponse B	Réponse C	Aide
1. Dans le schéma ci-dessous, la Lune est en phase de… 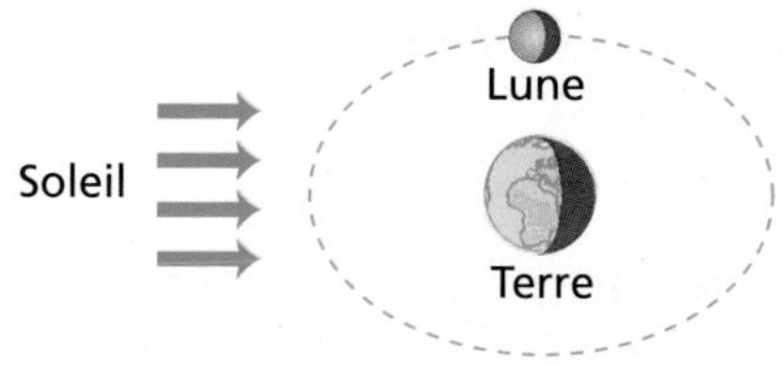	pleine lune	premier quartier	dernier quartier	p. 161
2. Le schéma ci-dessous représente… 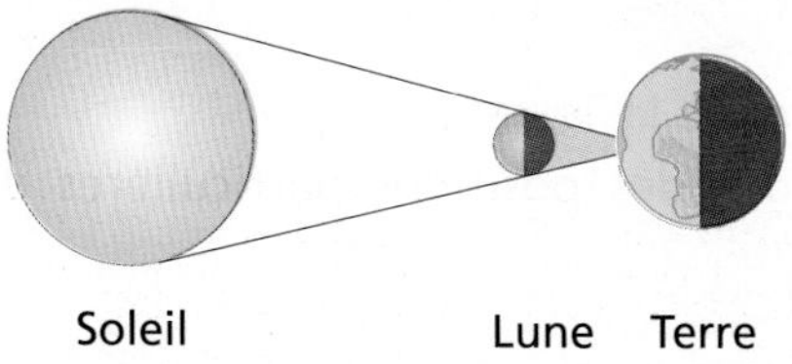	une éclipse de Lune	une éclipse de Soleil	la pleine lune	p. 162

> *réponses en fin de manuel*

exercices

Utilise tes connaissances

11 Apprends à résoudre

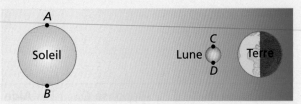

1. Décalque le dessin ci-dessus.
   – Trace le rayon de lumière passant par les points *A* et *C*, puis par les points *B* et *D*.
   – Dessine la limite de la zone éclairée sur la Lune.
   – Légende ton schéma avec les noms suivants : *ombre propre ; ombre portée ; cône d'ombre*.
2. Observe-t-on une éclipse de Lune ou de Soleil ?
3. Un astronaute, situé dans le cône d'ombre de la Lune, regarde la Terre. Dessine comment il voit la Terre et l'ombre portée de la Lune.

SOLUTION

1.

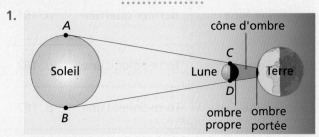

2. On observe une éclipse de Soleil si l'on est situé dans l'ombre portée de la Lune sur la Terre.
3. Ombre portée de la Lune sur la Terre vue par un astronaute depuis le cône d'ombre :

À TON TOUR

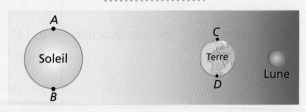

1. Décalque le dessin ci-dessus.
   – Trace le rayon de lumière passant par les points *A* et *C*, puis par les points *B* et *D*.
   – Dessine la limite de la zone éclairée sur la Terre.
   – Légende ton schéma avec les noms suivants : *ombre propre ; ombre portée ; cône d'ombre*.
2. Dans quelle zone d'ombre de la Terre se trouve la Lune ?
3. Est-ce une éclipse de Lune ou de Soleil ?

12 Ombre propre ou ombre portée ?

Regarde ce croissant de Lune. Je crois que la partie sombre de la Lune correspond à l'ombre portée de la Terre.

Maxime a-t-il raison ? Pourquoi ?

13 Photo d'éclipse

Cette photographie a été prise par David à Reims le 11 août 1999 à 12 h 24.

1. S'agit-il d'une éclipse de Lune ou de Soleil ? Justifie ta réponse.
2. Que représente le disque noir ?
3. Quelle précaution doit-on prendre pour observer une telle éclipse ?

14 Mots croisés

Recopie et complète la grille ci-dessous.

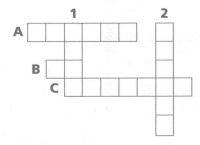

Horizontalement

A. Astre du jour.
B. Temps mis par la Terre pour effectuer un tour autour du Soleil.
C. Elle peut-être de Lune ou de Soleil.

Verticalement

1. Satellite naturel de la Terre.
2. S'observent pour des positions particulières de la Lune

15 Physique et français

Quand dit-on qu'une personne est lunatique ? Quelle est l'origine de ce mot ?

exercices

16 Recherche des définitions

Recherche la définition des mots suivants :
lunaison ; orbite ; révolution (en astronomie).

17 Lecture d'un calendrier

Le document ci-dessous est extrait d'un calendrier indiquant les phases de la Lune.

> NL : 07/02/2008 à 03 h 44 min
> PQ : 14/02/2008 à 03 h 33 min
> PL : 21/02/2008 à 03 h 30 min
> DQ : 29/02/2008 à 02 h 18 min
> NL : 07/03/2008 à 17 h 14 min

1. Que signifient les termes NL, PQ, PL et DQ ?
2. Combien de jours séparent les deux nouvelles lunes ?
3. Une éclipse de Lune a lieu en février 2008. Peux-tu préciser le jour de ce phénomène ?

18 Reconnaître les quartiers de Lune

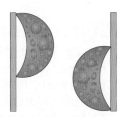

Pour repérer plus facilement les quartiers de Lune, tu peux dessiner une barre qui forme avec la partie éclairée de la Lune :
- un « p » (comme premier) en traçant la barre vers le bas ;
- un « d » (comme dernier) en traçant la barre vers le haut.
Applique cette méthode pour placer les photographies ci-dessous dans l'ordre où elles ont été prises à partir de la nouvelle lune.

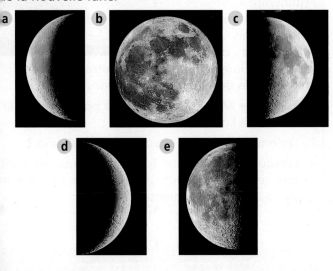

19 Phases de la Lune et calendrier

Sur des calendriers, les phases de la Lune sont indiquées par des symboles :

Quelle phase de la Lune représente chaque symbole ?

20 Lever ou coucher ?

La photographie ci-dessous représente un croissant de Lune visible le soir, dans le ciel.

1. De quel côté de la photographie le Soleil se trouve-t-il ?
2. Entre quelles phases de la Lune se trouve-t-on :
   a. entre la nouvelle lune et le premier quartier ?
   b. entre le dernier quartier et la nouvelle lune ?

21 Le croissant du berger

Vénus est une planète, qui apparaît dans le ciel sous la forme d'un point lumineux, comme une étoile très brillante (« l'étoile du berger »). Mais lorsqu'on l'observe avec un télescope, on peut la découvrir sous une forme inattendue.

1. Observe la photographie de Vénus ci-dessus. À quel autre astre ressemble-t-elle ?
2. Pourquoi ne voit-on pas Vénus sous la forme d'un disque ?
3. Le schéma ci-dessous représente le Soleil, la Terre et Vénus dans trois positions. Dans quelle position (1, 2 ou 3) Vénus se trouve-t-elle lors de son observation ?

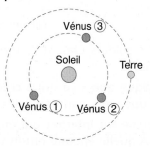

exercices

22 La Lune et la fête de Pâques

À l'inverse de Noël qui tombe toujours le 25 décembre, le jour de Pâques ne se fête pas à la même date chaque année. Ce jour doit correspondre au premier dimanche qui suit la première pleine lune du printemps. Pour le vérifier, utilise un calendrier où sont inscrites les phases de la Lune.

1. Quelle est la date du printemps ?
2. Recherche, sur un calendrier, la date de la pleine lune qui suit le jour du printemps.
3. Vérifie que le jour de Pâques correspond au dimanche suivant.

23 Mouvement apparent

La photographie ci-contre est une superposition de quatre photographies de la Lune prises sans bouger l'appareil photographique, sur une durée de quelques heures.

1. Pourquoi voit-on la Lune « se déplacer » dans le ciel ?
2. Pourquoi parle-t-on de mouvement apparent de la Lune ?
3. De quel coté de la photographie se trouve le Soleil ?
4. Ces photographies ont été prises le soir. Dans quel sens se déplace la Lune sur ce document ?

24 Analyse d'un texte grec

Le peuple grec de l'Antiquité interprétait les éclipses comme les présages des plus grands malheurs. L'histoire nous raconte que Périclès rassura ses marins et ses soldats terrifiés par une éclipse de Soleil.

> L'obscurité se fit et tous furent frappés de terreur comme devant un signe extraordinaire. Périclès voyant le pilote effrayé et en plein désarroi, leva sa chlamyde (son manteau) devant les yeux de celui-ci, l'en recouvrit et lui demanda alors s'il pensait qu'il y avait là quelque chose de terrible ou un présage d'une chose terrible ; l'autre dit non ; « quelle différence y a-t-il donc, lui dit Périclès, sinon que ce qui a créé l'obscurité est plus grand que mon manteau ? ».
>
> Plutarque, *Vies, Périclès, 33*.

1. Pourquoi les soldats étaient-ils terrifiés lors d'une éclipse de Soleil ?
2. Périclès indique que « ce qui a créé l'obscurité est plus grand que mon manteau ». De quoi s'agit-il ?
3. **B2i** Recherche sur Internet qui étaient Périclès et Plutarque. À quelle époque ont-ils vécu ?

25 La Terre est bien ronde

La Lune est certainement l'astre qui a été le plus étudié, notamment par les Grecs, trois siècles avant J.-C. La photographie ci-contre représente le début d'une éclipse de Lune observée depuis la Terre.

1. Une éclipse de Lune s'observe-t-elle de jour ou d[e] nuit ?
2. Que représente la partie brillante de la photographie[:]
   a. le Soleil ?
   b. la pleine lune ?
   Justifie ta réponse.
3. Que représente la partie sombre de la photographie
4. Comment, à partir de cette observation, les Gre[cs] ont-ils pu démontrer que la Terre est ronde ?

26 HISTOIRE DES SCIENCES

Le 29 juillet 1969, un homme, Neil Armstrong, pose pour la première fois un pied sur la Lune. En faisant le premier pas, il s'est exclamé : « Un petit pas pour l'Homme, un pas de géant pour l'Humanité ».
Le programme Apollo aura permis à douze astronautes de laisser leurs empreintes à la surface de notre satellite et d'[y] prélever près de 390 kg d'échantillons de roches...

1. En quelle année a-t-on marché pour la premièr[e] fois sur la Lune ?
2. Qu'ont rapporté les astronautes de la Lune ?
3. Lorsqu'on observe sur Terre une éclipse de Lun[e,] que se passe-t-il pour un astronaute se trouvan[t] sur la Lune à ce moment-là ?

Boîte à idées

- Exercice 21
  3. Imagine toi sur la Terre et observe la partie éclairée de Vénus.
- Exercice 23
  1. et 4. Pense à la rotation de la Terre sur elle-même.

L'importance des satellites

Lorsque le premier satellite *Spoutnik* fut lancé en 1957, on ne pensait pas à l'importance que les satellites allaient prendre dans notre vie de tous les jours.

Météorologie

Doc 1 Toutes les trente minutes, les satellites météo prennent des clichés de la Terre.

▶ Les satellites météorologiques, comme par exemple *Météosat*, analysent l'atmosphère terrestre et permettent d'établir des prévisions météorologiques jusqu'à sept jours.

Surveillance

▶ Les zones de pollution, le déboisement des forêts... sont détectés et suivis par les satellites.

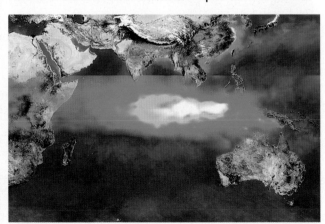

Doc 2 Observation de la pollution due à des feux de forêt en Asie du Sud-Est en 1997.

▶ Les militaires utilisent des satellites pour espionner les autres pays.

Télécommunication

La plupart des communications téléphoniques, des chaînes de télévision (Canal satellite, TPS...) utilisent des satellites comme relais. Ces satellites (*Télécom*, *Astra*...) sont placées à 36 000 km de la Terre et sont alimentés par des panneaux de photopiles.

Cartographie et repérage

▶ Les satellites permettent d'établir les cartes de la surface de la Terre avec une très grande précision.

Doc 3 Actuellement de nombreuses régions sont représentées en 3 dimensions.

▶ Pour repérer sa position sur la Terre, on utilise le système G.P.S. : un réseau de satellites communique la position au G.P.S.

QUESTIONS

I. As-tu bien compris le texte ?
1 *Cite quatre applications des satellites.*
2 *Quelle est l'utilité d'un G.P.S. ?*

II. Recherche sur Internet
3 *La France lance de nombreux satellites avec la fusée Ariane. Où se trouve la base de lancement de cette fusée ?*

Mobilise tes connaissances

Reconnaître une éclipse

« Dis donc, mon garçon, fais un peu attention où tu mets les pieds ! bougonne Cyrus.

Maxime s'excuse. Préoccupé de fendre la foule massée sur la place pour admirer l'éclipse [...], il a écrasé les pieds du savant.

– Reste ici, lui recommande ce dernier. La place est bonne. Nul besoin de te retrouver au premier rang puisqu'il suffit de lever la tête.

– Ça y est ! s'écrie Maxime lorsque l'ombre de la Terre commence à voiler notre satellite.

Au bout d'un moment, il demande à son compagnon :

– Cyrus ?

– Moui ?

– Qu'est-ce qui produit une éclipse [...] ?

– Une éclipse se produit lorsque la Lune passe derriè la Terre, qui lui fait de l'ombre.

– Je ne vous suis pas, avoue le gamin.

– La Terre est plus grosse que la Lune.

– Ça, je sais. »

Cyrus, l'encyclopédie qui raconte, volume 3, C. Duchesne et C. Marois, éditions Québec Amérique Inc., 199

Questions :

❶ Quel est le satellite mentionné par Maxime ?

❷ Quelle est la phrase du texte qui donne la définition d'une éclipse ?
S'agit-il d'une éclipse de Soleil ou de Lune ? Justifie ta réponse.

❸ Observe les trois schémas et indique celui qui correspond à :
a) une éclipse de Soleil ;   b) une éclipse de Lune.

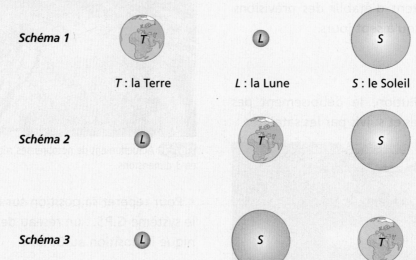

Schéma 1	T	L S
	T : la Terre	L : la Lune S : le Soleil
Schéma 2	L	T S
Schéma 3	L	S T

❹ Réponds par *Vrai* ou *Faux*.

a) Une éclipse de Lune se produit lorsque la Lune ne reçoit plus de lumière provenant du Soleil, car elle est dans l'ombre de la Terre.

b) Une éclipse de Lune se produit lorsque la Terre ne reçoit plus de lumière provenant du Soleil, car elle est dans l'ombre de la Lune.

c) C'est lors d'une pleine lune que l'on peut observer une éclipse de Soleil.

d) Une éclipse de Lune s'observe lors d'une pleine lune.

évaluation-bilan

Mobilise ton savoir-faire

Tu dois vérifier, dans cette activité expérimentale, la propagation rectiligne de la lumière.

Tu disposes du matériel présenté ci-contre :
- une D.E.L., alimentée par un générateur, qui sert de source de lumière et qui est fixée sur une tige verticale ;
- une boîte de chaussures dont le couvercle est remplacé par du papier-calque et dont le fond est percé d'un trou.

Mets en place le matériel sur une table et mesure les longueurs h, d et h'.

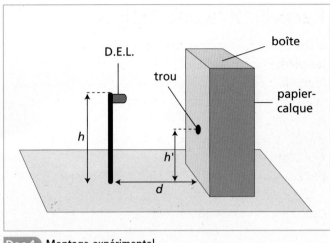

Montage expérimental.

Prévois le résultat de l'expérience

Tu dois prévoir où va apparaître une tache lumineuse sur le papier-calque quand on allume la D.E.L.

Sur une grande feuille de papier (format A3), schématise le montage, comme ci-dessous, mais avec les longueurs h, d et d' précédemment mesurées.

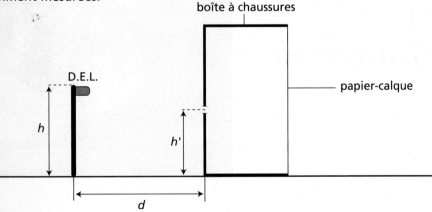

Indique sur ton schéma la position de la tache lumineuse qui va apparaître sur le papier-calque, en utilisant une règle par exemple.

Mesure la distance séparant la tache de la table.

Vérifie tes prévisions

Expérience :

Allume la D.E.L.

Mesure la hauteur à laquelle apparaît la tache.

Compare ce résultat avec celui que tu as prévu.

Conclusion :

Comment se propage la lumière entre la D.E.L. et le papier-calque ?

Thèmes de convergence

La météorologie

L'environnement

La sécurité

La météorologie

La Terre se réchauffe et le climat change. Les glaciers de montagne ont perdu la moitié de leur volume en 150 ans. En 50 ans, l'épaisseur de la banquise a diminué de 40 %. La hausse du niveau des océans menace les îles basses et les deltas peuplés comme ceux du Nil et du Bangladesh. Certaines espèces animales migrent, d'autres disparaissent.

Le réchauffement climatique est dû à l'effet de serre dont l'agent principal est le gaz carbonique (dioxyde de carbone). Celui-ci est rejeté dans l'atmosphère lors de la combustion du pétrole, du charbon et du gaz naturel dans l'industrie, les transports et le chauffage.

Pourquoi pleut-il? Pourquoi neige-t-il?

La pluie et la neige proviennent des nuages.

Les nuages

Sous l'effet de la chaleur apportée par le Soleil, l'eau de la mer s'évapore pour devenir de la vapeur d'eau. Cette vapeur, invisible, monte dans le ciel. Elle se refroidit, se liquéfie en fines gouttelettes puis peut se solidifier en cristaux de glace pour former les nuages.

Doc 1 Ce nuage, appelé cumulonimbus, peut avoir une épaisseur de plusieurs kilomètres.

▶ Sous quels états se trouve l'eau dans un nuage ?

La pluie

Les nuages sont poussés sur les côtes par les vent Lorsque les gouttelettes d'eau, en s'associant, deviennent suffisamment grosses, elle tombent sur le sol il pleut. Le diamètre moyen d'une goutte de pluie e de 2 mm.

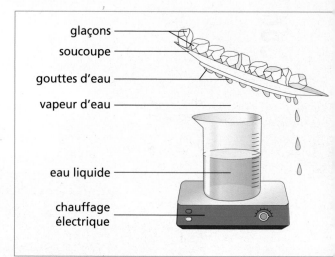

glaçons
soucoupe
gouttes d'eau
vapeur d'eau
eau liquide
chauffage électrique

Doc 2 La vapeur d'eau se liquéfie en buée sur la partie froide de la soucoupe. Les gouttelettes d'eau grossissent puis tombent.

▶ Pourquoi a-t-on mis des glaçons sur la soucoupe ?

La neige

S'il fait très froid, le nuage contient surtout des cristaux de glace. En tombant ceux-ci ne fondent pas et s'associent en flocons de neige.

▶ Pourquoi, l'hiver, les cristaux de glace ne fondent-ils pas en tombant ?

Doc 3 Paysage enneigé (**a**). Un flocon de neige est formé de cristaux de glace (**b**).

Pour en savoir plus : http://www.meteofrance.com/FR/pedagogie/index.jsp

Pourquoi fait-il du vent ?

*Les différences de température à la surface de la Terre provoquent
des déplacements d'air qui constituent les vents !*

Le vent : une histoire de température

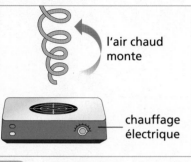

Doc 4 Le serpentin placé au-dessus de la plaque chauffante se met à tourner.

l'air chaud monte

chauffage électrique

Les différences de température à la surface de la Terre provoquent les mouvements d'air qui constituent les vents.

Pourquoi le serpentin se met-il tourner ?

Le vent : une histoire de pression

Ces mouvements d'air s'accompagnent de zones de pressions différentes.

À une zone de haute pression (la pression est supérieure à 1 013 hectopascals, valeur de la pression atmosphérique normale) correspond un anticyclone (A). Une dépression (D) se trouve dans une zone de faible pression.

Les lignes d'égale pression sont appelées isobares (Doc. 5).

Les vents ne vont pas simplement des hautes pressions vers les basses pressions. Entraînés par la rotation de la Terre, ils tournent autour de ces zones.

▶ **Quelle est la pression atmosphérique à Rouen ?**

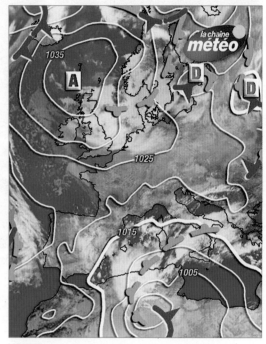

Doc 5 Les lignes isobares sont représentées par des lignes blanches.

La direction du vent

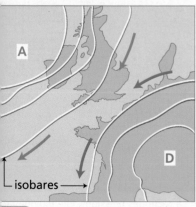

isobares

Doc 6 Dans l'hémisphère Nord, les vents tournent dans le sens inverse des aiguilles d'une montre autour d'une dépression. Ils tournent dans l'autre sens autour d'un anticyclone.

Sur le document 7, dans quel sens tournent les vents ?

Doc 7 Le cyclone Katrina arrivant en Louisiane. Le centre du cyclone est une dépression.

En 1999, une violente tempête a soufflé sur la France. Des vents de plus de 130 km/h ont causé de grands dommages (toitures arrachées, lignes électriques coupées...).

Si les vents soufflent encore plus violemment (jusqu'à plus de 250 km/h), on a affaire à un cyclone ou à un typhon.

Aux États-Unis, le cyclone Katrina a ravagé toute la Louisiane en 2005 (Doc. 7).

Comment interpréter un bulletin météorologique ?

Les bulletins météo donnent les prévisions du temps.

Cartes de prévision du temps

Doc 8 La carte générale. La vitesse du vent est en km/h.

▶ Quel temps va-t-il faire dans le Jura ?

▶ Quelle est la vitesse du vent à Perpignan ?

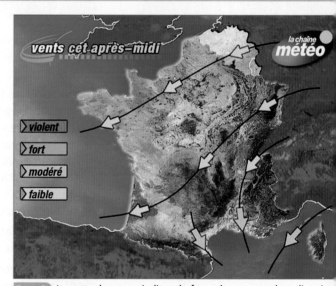

Doc 9 La carte des vents indique la force des vents et leur direction. À Marseille, un vent modéré souffle du Nord : le Mistral.

▶ Dans quelles régions les vents seront-ils modérés ?

Carte des températures

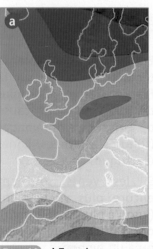

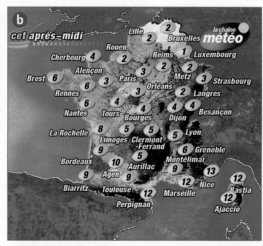

Doc 10 **a)** Température moyenne des masses d'air. Du rouge au bleu foncé, il fait de plus en plus froid. **b)** Températures locales.

▶ Dans quelle région de la carte fait-il le plus chaud ?

▶ Quelle est la température à Bastia ?

Carte des pressions

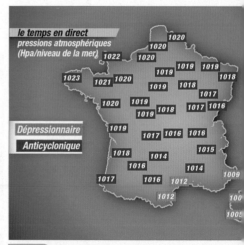

Doc 11 La carte des pressions. Elle indique la pression atmosphérique en hectopascal (hPa). Le hautes pressions sont écrites dans un cadre bleu Il fait beau : on est dans un anticyclone. Les bass pressions sont écrites dans un cadre rouge. Il fait mauvais : on se trouve dans une dépression.

▶ Quelle est la pression à Brest ?

Comment réalise-t-on les mesures météorologiques ?

Pour établir un bulletin météorologique, on effectue dans des stations météorologiques de nombreuses mesures de température, de pression, de vitesse et d'orientation du vent... puis on suit leur évolution dans le temps.

Principe d'une station météo

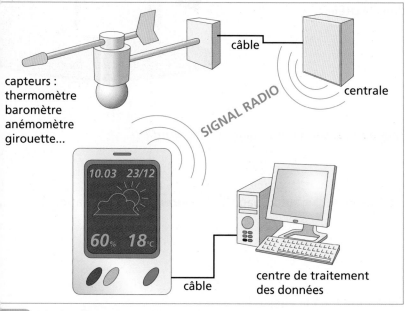

capteurs :
thermomètre
baromètre
anémomètre
girouette...

câble

centrale

SIGNAL RADIO

10.03   23/12

60%   18°C

câble

centre de traitement
des données

Doc 12 Principe d'une station météo.

Doc 13 Une station météo de Météo-France.

s données mesurées par différents capteurs (capteurs de température, de pression, de vitesse du vent...) sont
ansmises par onde radio à un récepteur, puis sont traitées par un logiciel.

Quelles grandeurs peut-on mesurer à l'aide de cette station météorologique ?

À la maison

uelques instruments utilisés par des particuliers.

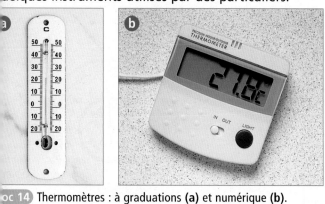

Doc 14 Thermomètres : à graduations (a) et numérique (b).

Doc 15 Baromètre.

Doc 16 Anémomètre.

B2i Les marins et les plaisanciers mesurent la vitesse du vent en nœud et sa force avec un chiffre de l'échelle
e Beaufort. Utilise Internet pour trouver la valeur de la vitesse d'un vent de force 5.

Utilise tes connaissances

Utilise tes connaissances pour répondre aux questions posées sur le thème de la météorologie.

▶ Les états de la matière

1 Les nuages sont-ils de la vapeur d'eau ou des gouttes d'eau liquide ?

2 Sous quel état physique se trouve l'eau dans la grêle ? dans la gelée blanche ?

▶ La pression atmosphérique

3 Qu'est-ce qu'une « isobare » ?

4 Qu'est-ce qu'un anticyclone ?

5 Comment se déplacent les vents autour d'une dépression dans l'hémisphère Nord ?

▶ Les changements d'état

6 Quels changements d'état peux-tu observer sur le document 2, page 174, concernant la formation de la pluie ?

▶ Les instruments de mesure

7 Avec quels instruments mesure-t-on :
a) la température ?   b) la pression atmosphérique ?   c) la vitesse du vent ?

▶ Les unités de mesure

8 Quelles sont les unités de mesure :
a) de la température ?   b) de la pression atmosphérique ?   c) de la vitesse du vent ?

9 Un baromètre indique « 1 030 ». Que représente ce nombre ? Quelle unité lui est associée ?
Le baromètre est-il situé dans une zone anticyclonique ou dépressionnaire ?

▶ Lire des graduations

10 Écris les indications fournies par ces instruments de mesure, en précisant l'unité.

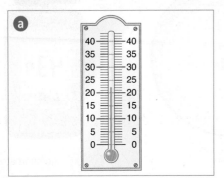

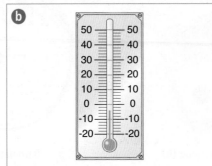

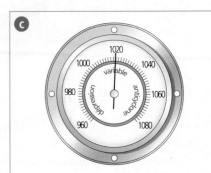

L'environnement

ctuellement, un milliard d'humains n'ont toujours pas l'eau potable. Dans de
ombreuses régions du monde, des femmes et des enfants font, chaque jour,
usieurs kilomètres à pied pour s'approvisionner en eau.
haque année des millions de personnes meurent de maladies, car ils sont
ntraints de boire une eau qui n'a pas été dépolluée.

La pollution de l'eau

Le plus souvent, nos cours d'eau sont pollués par des déchets urbains, agricoles et industriels comprenant de nombreuses substances toxiques que les processus naturels ne réussissent pas à décomposer.

Les différents polluants, leurs origines

Les déchets urbains proviennent de l'industrie : (pétrole, huile, peinture, métaux comme le plomb, le mercur[e] le cadmium…), de l'agriculture (pesticides, engrais comportant des nitrates, du phosphore…) ou des eaux usé[es] domestiques (détergents…).

Quelles sont les conséquences ?

Dans les rivières, les engrais [et] les eaux usées favorisent [la] croissance des algues (Doc. 1 [a]). En trop grande quantité ell[es] asphyxient le milieu aqu[a]tique. Si la pollution est impo[r]tante, la baignade est interdi[te] (tu attraperais de graves ma[la]dies de peau) et les poisso[ns] meurent (Doc 1 b). L'ea[u] polluée de la rivière, en s'inf[il]trant dans le sol, pollue à so[n] tour la nappe phréatiqu[e]. L'eau que l'on prélève da[ns] cette nappe devient alo[rs] impropre à la consommation.

Doc 1 Des rivières polluées.

▶ À quoi reconnais-tu que ces rivières sont polluées ?

Gestes citoyens   ⚠ Tu ne dois pas :

Verser des liquides toxiques dans l'évier ou dans la rivière.

Verser des produits toxiques sur le sol.

Jeter des piles ou des accumulateurs.

▶ Pourquoi faut-il porter les produits toxiques à la déchetterie ou les placer dans des bacs de récupération ?

Les marées noires

*La première grande marée noire en France a eu lieu en Bretagne, en 1978, avec le naufrage du pétrolier **Amoco Cadiz**. Depuis, de nombreuses marées noires ont encore lieu dans le monde.*

Qu'est-ce qu'une marée noire ?

[Lo]rsqu'un pétrolier fait naufrage [ou] se casse, il laisse échapper de [se]s soutes des milliers de tonnes de [pé]trole brut, liquide très visqueux. [Co]mme le pétrole n'est pas miscible [à] l'eau de mer, il remonte à la [su]rface. Poussé par les vents ou les [co]urants, il vient polluer les côtes.

[D]oc 2 Naufrage d'un pétrolier.

Pourquoi le pétrole pollue-t-il [le]s côtes ?

Des conséquences désastreuses

Les plages et les rochers sont recouverts d'une épaisse couche visqueuse noirâtre, nauséabonde et toxique. Les oiseaux, englués dans le pétrole, ne peuvent plus voler et s'alimenter. Les huîtres et les coquillages deviennent impropres à la consommation. La pêche est interdite.

C'est aussi un préjudice sérieux pour l'industrie du tourisme.

Doc 3 Les conséquences des marées noires.

▶ Sur quelles côtes de France ont lieu généralement les marées noires ?

▶ **B2i** Le pétrole brut contient des hydrocarbures. Cherche sur Internet divers produits extraits du pétrole.

Comment lutter ?

[O]n essaie de contenir la nappe au large en l'emprisonnant avec des [bo]uées ou en en pompant une partie.

[Su]r la côte des centaines de personnes, la plupart volontaires, luttent, [le] plus souvent, avec des seaux et des pelles.

[E]n Europe, un durcissement de la législation sur les transports pétro-[li]ers est en cours, notamment l'obligation des doubles coques pour les [pé]troliers.

[A]ctuellement, on surveille le dégazage (nettoyage et vidange des [cu]ves des navires) en haute mer, source importante de pollution : les [co]ntrevenants sont lourdement condamnés (principe du pollueur-[p]ayeur).

Pourquoi la personne du document 4 utilise-t-elle une combinaison ?

Doc 4 Nettoyage d'une plage après une marée noire.

Le traitement des eaux usées

Le réseau du tout à l'égout collecte les eaux usées qui sont acheminées vers une station d'épuration où elles sont traitées et dépolluées.

Doc 5 Collecte et traitement des eaux usées dans une station d'épuration.

▶ D'où proviennent les eaux usées ? Où sont-elles rejetées après traitement ?

Dans une station d'épuration, on observe les étapes suivantes :

1 Relevage et dégrillage : les eaux usées arrivent à la station par des canalisations souterraines ; elles sont relevées par une vis d'Archimède puis passent sur un dégrilleur qui les débarrasse de gros débris (chiffon, bois, plastique…).

2 Dessablage, déshuilage : les sables et graviers vont au fond, les graisses restent en surface.

3 Traitement biologique : on ajoute des bactéries qui décomposent les polluants organiques en utilisant de l'oxygène introduit par brassage de l'eau. Il se forme des boues.

4 Clarification : on sépare les boues de l'eau par décantation.

5 Élimination des boues : elles sont éliminées, souvent par incinération.

6 Rejet des eaux épurées : elles sont rejetées dans le milieu naturel mais **elles ne sont pas potables**.

Doc 6 Station d'épuration de Douai.

▶ Reconnais-tu les clarificateurs ?

Comment l'eau est-elle rendue potable ?

La majorité des eaux potables proviennent des rivières et doivent subir un traitement physique et chimique dans une station de traitement.

Le traitement de l'eau

traitement de l'eau comprend les étapes suivantes :

Le captage de l'eau : à l'aide d'un forage ou dans une ·ière.

Le stockage : l'eau à traiter est stockée dans des grands servoirs.

La floculation et la décantation : on injecte des produits ·pelés floculants sur lesquels s'agglutinent les impuretés. ·e forme des flocons qui se déposent au fond du bassin.

La filtration : les particules qui ne se sont pas déposées ·nt retenues par un filtre. L'eau est maintenant limpide.

La désinfection : on introduit des désinfectants (chlore, ·one...) pour éliminer les microbes.

Le stockage de l'eau potable : l'eau potable est stockée ·ns des bassins qui alimentent les châteaux d'eau. L'eau ·t ensuite acheminée jusqu'au robinet.

·s Directions départementales de l'action sanitaire et ·ciale (DDASS) contrôlent la qualité de l'eau.

·ù sont éliminés les microbes ?

Doc 7 Schéma d'une station de traitement d'eau potable.

L'eau non potable, source de nombreuses maladies

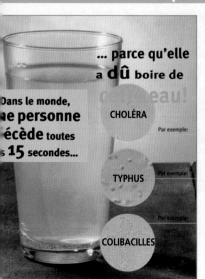

... parce qu'elle a **dû** boire de ...·eau!

Dans le monde, ·e personne ·écède toutes ·s 15 secondes...

CHOLÉRA · Par exemple:

TYPHUS · Par exemple:

· Par exemple:

COLIBACILLES

Dans certains pays en voie de développement, la consommation d'eau non potable conduit à de nombreuses maladies (Doc. 8). Les plus touchés sont les jeunes enfants qui souvent ne survivent pas à des dysenteries aiguës.

En randonnée, ne bois jamais l'eau d'une rivière ou d'un fleuve !

▶ **B2i** Recherche sur Internet la signification des mots *choléra*, *typhus*, *colibacilles* et *dysenterie*.

Doc 8 Bois seulement de l'eau du robinet ou de l'eau minérale.

Gestes citoyens

L'eau douce est en quantité limitée : il faut donc l'**économiser**.

 Prends une douche plutôt qu'un bain.

 Ne fais pas couler l'eau inutilement : par exemple, coupe l'eau quand tu te savonnes les mains ou tu te brosses les dents.

Utilise tes connaissances

Utilise tes connaissances pour répondre aux questions posées sur le thème de l'environnement.

▶ L'eau autour de nous

1 D'où provient l'eau que nous consommons ?
Comment cette eau a-t-elle été rendue potable ?

2 Comment savoir si un liquide incolore est de l'eau ?

▶ Mélanges aqueux

3 Peut-on savoir si une eau est polluée en l'observant avec une loupe ?

4 Les eaux usées arrivant à la station d'épuration forment-elles un mélange homogène ?
Justifie ta réponse.

5 Quel est le rôle d'un bassin de décantation ?

6 Une station de traitement d'eau potable possède un filtre à sable.
Élimine-t-il les particules dissoutes ? Quel est son rôle ?

▶ Mélanges homogènes et corps purs

7 L'eau du robinet est potable. Est-ce un corps pur ?
Comment pourrais-tu le prouver expérimentalement ?

▶ Quelques propriétés de l'eau

8 Comment est la surface libre de l'eau dans un réservoir de stockage ?

9 Un bassin de clarification contient 50 m³ d'eau. Quel est le volume exprimé en litre ?
Quelle est la masse de cette eau ?

▶ La conservation de la masse

10 On dissout 10 g de pesticide dans 1 L d'eau.
On obtient un mélange homogène incolore.
Quelle est la masse de ce mélange ?

▶ L'eau est un solvant

11 Le white-spirit est un hydrocarbure. Est-il miscible à l'eau ?
Indique, par le dessin, une technique permettant de séparer deux liquides non miscibles.

La sécurité

haque année, des tempêtes, ouragans, cyclones, tsunamis, tremblements de terre, ondations, glissements de terrain... provoquent de véritables catastrophes et nt des milliers de victimes.

omme on ne peut pas lutter contre ces phénomènes naturels, l'Homme doit adapter : ne pas construire en zone inondable ou construire sur pilotis, renforcer s systèmes d'alertes et d'évacuation...

L'électricité à la maison

Le corps humain, composé en moyenne de 70 % d'eau, est conducteur d'électricité
Si l'on touche les deux bornes d'une prise de courant ou un fil dénudé,
le courant passe dans le corps : c'est l'électrisation,
ou, plus grave, la mort par électrocution.

Ne pas faire !

▶ Indique dans chaque cas les erreurs commises.

L'eau et l'électricité ne font pas bon ménage !

Le corps humain, s'il est humide, conduit mieux le courant électrique que lorsqu'il est sec. Les risques d'électrisation et d'électrocution sont encore plus grands.

⚠ Attention :

– Ne te sèche jamais les cheveux dans la baignoire.

– Ne touche pas un appareil électrique lorsque tu es pieds nus.

– N'utilise pas un radiateur électrique mobile, non adapté à une salle de bains.

– Ne touche pas les bornes d'une prise de courant.

▶ Indique les imprudences commises dans cette salle de bains.

Que faire en cas d'électrisation ?

– Ne touche pas la victime, car tu risques de t'électrocuter.

– Actionne le disjoncteur pour couper le courant. Si tu ne sais pas où est le disjoncteur, prends un manche en bo ou en plastique pour dégager la victime.

– **Téléphone au 112**, un spécialiste pourra te conseiller, ou appelle les **pompiers au 18** ou le **Samu au 15**. Atten pour raccrocher que ton interlocuteur te le dise.

Les produits ménagers

Les produits chimiques utilisés pour l'entretien domestique (nettoyants, détachants, insecticides) ou pour le bricolage (peintures, vernis, décapants) sont souvent toxiques ou corrosifs (ils rongent la peau).

Pourquoi sont-ils dangereux ?

Certains produits de nettoyage contiennent des substances corrosives (soude, ammoniaque, eau de javel, acides...).

D'autres produits ménagers contiennent des solvants volatils (acétone, white-spirit, trichloroéthylène, essence de térébenthine...). Ils s'évaporent facilement et peuvent être inhalés. Certains peuvent s'enflammer facilement (Doc. 1 et 2).

Ne faut pas boire ces produits, ne pas les mettre au contact d'aliment, ne pas les toucher sans protection (utiliser des gants).

Il faut éviter de les inhaler en les manipulant dans des locaux ventilés (utiliser un masque).

Quel est le numéro de téléphone du centre anti-poison de ta région ?

Doc 1 Des produits ménagers très dangereux.

Que faire ?

En cas d'ingestion :
Ne rien donner à boire.
Ne pas faire vomir.

En cas de contact avec la peau ou les yeux :
Laver à grande eau la partie souillée.

En cas de dégagement de vapeurs nocives :
Aérer le local.

Dans tous les cas :
Appeler le centre anti-poison ou le 112 ou le 18 (pompiers).
Se munir de l'emballage du produit responsable de l'intoxication.

Doc 2 Étiquette d'un produit ménager.

La sécurité sur la route

En 2004, 5 443 personnes ont perdu la vie sur les routes de France,
112 000 ont été blessées et beaucoup gardent aujourd'hui des handicaps à vie.

L'Attestation scolaire de sécurité routière de premier niveau (ASSR 1)

L'ASSR 1 est préparée en classe de Cinquième. Elle est obligatoire pour pouvoir s'inscrire à la formation pratique du BSR (Brevet de sécurité routière), qui est indispensable pour conduire un cyclomoteur à partir de 14 ans.

Pour en savoir plus :

http://eduscol.education.fr/index.php?./D0162/fichpedaASSR.htm

▶ Quelle imprudence commet cet enfant ?

Doc 3 ▸ Cet enfant n'a pas conscience du danger.

Même à pied, tu es en danger !

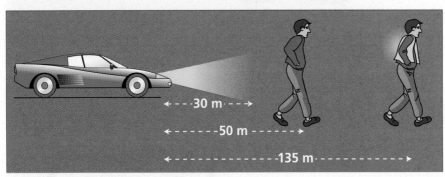

▶ Quel est l'intérêt de porter des vêtements réfléchissants ?

Le matin ou le soir, dans la pénombre les piétons sont peu visibles de automobilistes. Pour être vus plu distinctement, les piétons doiver porter des vêtements clairs et fixe des éléments réfléchissants sur l cartables, les vélos et les vêtement

Un piéton éclairé par les feux de croisements d'une automobile est visible par le conducteur lorsqu'il est situé :
– à 30 m, sans élément réfléchissant ;
– à 135 m, s'il porte un vêtement réfléchissant.

On comprend l'intérêt d'un élément réfléchissant lorsque l'on sait qu'un automobiliste a besoin de 30 m pour s'arrête s'il roule à 50 km/h sur une route sèche !

Protège-toi en deux roues

Ton vélo doit posséder obligatoirement un dispositif réfléchissant blanc à l'avant, rouge à l'arrière, orange sur les pédales.

Si tu circules la nuit, tu dois avoir en plus un éclairage blanc à l'avant et rouge à l'arrière.

⚠ **N'oublie jamais de mettre un casque et de l'attacher, car même si tu es prudent, sache que la moitié des accidents impliquant les deux roues sont des collisions avec des voitures.**

▶ Pourquoi faut-il mettre un casque en cyclomoteur ?

Doc 4 ▸ Le casque peut te sauver la vie !

Les risques naturels

Les risques naturels (les tempêtes, les inondations, les avalanches, les tremblements de terre, les coulées de lave des volcans) provoquent de nombreuses pertes humaines.

Des risques prévisibles

Météo-France peut prévoir les phénomènes naturels suivants : un vent violent, de fortes précipitations, de la neige, du verglas, une canicule ou un grand froid. Elle établit une carte de vigilance, visible en permanence sur son site internet : www.meteofrance.com

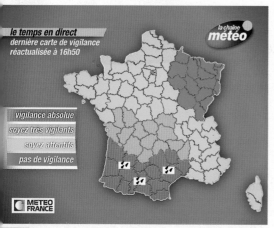

Doc 5 Sur cette carte de vigilance, chaque département est coloré en vert, jaune, orange ou rouge, selon la situation météorologique et le niveau de vigilance nécessaire.

▶ À quelle couleur correspond un très grand danger ?

Doc 6 Inondations dans le Gard en septembre 2005.

▶ Quelles peuvent être les causes d'une inondation ?

Doc 7 Forêt des Vosges, dévastée après la tempête de 1999.

▶ Qu'est-ce qu'une tempête ?

Des risques souvent imprévisibles

Doc 8 Tremblement de terre au Pakistan, 8 octobre 2005.

▶ À quoi est dû un tremblement de terre ?

Doc 9 Une coulée de lave à Hawaii (États-Unis). L'éruption volcanique la plus célèbre est celle de Pompéi en l'an 79 après J.-C.

▶ Quel volcan a détruit Pompéi ? Dans quel pays se trouve-t-il ?

Doc 10 Chaque année, les avalanches en montagne font de nombreuses victimes.

▶ Pourquoi ne faut-il pas faire du ski hors-piste ?

Utilise tes connaissances

Utilise tes connaissances pour répondre aux questions posées sur le thème de la sécurité.

▶ Conducteurs et isolants

1 a) Pourquoi le courant peut-il passer dans notre corps si on touche une des bornes d'une prise de courant ?

b) Les deux bornes de la prise sont-elles équivalentes ? Comment les nomme-t-on ?

2 a) Schématise un montage qui permet de savoir si une substance est conductrice ou isolante.

b) Pourquoi le danger d'électrocution est-il plus important dans une salle de bains ?

c) Quel est le numéro de téléphone du Samu ? des pompiers ?

▶ L'eau dans notre environnement

3 Une bouteille contient un liquide incolore.

Décris une expérience qui permet de savoir si ce liquide est de l'eau.

▶ Les états de l'eau

4 Observe cette carte de vigilance émise par Météo-France.

a) Indique un département :
– où les risques dus à la neige et au verglas sont importants ;
– où il n'y a pas de risque particulier.

b) À partir de quelle température, la neige peut-elle fondre ?

5 Lors de fortes pluies, les rivières peuvent déborder, provoquant des inondations. Pourquoi, connaissant la « hauteur » de l'eau dans une rivière, peut-on prévoir les zones qui seront inondées ?

▶ L'eau solvant

6 Pourquoi la nappe phréatique peut-elle être polluée lors d'une inondation prolongée ?

▶ Les sources de lumière

7 Un enfant porte sur son dos un cartable muni de bandes réfléchissantes.

a) Ces bandes sont-elles des sources primaires de lumière ?

b) Que se passe-t-il lorsqu'elles sont éclairées par les phares d'une automobile ? Dans quelle condition sont-elles alors visibles par l'automobiliste ?

▶ Propagation de la lumière

8 Schématise un enfant regardant l'ampoule d'un phare d'automobile.
Sur ce schéma, trace un rayon de lumière qui permet à l'enfant de voir la lampe.
Indique le sens de propagation de la lumière.

Tracer un graphique

Lors de l'étude de la solidification de l'eau, on désire représenter graphiquement l'évolution de la température en fonction du temps, à partir du tableau de mesures suivant :

Temps (min)	0	1	2	3	4	5	6	7
Température (°C)	12	6	1	0	0	0	− 1	− 3

Échelle :

température : 1 cm ↔ 2 °C
temps :   1 cm ↔ 1 min

1 Sur une feuille de papier millimétré trace deux axes perpendiculaires.

2 Indique, sur chacun des axes, la grandeur mesurée et son unité :
• la température (en °C) est représentée sur l'axe des ordonnées ;
• le temps (en min) est représenté sur l'axe des abscisses.

3 Gradue les axes. Pour bien graduer les axes, regarde les valeurs minimale et maximale de la température et du temps.

4 Dessine une petite croix à l'intersection des droites correspondant aux valeurs de la température (°C) et du temps (min) pour chaque colonne du tableau.

5 Trace, à main levée, la courbe qui passe par un maximum de points expérimentaux. (Il ne faut pas joindre les points successifs par des segments de droite, mais obtenir une courbe lisse.

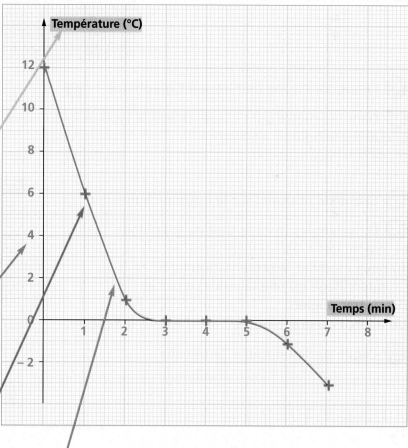

Courbe de solidification de l'eau

6 Donne un titre au graphique.

Tracer un graphique avec un tableur

Comment tracer, avec un tableur, une courbe indiquant la variation de la température en fonction du temps ?

1 Ouvre le logiciel tableur (Excel, OpenOffice…).

2 Recopie dans le tableau les résultats de tes mesures.

3 Sélectionne les deux colonnes de données en déplaçant la souris avec le bouton gauche enfoncé. La zone sélectionnée devient grise.

	A	B
1	Ebullition de l'eau	
2	temps	température
3	0	29,5
4	1	39,8
5	2	50,2
6	3	60,5
7	4	70,3
8	5	80,6
9	6	90,4
10	7	99,9
11	8	100,0
12	9	100,1
13	10	100,0

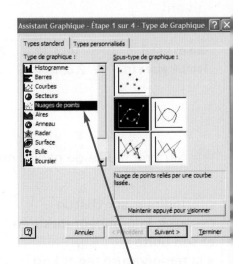

4 Clique sur l'icône de l'assistant graphique : 🏛 .

5 Dans la fenêtre qui s'ouvre, choisis le type de graphique : « Nuages de points ». Clique sur le bouton « Suivant ».

6 Clique de nouveau sur le bouton« Suivant ».

7 Écris dans les cases le titre du graphique et le nom des axes.
Tu peux modifier la présentation (ajouter un quadrillage ou une légende) à partir des autres onglets.
Un aperçu du graphique est affiché dans la fenêtre.

8 Clique sur le bouton « Terminer ».

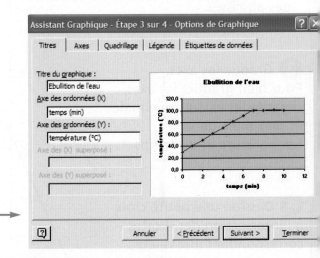

Tu obtiens le graphique ci-contre :

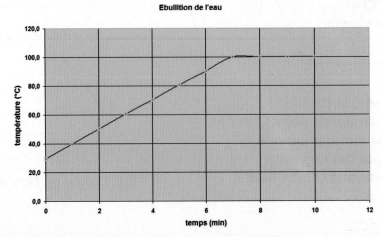

Ebullition de l'eau

Tracer un histogramme avec un tableur

Comment tracer un histogramme de précipitations annuelles avec un tableur ?

1 Ouvre le logiciel tableur.

2 Recopie les informations du tableau ci-dessous sur la feuille de calcul.

3 Sélectionne les 2 colonnes de données en déplaçant la souris avec le bouton gauche enfoncé. La zone sélectionnée devient grise.

	A	B	C
1		Précipitations	
2		**Rennes**	**Marignane**
3	**Janv**	61	46
4	**Févr**	52	45
5	**Mars**	49	42
6	**Avr**	45	47
7	**Mai**	58	44
8	**Juin**	46	27
9	**Juil**	43	12
10	**Août**	47	31
11	**Sept**	57	62
12	**Oct**	54	76
13	**Nov**	68	57
14	**Déc**	69	54

4 Clique sur l'icône de l'assistant graphique : .

5 Dans la fenêtre qui s'ouvre, choisit le type de graphique : « Histogramme ». Clique sur le bouton « Suivant ».

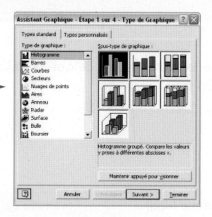

6 Dans la fenêtre qui s'ouvre, clique sur l'onglet « Série ». Clique dans la case « Étiquette des abscisses ».

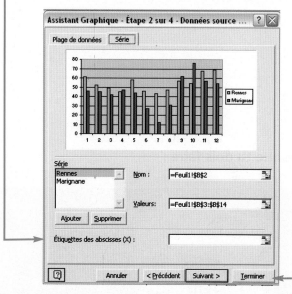

7 Sélectionne la colonne des mois. La zone sélectionnée est entourée de pointillés.

8 Clique sur le bouton « Terminer ».

	A	B	C
1		Précipitations	
2		**Rennes**	**Marignane**
3	**Janv**	61	46
4	**Févr**	52	45
5	**Mars**	49	42
6	**Avr**	45	47
7	**Mai**	58	44
8	**Juin**	46	27
9	**Juil**	43	12
10	**Août**	47	31
11	**Sept**	57	62
12	**Oct**	54	76
13	**Nov**	68	57
14	**Déc**	69	54

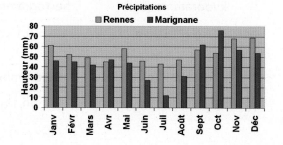

Tu obtiens l'histogramme ci-contre.

• Que représentent les barres bleues ?
• Que représentent les barres rouges ?
• Que se passe-t-il si tu changes une valeur dans le tableau ? Pour le savoir, tape 120 pour Marignane en juillet. L'histogramme est-il modifié ?

Mesurer la masse d'un solide

Comment mesurer 20 g de sucre en poudre ?

Ce qu'il te faut : une balance, une coupelle.

Ce que tu dois faire :

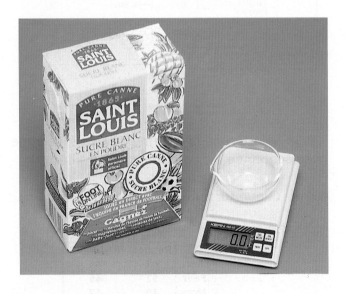

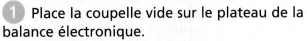

① Place la coupelle vide sur le plateau de la balance électronique.
La balance indique alors, en gramme, la masse de la coupelle.
Appuie sur le bouton « TARE » pour ramener l'indication de la balance à zéro.

② Verse le sucre jusqu'à ce que la balance indique 20 g :

$$m = 20 \text{ g.}$$

kilogramme (kg)	hectogramme (hg)	décagramme (dag)	gramme (g)
1 kg = 1 000 g	0,1 kg	0,01 kg	0,001 kg

gramme (g)	décigramme (dg)	centigramme (cg)	milligramme (mg)
1 g = 1 000 mg	0,1 g	0,01 g	0,001 g

Mesurer le volume d'un liquide

Comment mesurer le volume d'un liquide
qui se trouve dans un bécher ?

Ce qu'il te faut : une éprouvette graduée.

Ce que tu dois faire :

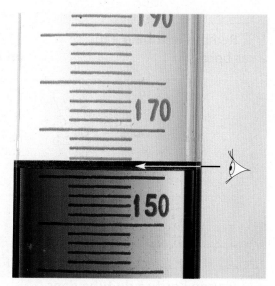

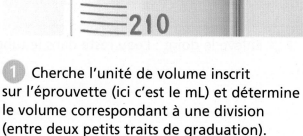

1 Cherche l'unité de volume inscrit
sur l'éprouvette (ici c'est le mL) et détermine
le volume correspondant à une division
(entre deux petits traits de graduation).

10 mL correspondent à 5 divisions.

Une division correspond à $\frac{10}{5}$ mL = 2 mL.

2 Verse le liquide dans l'éprouvette.
La surface du liquide fait un léger creux,
appelé ménisque.

3 Place ton œil au niveau le plus bas
du ménisque :

V = 162 mL.

litre (L)	décilitre (dL)	centilitre (cL)	millilitre (mL)
décimètre cube (dm³)			centimètre cube (cm³)
1 L = 1 dm³	0,1 L	0,01 L	1 mL = 1cm³ = 0,001 L

Cette technique de lecture est valable pour tous les appareils de mesure comportant des graduations :
thermomètres…

Recueillir un gaz par déplacement d'eau

Le tube dans lequel on souhaite recueillir le gaz contient déjà de l'air ; il faut donc remplacer cet air par de l'eau.

Ce qu'il te faut : un tube à essai, un cristallisoir et un tube à dégagement.

A. Prépare le tube

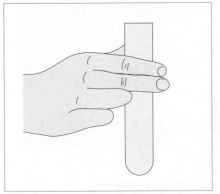

1 Remplis le tube d'eau à ras bord.

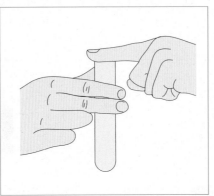

2 Bouche le tube avec un doigt.

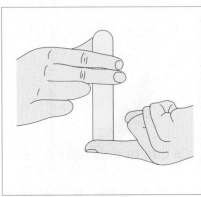

3 Retourne le tube.

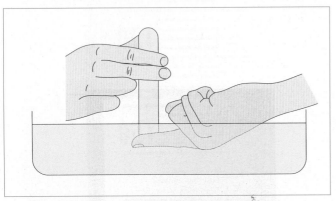

4 Plonge l'orifice du tube dans un cristallisoir rempli d'eau.

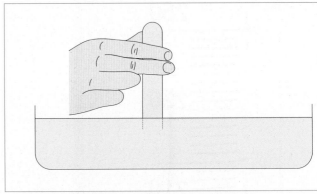

5 Enlève le doigt : l'eau reste dans le tube.

B. Recueille le gaz

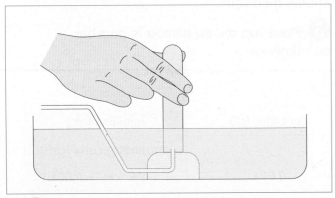

6 Fais arriver le gaz à recueillir juste au-dessous de l'ouverture du tube.

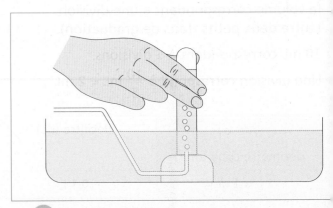

7 Le gaz monte et occupe progressivemen la place de l'eau qu'il chasse dans le cristallis

Règles de sécurité en chimie

Quelles sont les règles de sécurité que tu dois suivre en chimie ?

 Sécurité : mets des lunettes et une blouse et attache tes cheveux.

① Chauffer avec un bec bunsen. 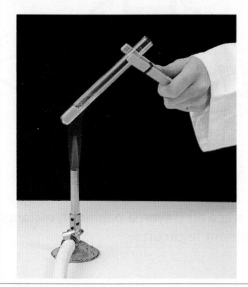	• Allumage du bec bunsen : – ferme l'arrivée d'air en tournant la virole ; – allume l'allumette et place-là juste au-dessus du bec ; – ouvre le robinet de gaz. • Réglage de la flamme : ouvre doucement la virole jusqu'à l'obtention d'une flamme bleue non bruyante. • Chauffage : – saisis le tube à essai avec des pinces près de son ouverture ; – place le tube incliné dans le haut de la flamme ; – chauffe le tube, sur le côté, et pas seulement au fond ; – **ne dirige pas l'ouverture du tube vers un camarade ;** – remue continuellement le tube.	
② Chauffer avec un micro-four. 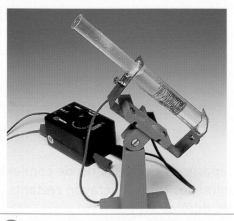	• Chauffage : – place le tube dans le micro-four ; – **ne dirige pas l'ouverture du tube vers un camarade.**	
③ Chauffer avec un « bec électrique ». 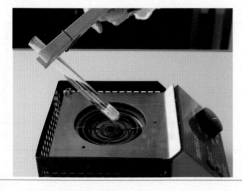	• Chauffage : – saisis le tube à essai, avec des pinces, près de son ouverture ; – place le tube incliné au centre du bec électrique ; – **ne dirige pas l'ouverture du tube vers un camarade ;** – règle le sélecteur central sur la température souhaitée.	

Schématiser un circuit électrique

À partir d'un texte

Schématise un circuit électrique comprenant en série : un générateur, un interrupteur fermé et une lampe.

À partir d'une photo

Schématise le circuit suivant.

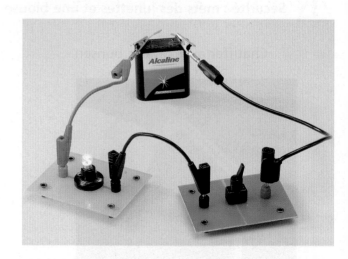

1 J'associe symbole et dipôle :

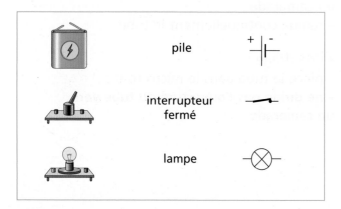

2 Je trace au crayon à papier un rectangle représentant le circuit :

3 Je dessine, à l'encre, les symboles sur les côtés du rectangle :

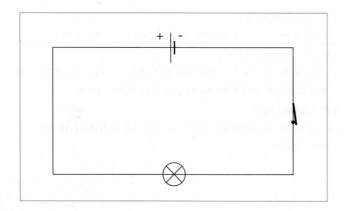

4 Je repasse à l'encre les fils de connexion et je gomme les traits au crayon restants reliant les dipôles :

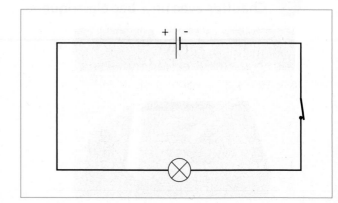

Réaliser un circuit électrique avec dérivations

Comment réaliser un circuit complexe à partir d'un schéma ?

En suivant les instructions données ci-après, réalise le circuit électrique dont le schéma est donné ci-contre.

Dans ce circuit, la lampe L_3 est branchée en dérivation sur la lampe L_2.

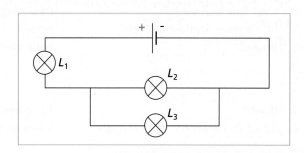

1 Place les dipôles sur la table.

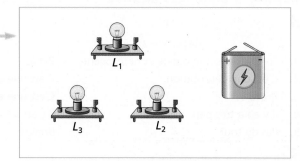

2 Relie les lampes L_1 et L_2 avec des fils de connexion en partant de la borne (+) de la pile.

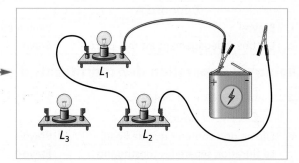

3 Avant de relier le dernier fil de connexion à la borne (–) de la pile, relie les bornes de la lampe L_3 à celles de la lampe L_2 avec deux fils. La lampe L_3 est alors branchée en dérivation entre les bornes de la lampe L_2.

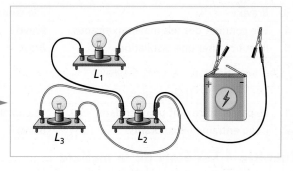

4 Fais vérifier ton montage par le professeur, puis ferme le circuit en reliant le dernier fil à la borne (–) de la pile.

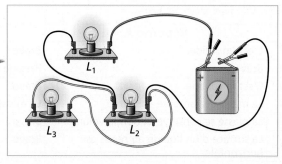

Fais le point

8 Je vérifie que je sais

	Réponse A	Réponse B	Réponse C
1.	Elle passe à l'état gazeux et non solide.	Bravo !	Elle passe à l'état gazeux et non liquide.
2.	L'eau retourne à l'état liquide.	Il n'y a pas que cela.	Bravo !
3.	C'est lorsque le sulfate de cuivre est hydraté.	Bravo !	C'est faux bien sûr !
4.	C'est faux bien sûr !	C'est lorsqu'on le déshydrate.	Bravo !
5.	Une boisson contient de l'eau.	Bravo !	Une boisson contient de l'eau.
6.	Bravo !	Seulement dans les boissons alcoolisées.	Pas toujours.

9 Je vérifie que je sais faire

	Réponse A	Réponse B	Réponse C
1.	Bravo !	Tu hydrates.	Tu refroidis.
2.	Il faut du sulfate de cuivre anhydre.	Il faut du sulfate de cuivre anhydre.	Bravo !

8 Je vérifie que je sais

	Réponse A	Réponse B	Réponse C
1.	Tu confonds homogène et hétérogène.	Bravo !	Limpide veut dire transparent.
2.	C'est une décantation.	C'est une ébullition.	Bravo !
3.	Bravo !	C'est une ébullition.	C'est une filtration.
4.	Il y en a très peu.	Il y en a très peu.	Bravo !
5.	Pas du tout.	Bravo !	Eau de chaux et non éteinte.

9 Je vérifie que je sais faire

	Réponse A	Réponse B	Réponse C
1.	Bravo !	L'eau n'est pas en haut du tube à essai !	Le tube à dégagement est mal placé.
2.	Le tube à dégagement est mal placé.	Bravo !	Il faut de l'eau de chaux.

9 Je vérifie que je sais

	Réponse A	Réponse B	Réponse C
1.	Elle ne doit contenir que de l'eau.	Bravo !	Elle ne doit contenir que de l'eau.
2.	La filtration sépare les constituants d'un mélange hétérogène.	Bravo !	Bravo !
3.	Bravo !	Elle contient des sels minéraux.	Les sels minéraux sont dissous.
4.	Elle contient des sels minéraux dissous.	Bravo !	Bravo !
5.	Il faut réaliser une distillation.	Bravo !	Il faut réaliser une distillation.

10 Je vérifie que je sais faire

	Réponse A	Réponse B	Réponse C
1.	Le papier-filtre doit plonger dans l'eau.	Le papier-filtre doit plonger dans l'eau.	Bravo !
2.	L'eau entraîne les colorants.	Bravo !	Les taches sont l'une en dessous de l'autre

10 Je vérifie que je sais

	Réponse A	Réponse B	Réponse C
1.	C'est un solide.	Bravo !	C'est un gaz.
2.	Bravo !	Passage de l'état liquide à l'état vapeur.	Passage de l'état liquide à l'état vapeur.
3.	C'est le volume.	Bravo !	C'est faux bien sûr.
4.	La masse se conserve.	La masse se conserve.	Bravo !
5.	La masse se conserve et non le volume.	Bravo !	Le glaçon a un volume plus grand.
6.	La surface d'un liquide au repos est horizontale.	Bravo !	La surface d'un liquide au repos est horizontale.

Fais le point

1 Je vérifie que je sais faire

	Réponse A	Réponse B	Réponse C
1.	Entre deux graduations : 2 mL.	Bravo !	Observe les petites graduations.
2.	La position de l'œil doit être au niveau de la surface du liquide.	La position de l'œil doit être au niveau de la surface du liquide.	Bravo !

Chapitre 5 Étude des changements d'état 58

Je vérifie que je sais

	Réponse A	Réponse B	Réponse C
1.	La Terre serait recouverte de glace.	Il gèlerait pratiquement toute l'année en France !	Bravo !
2.	Il n'y a pas de palier.	Au départ tu as déjà de la glace.	Bravo !
3.	C'est la température de fusion de l'eau pure.	Bravo !	On ne pourrait pas cuire des pâtes, à cette température !
4.	Pas pendant le changement d'état.	Pas si le corps est pur.	Bravo !
5.	1 kg ou 2 kg d'eau bout toujours à 100 °C.	1 L ou 2 L d'eau bout toujours à 100 °C.	Bravo !
6.	Bravo !	Regarde la température : elle augmente.	Pour un mélange, il n'y a pas de palier.

Je vérifie que je sais faire

	Réponse A	Réponse B	Réponse C
1.	On n'a pas besoin de connaître la masse.	Bravo !	Tu ne peux pas mesurer la température.
2.	L'œil est placé trop haut.	Bravo !	L'œil est placé trop bas.

Chapitre 6 L'eau solvant 70

Je vérifie que je sais

	Réponse A	Réponse B	Réponse C
1.	L'eau est le solvant.	La solution, c'est le mélange homogène qu'on obtient.	Bravo !
2.	Bravo !	La solution est ce qu'on obtient après la dissolution.	Le sucre est le soluté.
3.	Ils ne formeront jamais de mélange homogène.	Bravo !	L'huile ne peut pas se dissoudre dans l'eau.
4.	La masse se conserve lors d'une dissolution.	Es-tu sûr de ne pas avoir oublié l'eau ?	Bravo !
5.	C'est impossible, le sucre ne devient pas liquide.	Bravo !	On emploi le terme « liquéfié » quand un gaz devient liquide.
6.	On ne chauffe pas.	Bravo !	Le sucre ne se liquéfie pas !

Je vérifie que je sais faire

	Réponse A	Réponse B	Réponse C
1.	Bravo !	C'est une chromatographie.	C'est une filtration.
2.	On ne veut pas mesurer la température.	On ne veut pas mesurer un volume.	Bravo !

Chapitre 7 Le circuit électrique 84

Je vérifie que je sais

	Réponse A	Réponse B	Réponse C
1.	Pas nécessairement.	Bravo !	Pas toujours.
2.	Tu confonds ouvert et fermé.	Bravo !	Si l'interrupteur est ouvert, le courant ne circule plus.
3.	C'est le symbole d'une lampe.	C'est le symbole d'un moteur.	Bravo !
4.	Bravo !	C'est le symbole d'une pile.	C'est le symbole d'un interrupteur ouvert.
5.	Bravo !	Non, si tu ne touches pas les fils.	Bravo !

Fais le point

11 Je vérifie que je sais faire

	Réponse A	Réponse B	Réponse C
1.	Non, la lampe est éclairée.	Bravo !	Il n'y a pas de moteur.
2.	Pas suffisant.	Bravo !	Un fil de trop.

Chapitre 8 Le courant électrique 9

8 Je vérifie que je sais

	Réponse A	Réponse B	Réponse C
1.	Bravo !	Le courant sort par la borne (+).	Le courant a un sens !
2.	Symboles d'une lampe et d'un moteur.	Bravo !	Symboles d'un interrupteur fermé et de fils qui se croisent.
3.	C'est faux.	Bravo !	Bravo !
4.	L'ordre n'a pas d'importance.	L'ordre des lampes ne modifie pas leur éclat.	Bravo !
5.	Il faudrait plutôt enlever la lampe.	Il faudrait plutôt enlever le moteur !	Bravo !

9 Je vérifie que je sais faire

	Réponse A	Réponse B	Réponse C
1.	Un interrupteur sert à ouvrir ou fermer le circuit.	Une lampe n'a pas d'influence sur le sens du courant.	Bravo !
2.	Observe le branchement de la diode.	Bravo !	Observe l'interrupteur.

Chapitre 9 Conducteurs et isolants 10

8 Je vérifie que je sais

	Réponse A	Réponse B	Réponse C
1.	Il conduit le courant.	Tu confonds avec isolant.	Bravo !
2.	Bravo !	Bravo !	Une D.E.L. ne fournit pas de courant.
3.	Pas obligatoirement.	Pas d'isolant !	Bravo !
4.	Bravo !	En touchant seulement le neutre on ne risque rien.	Bravo !

9 Je vérifie que je sais faire

	Réponse A	Réponse B	Réponse C
1.	Bravo !	Il n'y a pas de pile !	La diode n'est pas passante.
2.	Il manque le générateur.	Cette diode ne s'allume pas.	Bravo !

Chapitre 10 Circuits avec dérivations 12

7 Je vérifie que je sais

	Réponse A	Réponse B	Réponse C
1.	Fais un schéma.	Bravo !	Trois boucles : deux seulement contiennent le générateur.
2.	Tu confonds série et dérivation.	C'est le circuit qui est en boucle simple.	Bravo !
3.	Tu confonds série et dérivation.	Il y a plusieurs boucles.	Bravo !
4.	C'est L_1 qui est en court-circuit.	C'est L_3 qui est en court-circuit.	Bravo !
5.	Bravo !	C'est L_2 qui est en court-circuit.	Bravo !

8 Je vérifie que je sais faire

	Réponse A	Réponse B	Réponse C
1.	Elles sont montées en dérivation.	Elles sont montées en dérivation.	Bravo !
2.	Elles sont montées en série.	Bravo !	Elles sont montées en série.

Fais le point

Je vérifie que je sais

	Réponse A	Réponse B	Réponse C
1.	Un objet diffusant ne produit pas de lumière.	Une source première n'existe pas.	Bravo !
2.	Un objet diffusant est un objet éclairé.	Bravo !	Le Soleil est une étoile.
3.	Bravo !	Une source primaire produit de la lumière.	Bravo !
4.	Bravo !	Aurais-tu des phares à la place des yeux ?	Les objets éclairés ne sont-ils pas aussi visibles ?
5.	Ce serait inutile de l'éclairer pour le voir.	Sommes-nous seuls à les voir ?	Bravo !
6.	Bravo !	On pourrait alors voir dans l'obscurité.	Est-ce que seuls les objets blancs sont visibles ?

Je vérifie que je sais faire

	Réponse A	Réponse B	Réponse C
1.	L'écran empêche la lumière de l'éclairer.	Il faut que l'écran soit sur le chemin de la lumière	Bravo !
2.	Karim voit la statue.	Bravo !	Julie voit la statue.

Je vérifie que je sais

	Réponse A	Réponse B	Réponse C
1.	Bravo !	La lumière provient de la source.	Bravo !
2.	C'est le cône d'ombre.	Fais attention aux couleurs.	Bravo !
3.	Bravo !	Il faudrait un écran derrière.	Non.
4.	C'est l'ombre propre.	Bravo !	C'est l'ombre portée.

Je vérifie que je sais faire

	Réponse A	Réponse B	Réponse C
1.	Pas toujours !	Cela n'est pas nécessaire et ne suffit pas.	Bravo !
2.	Tu confonds ombre propre et ombre portée.	Tout est faux.	Bravo !

Je vérifie que je sais

	Réponse A	Réponse B	Réponse C
1.	Bravo !	C'est la distance Terre Lune.	C'est beaucoup plus !
2.	As-tu bien appris le cours ?	Bravo !	La Lune n'est pas le Soleil !
3.	C'est un tour sur elle-même.	N'est-ce pas le cas de la Lune ?	Bravo !
4.	Bravo !	Tu confonds avec la Lune autour du Soleil.	Ce n'est pas autour du Soleil.
5.	Tu ne verrais qu'une moitié du disque.	Tu confonds avec la pleine lune.	Bravo !
6.	Bravo !	Est-il plein ?	Ce n'est pas le bon côté qui est éclairé.
7.	Le Soleil éclaire encore la Terre.	Bravo !	Le Soleil éclaire encore la Terre.
8.	Bravo !	C'est le Soleil qui disparaît.	La Lune est encore éclairée.

Je vérifie que je sais faire

	Réponse A	Réponse B	Réponse C
1.	Il n'y a qu'une moitié du disque lunaire d'éclairé.	Ce n'est pas la bonne moitié.	Bravo !
2.	Il y a une zone d'ombre sur la Terre.	Bravo !	Tu confonds avec nouvelle lune.

A

Alambic : appareil servant à la distillation, constitué d'une chaudière reliée à un tube enroulé jouant le rôle de réfrigérant **(p. 42)**.

Ampère *André-Marie* (1775-1836) : physicien français, ses travaux sur l'électricité ont été d'une grande importance **(p. 106)**.

Anhydre : qui ne contient pas d'eau **(p. 13)**.

B

Bécher : récipient utilisé en Chimie **(p. 36)**.

Borne : pièce d'un appareil électrique permettant de le relier à un autre appareil d'un circuit électrique **(p. 87)**.

Boucle simple : se dit d'un circuit électrique dans lequel les dipôles et les fils de connexion sont branchés les uns à la suite des autres en formant une boucle fermée **(p. 86)**.

Brouillard : ensemble de fines gouttelettes d'eau en suspension dans l'air, près du sol **(p. 55)**.

Buée : fines gouttelettes d'eau liquide, formées par liquéfaction de la vapeur d'eau **(p. 55)**.

C

Celsius *Anders* (1701-1744) : astronome suédois, inventeur de l'échelle de température. Le degré Celsius a pour symbole °C **(p. 60)**.

Changement d'état : transformation qui fait passer une substance d'un état à un autre (solide, liquide ou gazeux) **(p. 49)**.

Chromatographie : procédé de séparation des constituants d'un mélange. Il est basé sur la différence des vitesses de déplacement des constituants entraînés par un éluant sur un support poreux **(p. 38)**.

Circuit fermé : suite ininterrompue de conducteurs **(p. 111)**.

Circuit ouvert : suite d'élémen conducteurs de l'électricité inte rompue par un élément isola **(p. 111)**.

Conducteur : se dit d'un matéri ou d'une substance qui laisse pass le courant électrique. Par exempl les métaux sont conducteurs, tanc que le bois et le verre ne le sont p **(p. 110)**.

Cône d'ombre : région situé derrière un objet opaque éclairé par laquelle ne passe pas la lumiè qui éclaire l'objet. Un objet situ dans un cône d'ombre n'est p éclairé **(p. 150)**.

Convention : accord de plusieu personnes portant sur un fait préc Par exemple, le sens du coura électrique dans un circuit a é choisi par une convention accepte par les physiciens du monde enti **(p. 98)**.

Corps pur : un corps pur r contient pas d'autre matière que l même. L'eau distillée est un cor pur **(pp. 37 et 63)**.

Court-circuit : mise en contact d deux bornes d'un dipôle électriqu par un fil conducteur.

Le court-circuit d'un générateur des bornes d'une prise de coura peut détruire le générateur provoquer un incendie. Un fusib ou un disjoncteur peuvent protég d'un court-circuit **(pp. 88 et 124)**.

Cycle de l'eau : les différent transformations subies par l'ea depuis son évaporation des océa jusqu'à son retour dans les océa **(p. 12)**.

D

Décantation : action de séparer partie clarifiée d'un mélange hét rogène, après dépôt des particul solides en suspension **(p. 24)**.

érivation : mode de branchement e dipôles. Se dit aussi « branche-ent en parallèle », qui s'oppose à n « branchement en série ». Par xemple, deux lampes peuvent être ranchées soit en dérivation aux ornes d'une pile, soit en série aux ornes d'une pile **(p. 122)**.

iode : dipôle qui ne laisse passer courant électrique que dans un ns : son sens « passant ». Branchée ans le sens inverse, la diode est bloquée » et ne laisse pas passer courant électrique. Une diode assante se comporte comme un iterrupteur fermé et une diode loquée comme un interrupteur uvert **(p. 99)**.

iode électroluminescente (D.E.L.) : iode qui brille lorsqu'elle est bran-ée dans le sens passant et que le ourant la traverse **(p. 99)**.

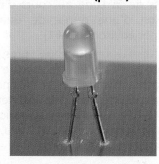

ipôle : appareil électrique possé-ant deux bornes **(p. 87)**.

issolution : disparition apparente 'une substance dans un solvant, boutissant à une solution homo-ène **(p. 72)**.

istillat : liquide obtenu lors d'une istillation **(p. 37)**.

istillation : opération qui consiste faire passer un mélange homo-ène liquide, à l'état de vapeur, de açon à séparer les divers consti-uants **(p. 37)**.

E

au de chaux : solution utilisée our caractériser le dioxyde de arbone (gaz carbonique) ; l'eau de naux limpide se trouble en sa résence **(p. 26)**.

bullition : vaporisation au sein ême du liquide ; il se forme des ulles de vapeur qui viennent crever la surface. L'eau bout à 100 °C sous pression atmosphérique normale p. 49 et 62)**.

Éclipse de Lune : lors d'une éclipse de Lune, celle-ci est située dans le cône d'ombre de la Terre. Elle n'est plus visible car elle n'est pas éclairée. Le Soleil, la Terre et la Lune sont alignés dans cet ordre **(p. 162)**.

Éclipse de Soleil : lors d'une éclipse de Soleil, celui-ci est partiellement ou totalement masqué par la Lune. Le Soleil, la Lune et la Terre sont alignés dans cet ordre **(p. 162)**.

Écliptique : plan contenant la trajectoire du centre de la Terre en mouvement autour du Soleil **(p. 160)**.

Électrisation : désigne le passage du courant électrique dans le corps humain. Il peut provoquer des brûlures et même la mort par électrocution **(p. 112)**.

Électrocution : électrisation entraî-nant la mort **(p. 112)**.

Éluant : liquide utilisé pour réaliser une chromatographie. Ce liquide entraîne les substances avec des vitesses différentes dans un support poreux **(p. 38)**.

Émulsion : mélange formé par la suspension, dans un liquide, de très petites gouttes d'un autre liquide non miscible. Par exemple, le mélange d'eau et d'huile est une émulsion **(p. 81)**.

Éprouvette : récipient gradué en forme de tube qui permet de mesurer le volume d'un liquide **(p. 50)**.

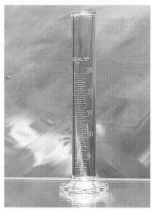

Erlenmeyer : récipient en forme de cône **(p. 24)**.

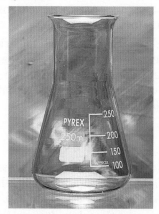

Évaporation : vaporisation à une température inférieure à la tempé-rature d'ébullition. Dans un marais salant, l'eau s'évapore : elle se vapo-rise sans bouillir **(p. 12)**.

F

Faisceau de lumière : ensemble de rayons de lumière issus d'une source de lumière ou d'un objet diffusant éclairé **(p. 149)**.

Filtrat : liquide homogène qui traverse le filtre lors d'une filtration **(p. 24)**.

Filtration : passage d'un liquide à travers un filtre **(p. 24)**.

Forme propre : forme d'un objet ou d'un matériau qui ne dépend pas du récipient qui le contient. Les solides compacts ont une forme propre **(p. 48)**.

Fusible : protège un appareil. Il fond lorsque l'intensité du courant qui le traverse est supérieure à une valeur donnée **(p. 117)**.

Fusion : passage d'un corps de l'état solide à l'état liquide sous l'action de la chaleur. Pour un corps pur, la température de fusion est caractéristique de ce corps **(p. 49)**.

G

Gaz dissous : gaz contenu dans un liquide **(p. 25)**.

Générateur : appareil électrique qui est à l'origine du passage du courant dans un circuit, comme une pile, un accumulateur, un alternateur **(p. 86)**.

H

Hectopascal : unité de pression (hPa). La pression atmosphérique normale est égale à 1 013 hPa **(p. 62)**.

Hétérogène : se dit d'un mélange dans lequel on distingue plusieurs constituants à l'œil nu. Une eau boueuse est un mélange hétérogène **(p. 24)**.

Homogène : se dit d'un mélange dans lequel on ne distingue pas les constituants à l'œil nu. L'eau du robinet est un mélange homogène **(p. 24)**.

Hydraté : qui contient de l'eau **(p. 13)**.

I

Interrupteur : dipôle permettant d'ouvrir ou de fermer un circuit électrique **(p. 86)**.

Inversible : phénomène qui peut se produire dans un sens ou dans l'autre. Un changement d'état est un phénomène inversible : par exemple, un solide peut devenir liquide et le liquide obtenu redevenir solide **(p. 49)**.

Isolant : se dit d'un matériau ou d'une substance qui ne laisse pas passer le courant électrique. Par exemple, les matières plastiques sont des isolants **(p. 110)**.

L

Limpide : qui est parfaitement transparent, parfaitement clair **(p. 24)**.

Liquéfaction : passage d'une substance de l'état gazeux à l'état liquide **(p. 49)**.

M

Mélange : un mélange contient des substances différentes. Par exemple, l'eau salée est un mélange qui contient de l'eau et du sel. On distingue les mélanges homogènes et les mélanges hétérogènes **(p. 24)**.

Mélange réfrigérant : mélange dont la température basse permet de refroidir d'autres substances. Par exemple, un mélange de glace et de sel est un mélange réfrigérant dont la température est inférieure à 0 °C **(pp. 49 et 61)**.

Ménisque : forme incurvée que prend la surface libre d'un liquide au contact d'un récipient **(p. 195)**.

Miscible : se dit des substances liquides qui peuvent se mélanger en formant un mélange homogène. Par exemple, l'alcool est miscible avec l'eau **(p. 73)**.

N

Nappe phréatique : nappe d'eau située dans le sous-sol **(p. 12)**.

Neutre : fil ou borne d'une installation électrique domestique alimentée par le secteur **(p. 112)**.

Nuage : amas de gouttelettes d'eau ou de petits cristaux de glace en suspension dans l'air de l'atmosphère **(p. 12)**.

O

Objet diffusant : objet qui, lorsqu'il est éclairé, envoie dans toutes les directions une partie de la lumière qu'il reçoit. Par exemple, un écran blanc est un objet diffusant. Un objet diffusant éclairé peut éclairer à son tour un autre objet **(p. 136)**.

Ombre portée : ombre créée par un objet, sur un écran placé derrière **(p. 150)**.

Ombre propre : zone d'un obje opaque située à l'opposé de l source de lumière qui éclaire l'objet partie non éclairée d'un objet **(p. 150**

Opaque : se dit d'un matériau o d'une substance qui arrête la lumièr **(p. 137)**.

P

Palier : partie horizontale de l courbe d'un graphique. La tempé rature marque un pallier pendar la durée d'un changement d'éta **(p. 60)**.

Phase : fil ou borne d'une insta lation électrique domestique a mentée par le secteur. Le contact d corps humain avec la phase peu être mortel (électrocution) **(p. 112)**

Phases de la Lune : différen aspects de la Lune au cours d'un lunaison d'une durée de quatr semaines environ **(p. 161)**.

Pression atmosphérique : pressio exercée par l'air. Elle se mesure e hectopascal (symbole hPa). Si la pre sion atmosphérique est inférieur à 1 013 hPa, on a une dépression si elle est supérieure à 1 013 hPa, o a un anticyclone **(p. 62)**.

R

Rectiligne : qui est ou se fait e ligne droite. Par exemple, la propa gation de la lumière est rectilign **(p. 148)**.

Réfrigérant : appareil servant abaisser la température. Par exempl le réfrigérant permet de liquéfier vapeur d'eau lors d'une distillatio **(p. 37)**.

Résistance : dipôle électrique qu ajouté en série dans un circui entraîne une diminution de l'inter sité du courant **(p. 99)**.

S

Schéma normalisé : schéma qu obéit à des normes ou règle établies par des conventions inte nationales **(p. 87)**.

Sels minéraux : substances min rales plus ou moins solubles dan l'eau. Les eaux minérales en renfe ment **(p. 37)**.

érie : mode de branchement de ipôles qui s'oppose à un « branhement en dérivation ». Un circuit n série forme une boucle simple **. 122)**.

olidification : passage d'une ubstance de l'état liquide à l'état olide **(p. 49)**.

oluble : qui peut se dissoudre dans n liquide en donnant un mélange omogène. Par exemple, le sel et le ucre sont solubles dans l'eau **(p. 72)**.

oluté : substance dissoute dans un olvant **(p. 72)**.

olution : mélange constitué d'un olvant et d'un soluté. Par exemple, ne solution aqueuse dont le olvant est l'eau **(p. 72)**.

olution saturée : une solution est aturée lorsqu'on ne peut plus issoudre de soluté. Par exemple, un tre d'eau peut dissoudre 360 g de el à la température ordinaire (20 °C). u-delà de 360 g, la solution est aturée : le sel ne se dissout plus **. 72)**.

Solvant : liquide dans lequel on dissout une substance : le soluté **(p. 72)**.

Source primaire : source de lumière qui émet sa propre lumière. Par exemple, le Soleil, une flamme, un écran de télévision en fonctionnement sont des sources primaires de lumière **(p. 136)**.

Surface libre : surface d'un liquide en contact avec l'air. La surface libre d'un liquide au repos est plane et horizontale **(p. 48)**.

Suspension : particules solides finement divisées dans un liquide ou dans un gaz ; gouttelettes de liquide dans un liquide où elles ne sont pas miscibles (voir émulsion). Une eau boueuse contient des particules solides en suspension **(p. 24)**.

T

Transparent : se dit d'une substance qui est traversée par la lumière. Par exemple, le verre d'une vitre est transparent **(p. 137)**.

V

Vaporisation : passage d'une substance de l'état liquide à l'état gazeux. L'évaporation et l'ébullition sont des vaporisations **(p. 49)**.

Volta *Alessandro* (1745-1827) : physicien italien, il inventa la pile qui porte son nom **(pp. 94 et 118)**.

Couverture : h : M. Garlick / SPL / Cosmos ; bg : M.A. Johnson / Corbis ; mg : Royalty-Free / Corbis ; m : S. Camazine / Sunset ; md : K. Kent / SPL / Cosmos ; bd : R. Royer / SPL /Cosmos. 10. Claudie / Sunset. 11. hg : R. Strange / Sunset. 12. E. Bock / Corbis. 20. Boisvieux / Hoa Qui. 21. C. Millet. 22. C. Jouan - J. Rius / Jacana. 23. hg : L. Saint Elie / REA ; hd : P. Burlot. 31. g : T. Futh / LAIF / REA ; d : Mantey / Presse Sports. 32. Cosmos. 34. G. Sioen / Rapho. 35.h : F. Perri / REA ; b : B. Decout / REA. 43. M. Porsche / Corbis. 44. g : S. Terry / SPL/Cosmos ; d : Bridgeman. 45. A. Pitton / Eurelios. 46. Diagentur / Sunset. 47. g : R. Shiell / Sunset ; d : S. Bloom / StockImage. 55. h : Hamilton / Corbis ;b : Sunset / Animals Animals. 56. BIPM – Pavillon de Breteuil. 57. g : Cosmos ; d : B. Edmaier / SPL / Cosmos. 58. P. Johnson / Corbis. 59. g : H. Engels / Presse Sports ; d : D. Joubert / REA. 68. Cosmos. 69. g : V. Leblic / Photo nonstop ; d : Kharbine Tapabor. 70. Morales / AGE / Hoa Qui. 71.g : I. Greenberg / Israël Ministry of Tourism ; d : C. Hires / Gamma. 80. b : Lissac / BSIP ; h N. Darbellay / Corbis / Sygma. 81. h : P. Plailly / Eurelios ; m : J. Riou / Sucré Salé. 82. g : Alaska Stock / Sunset ; d : D. Berretty / Rapho. 83. J.L. Amos / Corbis. 85. d : M. Nascimento / REA ; g : Littoclime. 86. NASA/Ciel et Espace. 93. Citroën Communication. 94. hg : T. Orban / Corbis / Sygma ; hm : Phototèque Hachette ; hd : B. Barbey / Magnum ; b : Dagli Orti. 95. h et m : G. Rolle / REA ; b : M. Kirchgessner / LAIF / REA. 96. Daimler Chrysler / Rolle / REA. 97. m : S. Ortola / REA. 106. Roger-Viollet. 107. Automobiles Peugeot. 108. F. Nascimbeni / PIG / AFP. 109. bg : Hamilton / REA ; bd : J. Thibaut / R.A.T.P. 118. g : Weiss / Sunset ; d : Héritage Images / Leemage. 119. d : Burger / Phanie. 120. B. Brännhage / ZEFA / Corbis. 123 R. Gayle Studio / Corbis. 130. Kharbine Tapabor. 131. h : V. Kessler / Sipa ; b : D. Bourges / Médiathèque E.D.F. 132. LWA – S. Kennedy / Corbis. 133. Colin Wallis. 134. Tsuni / Stills / Gamma. 135. g : P. Libera / Corbis ; d : J.-F. Raga / Corbis. 136. m : R. Howard / Corbis ; d : CRIN Lorraine Kraft / Hoa Qui ; b : Ciel et Espace. 137. D. Menuez / Corbis. 140. h : Thouvenin / Sunset ; b : A. et J. Six. 142 : h : NHPA / H. Ausloos / Sunset ; b : I. Hanning / REA. 143. h : M. Kerneïs ; bg : AKG. 144. Costa / Leemage. 145. h : NASA / Ciel et Espace ; b : B. Krist / Corbis. 146. X. Desmier / Rapho. 147. h : M. Fourmy / REA ; b : P. Escudero / Rapho. 156. g : Ciel et Espace ; d : Bridgeman. 157. d : ALIX / Phanie ; b : P. Plailly / Eurélios. 158. D. Nunuk / SPL / Cosmos. 159. h1, 2 et 5 : C. Arsidi / Ciel et Espace ; h3 : J.-L. Dauvergne / Ciel et Espace ; h4 : T. Edelmann / Ciel et Espace ; b : F. Espenak / Ciel et Espace. 160. NASA / JPL / Ciel et Espace. 161. g et d C. Arsidi / Ciel et espace. 162. b : M. Chapelet. 164. Groupe astronomie de Spa, Belgique. 166. F. Espenak / SPL / Cosmos. 167. h : T.W. Eggers / Corbis ; g : a, c et d : C. Arsidi / Ciel et Espace ; b : J.-L. Dauvergne / Ciel et Espace ; e : T. Edelmann / Ciel et Espace ; d : M. Chapelet. 168. g : M. Chapelet ; d : NASA / Ciel et Espace ; b : M. Chapelet. 169. NASA / Ciel et Espace. 172. Y. Arthus-Bertrand Altitude. 173. Y. Arthus-Bertrand Altitude. 174. g : P.P. Feyte / Bios ; bg : Diargentur / Sunset ; bd : K. Libbrecht / SPL / Cosmos. 175. La Chaîne Météo ; b : REX / Sunset. 176. La Chaîne Météo. 177. h : A. Lapujade / Météo France ; bg : M. Kerneïs ; mg : K. Hackenberg / Zefa / Corbis ; md : Jeulin ; bd : Littoclime. 179. Y. Arthus-Bertrand Altitude. 180. g : R. De La Harpe / Animals Animals / Sunset ; d : FLPA / Sunset. 181. g : Gamma ; m : E. Hardy / Rapho ; d : M. Harvey / Sunset ; b : E. Hardy / Rapho. 182. A. Devouard / REA. 183. HELVETAS. 184. N. Pasquel / MAP. 185. Y. Arthus-Bertrand Altitude. 189. hg : Météo-France / La Chaîne Météo ; hm : A. Paris / J. Taub / Gamma ; hd : F. Demange / Gamma ; bg : Lefteris Pitarakis / AP / Sipa ; bm : Corbis ; bd : G. Rowell / Corbis. 190 : La Chaîne Météo. 194. P. Burlot. 197. m : P. Burlot. 204. *Alambic* : J. Guillard / Scope ; *André-Marie Ampère* : Roger-Viollet. *Anders Celsius* : Cosmos ; *brouillard* : J. Guillard / Scope. 205. *Éclipse de Lune* : M. Chapelet. 206. *Nuage* : P.P. Feyte / Bios. 207 : *Alessandro Volta* : Photothèque Hachette.

Nous remercions l'administration et le personnel de laboratoire du lycée des Graves à Gradignan de nous avoir accueillis pour la réalisation des photos d'expérience.

Maquette intérieure : Valérie Goussot
Couverture : Favre et Lhaïk
Composition : Mediamax
Illustrations : Sébastien Telleschi, Christian Arnould (p. 182)
Schémas : Jean-Luc Maniouloux
Photographies non référencées : Alain Béguerie
Recherche iconographique : Michèle Kerneïs
Cartographie : Hachette Livre
Relecture critique : Brigitte Marquès, Nathalie Jacques

Achevé d'imprimer en Espagne par Dédalo Offset, S.L.
Dépôt légal : 08/2010 - Collection n° 53 - Edition n° 08 - 12/5419/2

Mesure de grandeurs

Grandeurs physiques	Instruments de mesure		Unités (symboles)
longueur	règle graduée		mètre (m)
masse	balance		kilogramme (kg)
temps	chronomètre		seconde (s)
température	thermomètre		degré Celsius (°C)

Unités de longueur

kilomètre (km)	hectomètre (hm)	décamètre (dam)	mètre (m)
1 km = 1 000 m	0,1 km	0,01 km	0,001 km

mètre (m)	décimètre (dm)	centimètre (cm)	millimètre (mm)
1 m = 1 000 mm	0,1 m	0,01 m	0,001 m

Unités de masse

kilogramme (kg)	hectogramme (hg)	décagramme (dag)	gramme (g)
1 kg = 1 000 g	0,1 kg	0,01 kg	0,001 kg

gramme (g)	décigramme (dg)	centigramme (cg)	milligramme (mg)
1 g = 1 000 mg	0,1 g	0,01 g	0,001 g

Unités de volume

litre (L)	décilitre (dL)	centilitre (cL)	millilitre (mL)
décimètre cube (dm³)			centimètre cube (cm³)
1 L = 1 dm³	0,1 L	0,01 L	1 mL = 1 cm³ = 0,001 L

Unités de temps

1 heure (h) = 60 minutes (min) = 3 600 secondes (s)

1 min = 60 s

Symboles électriques

fils électriques

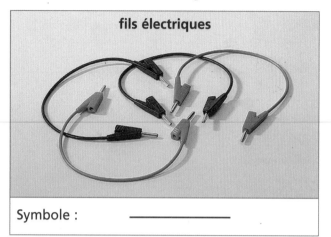

Symbole : ──────────

lampes

Symbole : ──⊗──

interrupteurs

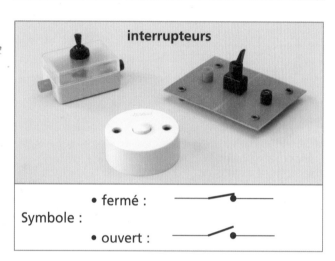

Symbole :
• fermé : ──•
• ouvert : ──•

générateurs (piles)

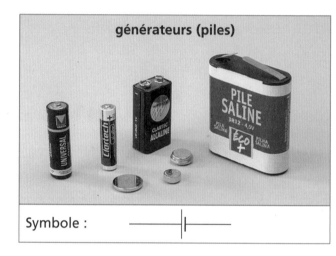

Symbole : ──┤├──

moteur

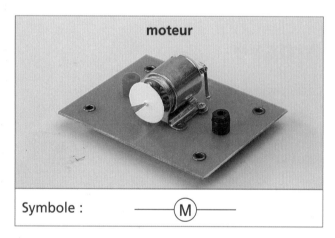

Symbole : ──(M)──

diode

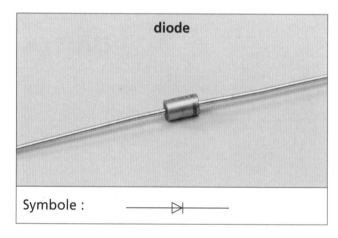

Symbole : ──▷├──

résistance

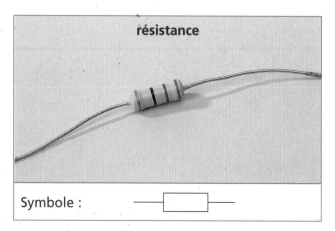

Symbole : ──▭──

diode électroluminescente

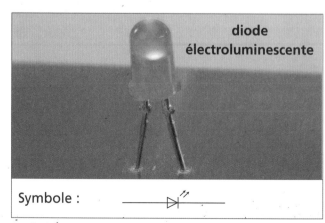

Symbole : ──▷├⁄⁄──